2005. 1. 20

건강 200세

(주)매일건강신문사 출판부

건강 200세

김상규 엮음

(주)매일건강신문사 출판부

엮은이 김상규(金相圭)

- 강원도 춘천 출생.
- 재미 교포(20여 년 간 New York에 거주).
- 현재, 월간 <건강과 교육> 편집인·발행인.
  한미현대예술인협회 고문.
  재미씨름협회 실무부회장.
- 전, 뉴욕 한인회 부회장.
  뉴욕 한인회 이사회 총무이사.
  뉴욕학부모협의회 자문.

- 1996-2000 한국에서 발행하는 역학전문지
  <월간 역학>의 필진으로 논문과 단편 소설 및
  엽편 소설 50여 작품을 발표하였다.

- 장편 소설 <견성야인(見星野人)>

- 뉴욕에서 소설가 및 한학자(韓學者)로 활동하고 있다.

- 주소: 142-09 37th Ave. #2Fl
  Flushing, NY 11354
- 전화: 718-661-9597 / 718-784-9719
- Fax: 718-661-9514
- E-mail: henews@msn.com
- Website: www.kodoc.com

차례

차례

차례

차례

차례

차례

차례

차례

200세까지 건강하게!

사람은 누구나 죽는다는 것을 알면서 살아간다.

그런데 주어진 명을 다하지 못하는 사람이 많다는 것 때문에 사람들이 건강이란 단어에 주목하게 되었던 것이다.

건강(健康)!

얼마나 듣기 좋은 말이던가.

"건강하십니까? 건강하십시오! 건강하게 삽시다."

누구나 듣고 싶어하는 말들이지만 누구나 잘 알면서도 지키지 못하는 것 가운데 하나이다.

건강에 관한 제품이나 서적들이 우리네 삶의 주변에 홍수를 이루고 있다. 그러나 진정한 건강의 가이드라인이 될 수 있는 정보는 적다. 또 하룻밤이 무섭게 새로운 질병들이 발생하고 있다.

우리는 모두 평생 건강이란 사슬에 목을 매고 건강의 사슬에 매여 살다가 끝내 건강하지 못한 상태로 삶을 마감한다.

그래서 주어진 수명을 다하고 건강하게 살기를 바라는 마음에서 생각 끝에 탄생한 것이 월간 〈건강과 교육〉이다.

그 동안의 2백 여 명의 필진 가운데 엄선하여, 우리네의 건강에 대해 대중적인 부분은 물론 삶과 밀접하고 예민한 부분까지 총망라한 스무 분의 글들을 모아 단행본으로 엮게 되었다.

뉴욕이라는 첨단문화의 공간에서 전문의사로서 생활하고 터득한 나름대로의 의견을 모든 사람이 공유할 수 있도록 정성을 다한 노력이 글 속에 담겨 있다.

각기 다른 전문분야의 현직전문의사이기 때문에 환자들이 쉽게 이해할 수 있고 쉽게 치료할 수 있는 방법도 자세하게 실려 있다. 뿐만 아니라 상담도 할 수 있도록 전문의사의 전화번호와 주소도 실었다.

이와 같이 환자는 물론 독자에게 매우 유익할 뿐만 아니라 가정에 비치하여 수시로 볼 수 있는 '건강의 지침서'로써 손색 또한 없을 것이다.

이 책이 탄생하기까지 아낌없는 도움을 주신 필진 및 당갑증 사장님을 비롯한 많은 분들에게 감사 드리며, 특히 을지 L&C 최정일 사장님과 임직원 여러분에게도 감사 드린다. 아울러 지금까지 월간 <건강과 교육>을 애독해주신 뉴욕, 뉴저지 동포 분들에게도 감사 드린다.

끝으로 '건강은 건강할 때 지켜야 한다'는 아름다운 말을 항상 기억하고 평소 건강에 유념하고 관리한다면 100세는 젊음이요 200세까지도 수명을 연장할 수 있다는 것을 첨언하면서 이만 줄이도록 한다.

독자 여러분! 감사합니다. 건강하십시오!

2003년 맹하(孟夏), New York의 Flushing office에서.
엮은이 김상규(월간 '건강과 교육' 편집인, 발행인)

건강지침서 발간을 축하하며

월간 〈건강과 교육〉지도 벌써 20호가 발간되어 날로 발전 성숙하여 가고 있는데 이것은 모두 월간 〈건강과 교육〉의 발행인 김상규 선생님과 직원 일동의 노력과 교포 및 독자 여러분의 계속적인 지도 편달과 후원의 결정체라고 확인하는 바입니다.

금번 뜻이 있어 그 동안 월간 〈건강과 교육〉에 실렸던 "전문의 칼럼과 건강 칼럼"을 모아 재정리 및 편집하여 교포사회는 물론 한국인의 건강 지침서로서 손색이 없는 단행본 책자를 어려운 조건 속에서 발간하기로 결정한 데에 진심으로 축하하며, 교포와 독자의 한 사람으로서 감사와 경의를 표합니다.

특히 어려운 환경 속에서도 훌륭한 내용과 특출한 삽화 등은 초창기로서 경악할 정도의 수준임을 볼 때, 발행인 김상규 선생님과 직원 일동의 피눈물나는 노력의 결정체라 생각합니다. 비록 지금은 아장아장 걸어다니는 유아시대라 할지라도 반드시 후일 건전하게 발전하여 훌륭한 성숙된 장성기를 맞이하여 자타가 공인하는 신체적, 정신적 및 정서적인 면에서 이곳 미국의 어려운 환경과 생활 경쟁 속에서 승리할 수 있는 유일한 교포의 지침서가 되리라 확신하는 바입니다.

앞으로 큰 비전을 가지고 현재의 우리 1세, 1.5세 및 2세뿐만 아니라 3세, 4세, 5세 아니 영원토록 훌륭한 지침서가 되기를 바랍니다.

이 모든 것들은 당사의 여러 직원 및 범 교포의 열정적인 노력 없이는 이루지 못한다고 생각됩니다. 더 나아가서 영어권의 후세를 위한 영어판도 한글판과 같이 병행해야 된다고 생각됩니다. 또한 욕심에, 교육면에 있어서 범 교육적인 면, 즉 철학적, 종교적, 윤리 도덕적 등등도 총망라되기를 바라는 바입니다.

한 가지 노파심으로 바라고 싶은 것은 우리 한인 사이에는 물론 생활경쟁 속에서 시간이 없지마는 타민족에 비하여 독서력이 부족한 것이 사실입니다. 그러므로 예를 들어 셰익스피어, 도스토예프스키, 모파상, 괴테, 톨스토이, 헤밍웨이 등의 대문호집, 기타 많은 종교적, 철학적 등의 양서를 읽음으로써 각 개인은 물론이지만 모든 사회인들이 지적으로 향상되어 좀더 좋은 사회가 형성되는 것입니다.

끝으로 논어에 나오는 고사성어,

「知者不惑 仁者不憂 勇者不懼(지자불혹 인자불우 용자불구)」

"지혜로운 이는 미혹되지 않고 어진 이는 근심이 없으며, 용기(선에 대한) 있는 이는 두려워하지 않는다."를 바치며,

다시 한번 '한국인의 건강지침서' 발간에 심혈를 기울이신 월간 <건강과 교육>의 발행인, 편집인 및 여러 직원들의 노고에 감사하며, 필진이 되어주신 M.D. 여러분에게도 깊은 감사를 드립니다.

2003년 8월

김호연 박사(정신과, 내과 전문의)

작은 책자 속에서 건강을 찾자.

건강에 대한 관심은 언제나 우리의 정서 속에 깊이 깃들어 있습니다.

그러나 자신의 건강은 물론 자녀의 교육과 건강에 대한 열정과 관심은 크지만 생업에 대한 분주함으로 알면서도 살피지 못하는 경우가 많습니다. 혹 어쩌다 책자나 간행물이 눈에 띄어 읽어보지만 일과성으로 없어지는 예 또한 많습니다.

우리 주변에 여러가지 읽을 만한 간행물이 있으나 올바른 건강지침서는 찾기 힘든 듯 합니다. 그러나 금번 건강지침서는 특별히 건강에 관한 구체적인 내용을 발췌하여 모음집으로 만들었고 누구나 보관하여 필요할 때마다 참고 할 수 있는 훌륭한 건강의 보고(寶庫)라 생각합니다.

너무도 열심히 생업에 종사하다보면 자신도 알지 못한 사이, 질병이 체내에서 자라고 있는 경우가 있어서 오랜 후에 자각증상이 나타날 때는 이미 늦어버리는 경우가 많습니다.

한가지 예를 들면 과로로 인한 피로가 계속되면, 신경을 많이 쓰게 되고 후에는 상초열(上焦熱)이라고 하는 증세가 발생합니다. 안면에 열이 자주 오르고 성정(性情)이 급해지며 가슴이나 안면에 땀이 나는 증세가 생깁니다.

검진을 해도 원인은 발견되지 않으나 한의학에서는 이것을 하나의 병환으로 간주합니다. 원인이 나타나지 않는다고 해도 자각증상은 느끼게 되는데, 치료하지 않고 오랜 시일이 경과되면 심장 신경증 (Cardiac-neurosis), 고혈압 음위증(Impotence)과 하지무력, 여성의 경우에는 요실금, 심한 갱년기 장애(Menopause syndrome)와 같은 병의 원인이 되기도 하는데, 분주한 생활 중에 이것을 인식하지 못하고 살아가는 것입니다.

이 참에 이러한 작은 책자라도 잘 보관하였다가 때로 몸에 이상을 느낄 때에 참고하여, 건강할 때에 미리 예방치료에 관심을 가지고 시행하는데 도움이 되길 바라는 것입니다.

단행본 발간에 기꺼이 참여해주신 한의사 여러분 깊은 감사를 드립니다.

2003년 8월
한의사 배명의

1. 홍재광 M.D.(홍재광 내과 원장)

- 미국 내과 전문의
- 한국 소아과 전문의
- 고려대학교 의과대학 대학원 의학박사
- Wyckoff Heights Medical Center,
  Flushing Hospital Medical Center,
  New York Hospital Medical Center of
  Queens의 Attending Physician

- 주소: 142-05 Roosevelt Ave. #109
  Flushing, NY 11354
- 전화: 718-886-5252

◎ 부종(Edema)

◎ 두통(Headache)

◎ 호흡곤란(Dyspnea)

◎ 흉부 통증(Chest Pain)

◎ 어지럼증(Dizziness)

◎ 당뇨병의 합병증(Complications

◎ of Diabetes Mellitus)

◎ 위궤양의 합병증

◎ 위장 질환(Diseases of the

◎ Stomach and Duodenum)

◎ 식도의 질환(Diseases of the Esophagus)

부종(Edema)

부종은 우리들이 흔히 일상생활에서 발견할 수 있는 증상입니다. 부종은 얼굴이 푸석푸석하다, 다리가 부었다, 또는 온몸이 부었다는 식으로 표현되는데 그 원인이 다양하고 때로는 심각한 질환에서 나타나는 경우도 있기 때문에 붓는 증상은 의학적으로 의미가 있는 것입니다.

부종에는 국소성 부종과 전신성 부종이 있습니다. 국소성 부종은 신체적 일부만 붓는 증상인데 대개는 염증성 질환, 또는 정맥혈관이나 림프관이 막혀서 나타납니다.

전신부종의 원인으로는 심장이나 신장 또는 간의 질환에서 발생하는 경우가 많은데,

첫째로, 울혈성 심부전으로 심장기능의 저하로 폐에 물이 차고 호흡곤란과 몸이 붓는 증상이 나타납니다. 대개는 심장이 붓는 것이 특징입니다.

둘째로는 신부전증을 원인으로 볼 수 있는데 이는 신장기능 이상으로 조직 내에 과도한 수분이 축적될 때 붓는 현상이 나타납니다.

셋째로, 간 경화증으로 복수가 차고 전신이 붓는 증상이 나타나는데 그 이유는 간 혈관의 순환장애나 저 단백증 또는 림프관의 순환장애로 나타납니다.

넷째는 신장 네프로제(Nephrotic Syndrome)로 인한 부종인데 네프로제는 소변으로 다량의 단백질을 내보내는 질환으로 혈중 단백질이 부족하여 전신부종이 나타나게 됩니다.

부종을 나타나게 하는 또 다른 질환으로써 갑상선 기능 저하증이 있는데 이때에는 눈 주위가 붓고 다리의 앞부분에 부종이 나타나는 특징이 있습니다. 임신을 했을 때나 어떤 종류의 약들, 예를 들면 부신 피질 호르몬제나 여성 호르몬제, 또는 어떤 종류의 혈압 약들을 복용했을 때 부종을 나타내는 경우도 있습니다.

붓는 증상은 질병으로 인한 경우가 많지만 아무런 질병이 발견되지 않으면서 나타나는 경우도 있는데 이를 체질성 부종이라고 합니다. 이는 주로 여성에서 나타나는데 생리 주기와 관계없이 붓는 증상이 나타나는 것이 특징입니다.

또한 잘못된 의학지식으로 체중을 줄이기 위하여 사용하는 이뇨제를 복용하면 일시적으로는 살이 빠지는 느낌을 주지만 약을 끊으면 부종이 생겨 전보다 더 살이 쪄 보이는 수가 있습니다.

이렇듯 부종은 그 원인이 다양하고 어떤 경우에는 심각한 내과적인 질환이 잠재해 있을 수 있으므로 그 원인을 찾아 치료해 주는 것이 필요합니다.

두통(Headache)

저는 머리가 자주 아픈데 혹시나 나쁜 병은 아닐지 걱정이 됩니다. 원인과 치료방법에 대하여 설명해 주셨으면 합니다.

〈 답변 〉

두통으로 고생해 보지 않은 분은 드물 것입니다. 통계에 의하면 전체 주민의 90% 이상이 한 번 이상 두통을 호소한다고 합니다. 전세계적으로 적어도 40% 이상의 주민이 매년 한 번 이상 심한 두통으로 일에 지장을 받는다고 합니다.

일반적으로 볼 때 두통은 흔히 나타나는 증상이고 가정 상비약으로도 잘 나아지므로 대수롭지 않게 여겨지기도 합니다. 그러나 두통환자의 5% 정도는 뇌종양, 뇌출, 뇌막염 또는 측두부 동맥염 등의 심각한 질환을 가지고 있으므로 정확한 진단과 치료를 필요로 합니다. 따라서 평소에 자주 발생하는 두통에 비해서 갑자기 처음으로 나타나는 심한 두통은 매우 조심스럽게 진단하여야 합니다.

그 외에도 반드시 진찰을 받아야 할 두통은 그 전에 없었던 심한 두통, 날이 갈수록 낫지 않고 더욱 심해지는 두통, 감각의 이상을 수반하는 두통, 열이 나거나 전신증상을 나타내는 경우, 두통이 나타나기 전 구토증상이 있는 경우, 몸을 구부리거나 펼 때, 또는 기침을 할 때 나타나는 두통, 그리고 처음 두통이 나타나는 연령이 55세 이상인 경우 등이 있습니다.

연령이 55세 이상에서 처음 나타나는 두통은 흔히 뇌출혈, 뇌종양, 측두부 동맥염, 그리고 녹내장 등이 함께 있을 경우가 많기 때문에 주의를 요하는 것입니다.

　이런 경우에는 흔히 세밀한 진찰과 함께 뇌 컴퓨터 단층 촬영(CT), 또는 핵 자기공명(MRI) 등의 검사가 필요합니다. 또한 고혈압, 심장병, 신장병, 녹내장으로 인한 안압상승, 시력장애가 있을 때에도 두통이 발생할 수 있으므로 전반적인 내과적 검사가 필요합니다.

　두통의 치료에는 이와 같은 많은 원인을 발견하고 제거하는데 주안점을 둡니다. 일반적으로 비스테로이드성 소염진통제가 많이 쓰이며 심한 두통에는 복합진통제와 경우에 따라서는 치료 및 예방 목적으로 항우울증 치료제가 쓰이는 경우도 있습니다.

　많은 분들이 흔히 걸리는 증상인 두통, 이것은 흔하지만 때로는 몹시 괴로운 증상이고 다른 중요한 질환의 증상이 된다는 점을 생각하셔야 하는 것입니다.

호흡곤란(Dyspnea)

호흡은 정상적인 경우에는 아무 느낌 없이 숨쉬는 행위입니다. 하지만 호흡이 힘들다고 느껴지면 지체 없이 의학적인 진단과 치료가 필요한 응급상황이 될 수 있습니다.

호흡곤란은 호흡하는 행위가 과다하게 되거나 힘들게 되는 상태입니다. 인간의 뇌는 산소공급이 3분만 중단 되도 손상을 받기 시작하고 5분만 산소공급이 안 되면 심각한 영구적인 손상을 받게 됩니다. 따라서 의학적인 면에서 호흡곤란은 응급상황이 될 수 있습니다.

호흡곤란의 원인은 크게 네 가지로 나눌 수 있습니다.

첫째는 폐나 기관지의 질환으로 인한 호흡곤란이 있습니다. 만성 기관지염, 폐기종, 천식 등의 폐쇄성 호흡기 질환이나 늑막염, 폐렴 등의 염증성 질환, 그리고 폐나 기관지의 악성 종양 등이 원인이 될 수 있습니다. 특히 장기간의 항공기 여행을 하시거나 여성 피임약을 드시는 분, 또는 다리에 골절이 생기신 분이 갑자기 호흡곤란이 오는 경우에는 급성 폐동맥 혈전증이 의심되는데 이는 응급상황이므로 즉시 응급실로 가셔야 합니다.

둘째로 심장 질환으로 인해 호흡곤란이 올 수 있습니다. 심부전증이나 심근경색이 그 대표적 예이나 어떠한 심장판막증도 호흡곤란의 원인이 될 수 있습니다. 심부전증은 심장기능이 약화되어 폐에 물이 차는 질환으로 다리도 함께 붓는 경우가 많습니다. 심근경색은 관상 동맥의 폐쇄로 인해 심장에 혈액공급이 차단되어 나타나는데 심한 가슴의 통증과 함께 호흡곤란이 나타나게 됩니다. 특히 평소에 협심증, 고혈압, 당뇨병, 또는 콜레스테롤이 높은 분들에게 많이 나타납니다. 이렇게 가슴의 통증과 호흡곤란이 나타나면 즉시 구급차를 부르셔야 합니다.

세 번째, 호흡곤란의 원인으로는 가슴에 기형이 있거나 호흡을 돕는 근육의 신경이 마비됨으로써 나타날 수 있는데 이것은 매우 드뭅니다.

상기 세 가지 원인 이외에도 불안신경증으로 인한 호흡곤란이 있습니다. 실제로 신체의 질환이 있어서 호흡곤란이 와도 매우 불안하고 초조해지는 증상이 나타날 수 있습니다만, 신체질환이 없이 호흡곤란을 호소하며 가쁜 숨을 쉬는 경우가 있습니다. 신경이 예민하거나 스트레스를 많이 받는 분에게서 이런 현상이 흔히 나타납니다.

결론적으로 호흡곤란은 필자 자신도 견디기 어려운 증상이며 동시에 의학적으로도 신속하고 신중한 진찰 및 치료를 해야 하는 경우가 많습니다. 호흡곤란이 발생할 때 신속하고도 적절한 대처를 함으로써 귀중한 인명을 구하고 건강을 유지할 수 있는 것입니다. 아무쪼록 이 추운 겨울에 건강히 지내시길 간구합니다.

흉부 통증(Chest Pain)

흉부 통증, 즉 흉통은 의사 사무실이나 응급실에서 가장 우선적으로 진료해야 하는 증상입니다. 의사들이 흉부 통증을 호소하는 환자를 대할 때 긴장하는 이유는 흉통의 원인이 되는 질환이 다양하기도 하지만 생명이 위급한 질환 즉, 심장의 관상동맥질환이나 폐동맥 혈전증, 기흉, 대동맥 파열 등이 있을 수 있기 때문입니다.

특히 겨울철에는 혈압이 오르기 쉽고 눈이나 낙엽을 치우는 등의 활동을 하다가 심근 경색이 발생하기 쉬우므로 평소 혈압이 있거나 운동을 안 하시던 분들은 추운 날씨에 눈을 치우는 일은 삼가시는 것이 좋습니다.

흉통은 그 원인을 크게 세가지로 나눌 수 있습니다.

첫째, 심혈관계의 질환에서 생기는 흉통이 있는데 이에는 협심증, 심근경색, 대동맥 파열, 심낭염 등이 있습니다. 이 질환들은 응급을 요하므로 평소 심장질환, 고혈압 등 심혈관계의 질환이 있는 분이 가라앉지 않는 흉통이 생기면 즉시 구급차를 부르셔야 합니다.

둘째, 위장장애로 인한 흉통이 있습니다. 특별히 역류성 식도염, 식도의 기능이상, 위궤양, 담낭 결석 등이 흉통의 원인이 될 수 있습니다. 평소에 소화장애가 있거나 위장의 불편함을 느끼시던 분들은 이런 질환의 가능성을 생각할 수 있습니다.

셋째, 폐 또는 늑막의 질환이 흉통의 원인이 될 수 있습니다. 폐렴, 늑막염 등은 기침이나 열이 동반되는 경우가 많습니다. 호흡의 곤란이 오면서 흉통이 있는 분은 폐동맥혈전을 의식할 수 있는데 이것은 응급상황이므로 반드시 구급차를 부르셔야 합니다.

기타 흉벽에 생긴 수포가 대상포진 등의 피부질환도 흉통을 유발 할 수 있는데 이는 피부에 수포가 생기는 것을 보면 진단이 됩니다.

결론적으로 우리 생활 주변에서 흔히 나타날 수 있는 흉부 통증은 의학적으로 매우 중요한 의미가 있으므로 반드시 응급실을 찾거나 담당 주치의의 조언을 들으셔야 합니다. 특히 겨울은 평소 혈압이 잘 조절되던 분들도 혈압이 오르기 쉽고 관상동맥질환 등이 잘 나타나는 계절입니다. 아무쪼록 건강하고 평안한 겨울을 지내시기를 기원합니다.

어지럼증(Dizziness)

어지럼증은 우리 주변에서 흔히 볼 수 있는 증상이며 또한 많은 분들이 이해하지 못하는 증상이기도 합니다. 어지럼증은 머리가 휭 도는 것 같다든지, 아찔한 느낌이 온다든지, 빙빙 도는 것 같은 느낌이 든다고 표현합니다. 그러나 정신이 흐려진다든지, 시야가 뿌옇게 보인다든지, 두통이나 울리는 느낌 등과는 구별이 되어야 하는 증상입니다.

어지럼증의 종류로는 첫째로 생리적인 어지럼증을 들 수 있는데 이는 차멀미, 배멀미, 높은데 올라갔을 때 생기는 어지럼증입니다. 둘째로는 병적인 어지럼증으로 안경이 잘 맞지 않거나 새로 제작한 안경을 착용할 때 올 수 있는 어지럼증이 있을 수 있고, 가장 흔한 원인으로는 내이 (內耳, 속 귀)에 있는 전정기관의 기능의 장애를 들 수 있습니다. 이 전정기관은 우리 몸의 평행감각을 인지하는 기관으로 장애가 와서 어지럼증의 원인이 될 수 있습니다. 그 외에도 어떤 약물이나 음주과다 등도 어지럼증의 원인이 될 수 있습니다.

내이의 질환 중에 메니어씨병(Meniere's)이 있는데 이 질환은 흔히 자주 반복하는 어지럼증을 보이기도 합니다. 때로는 동맥경화로 인하여 뇌로 가는 혈관이 좁아져 어지럼증이 올 수도 있습니다. 드물게는 청신경의 종양으로 어지럼증이 올 수도 있으므로 경우에 따라서는 뇌 컴퓨터 단층촬영이 필요할 수도 있습니다.

체위성 현훈은 머리를 좌우 전후로 기울일 때 발생하는 어지럼증으로서 머리의 손상이 있을 때나 또는 아무 일 없이도 흔히 나타날 수 있습니다. 이것은 수주간 또는 수개월간 지속되다가 자연히 낫게됩니다.

어지럼증의 치료로는 약물이 주종을 이루고 특히 메니어씨병이 있으면 저염식을 하면서 이뇨제를 사용하기도 하는데 드물게는 수술요법이 필요한 경우도 있습니다.

결론으로 어지럼증은 우리 주변에서 흔히 볼 수 있는 질환입니다. 치료방법은 그리 많지 않으나 그 원인이 다양하기 때문에 전문의의 진단을 받고 적절한 치료를 받을 것을 권장합니다.

당뇨병의 합병증
(Complications of Diabetes Mellitus)

당뇨병은 우리들 주위에서 볼 수 있는 가장 흔한 질병 중 하나이며 대부분의 사람들이 이 병에 대해서 어느 정도 알고 있다고 생각하는 질환입니다.

실제로 당뇨병의 진단은 비교적 쉬워서 소변을 자주 누고, 갈증이 심해서 물을 많이 마시고, 식욕이 증가되어 식사를 많이 하면 일단 당뇨병을 의심하고 공복 시 혈액검사에서 혈당이 140mg/dl 이상 두 번 연속 나오면 당뇨병이라는 진단이 나오게 됩니다.

당뇨병은 흔한 병이고 따라서 쉬운 병이라는 관념을 많이 가지고 있으나 실제로는 가장 오래 지속되고 그에 따라서 합병증으로 고생하는 분도 가장 많은 질환 중 하나라는 것을 알아야 합니다. 따라서 본 난은 당뇨병의 합병증을 구체적으로 고찰하고 당뇨병 치료의 원칙을 제시함으로써 당뇨병으로 고생하는 여러분들에게 조금이나마 유익을 드리고자 합니다.

당뇨병의 합병증(Complications)

당뇨병은 급성 합병증과 만성 합병증 등 합병증이 유난히 많고 그 후유증도 심각한 질환입니다.

① 급성합병증으로 당뇨병성 케톤산혈증(Diabetic Ketoacidosis)을 들 수 있는데 이는 심한 인슐린 부족으로 나타나는 것이며 생명의 위험

을 초래할 수 있는 질환입니다.

증상은 구토, 오심, 호흡곤란, 복통, 전신 통증, 의식혼탁 그리고 혼수 상태까지 이르는 것으로 응급치료를 요합니다. 당뇨병이 있는 환자가 이런 증상을 보일 때에는 즉시 주치의에게 연락을 취하거나 가까운 종합병원 응급실을 찾아야 합니다.

② 또한 고농도성 혼수(Hyperosmolar Coma)가 있는데 이것은 혈중 당성분이 너무 진해지는 까닭에 생기는 현상입니다.

증상은 의식이 혼미해지거나 경련을 일으키고 소변을 평소보다 자주 보고 구토나 오심을 나타냅니다. 이것도 역시 내과적인 응급처치를 신속히 행해야 하는 질환이므로 응급실을 찾아야 합니다.

③ 당뇨병 환자는 흔히 혈당이 높은 것이 문제가 되는 것으로 알고 있는데 경우에 따라서는 혈당 농도가 너무 떨어져서 위험한 경우도 있습니다. 이를 저혈당증(Hypoglycemia)이라고 부르는데 혈당이 대개 50mg/dl 이하로 떨어집니다.

저혈당의 증상은 진땀이 나고 불안 초조하며 손발이 떨리고 가슴이 뛰는 것이 나타납니다. 때로는 시력장애, 두통, 피로감이 심하게 나타날 수 있습니다. 당뇨병 환자가 이런 증상이 나타나면 즉시 오렌지 쥬스나 캔디 등의 당분을 섭취해야 합니다. 당뇨병 환자가 아닌 사람에게서 이러한 저혈당이 나타나면 다른 질환이 있는가를 알기 위한 검사를 받아야 합니다. 저혈당증이 나타나는 질환에는 취장의 종양, 호르몬계통의 질환, 간질환, 만성 신장질환 등이 있습니다.

④ 만성합병증

a) 시력 장애 : 약 6-15%의 환자에게서 당뇨병이 생긴 후 15년 이내에 발생합니다. 눈의 망막에 분포하는 혈관에 혈액순환 장애가 와서 망

막출혈, 망막 박리 등이 일어납니다. 또한 당뇨병 환자는 백내장이나 녹내장 등의 발생률도 높습니다. 이것을 미리 예방, 조기 치료하기 위하여는 적어도 1년에 한 번 안과의사를 찾아서 눈에 대한 정밀검사를 받아야 합니다.

b) 말초신경 장애 ; 특히 발에 감각 이상이 와서 따갑거나 찌르는 듯한 느낌을 줍니다. 통증은 주로 밤에 나타나는 것이 특징이고 치료는 가벼운 진통제나 캅사신(capsasin) 0.075% Cream을 3-4회 발라줍니다.

c) 자율신경 장애 :

• 위장장애 ; 음식이 식도에서 잘 내려가지 않고, 소화가 잘 안되고 설사를 합니다.

• 비뇨기계통 장애 ; 소변보는데 장애가 오거나 정력이 감퇴됩니다:

• 기립성 저혈압이 있을 때는 어지러움, 귀가 멍멍함 등의 증상이 나타납니다.

• 심장질환 ; 10-15%가 신장의 장애, 단백뇨가 특징입니다.

• 감염(족부피부궤양-Foot Ulcer); 이것은 말초신경 장애 및 반복되는 피부손상(감각이 무뎌져서 생김)으로 인한 감염이며 매우 조심스럽게 치료해야 합니다. 흔히 복합 감염이 옴으로 광범위 항생제와 최근에 개발된 내성균을 잡을 수 있는 치료제를 복합적으로 사용해야 합니다.

• 신경염에 의한 관절질환; 뼈나 관절의 형태가 변하며 통증이 심하게 나타날 수도 있습니다.

• 골다공증.

• 괴사성 피부감염(necrobiosis Lipoidica Diabeticorum) 등이 있습니다.

위궤양의 합병증

위, 십이지장 궤양에서 오는 합병증은 그리 드물지 않아 실제 위궤양의 진단을 받은 환자의 1/3은 한가지 또는 그 이상의 합병증을 가진 것으로 추정되고 있는 실정입니다.

1. 위장출혈(Bleeding)

상부 위장출혈 중 가장 흔한 원인이 위궤양입니다. 위궤양 환자의 20% 이상이 위장출혈을 보이고 있으며 위장출혈 환자의 사망률도 약 7% 정도로 낮은 편이 아닙니다. 특히 연세가 드신 분들은 흔히 신경통약을 복용하는 경우가 많은데 이런 분들이 위궤양이 있을 때에는 출혈이 될 경우가 많습니다.

대개의 위출혈이(80% 정도) 적어도 일시적으로는 자연히 멈추는 경우가 많으나 위출혈은 위 내시경으로 보아서 치료방침을 결정하여야 합니다. 위출혈이 멈추지 않는 경우에는 대개는 위 내시경으로 출혈을 멎게 하거나 약 90%는 위 내시경으로 출혈을 멎게 하지만 그것이 실패할 때에는 수술을 고려합니다.

2. 천공(Perforation)

소화성 궤양은 위벽이 허는 질환이니 만큼 때로는 위벽이 전부 헐어서 구멍이 나는 경우가 있는데 이를 천공이라 합니다.

천공은 위궤양 환자의 2-5% 정도가 발생하고 십이지장 궤양 환자의

5~10%가 발생하는데 특히 소염진통제를 복용하거나 심한 스트레스를 받는 환자에게서 흔히 나타납니다. 천공이 발생하면 심한 복부통증이 나타나고 복막염 증세, 즉 복벽이 경직하고 열이 나는 등의 증세가 보이며 혈압이 내려가거나 맥박이 빨라지는 현상도 나타나게 됩니다. 천공이 진단되면 즉시 응급 수술을 받아야 합니다.

3. 폐쇄(Obstruction)

이것은 비교적 드문 위궤양의 합병증으로서(약 5%에서 발생) 궤양으로 인하여 위나 십이지장의 넘어가는 부분이 좁아지거나 막힌 것입니다.

증상은 속이 더부룩하고 음식이 잘 내려가지 않는 느낌, 구토, 오식이 나오고 배가 아프며, 조금만 음식을 먹어도 포만감을 느끼는 것 등이 있습니다.

진단은 상기 증상을 가진 환자를 상부 위장만 X-Ray나 위 내시경을 실시함으로 가능합니다.

치료는 약물 복용으로 약 반수의 환자는 가능하나 약물로 안되면 내시경 또는 수술적 방법으로 음식물이 잘 통과하도록 해 주어야 합니다.

4. 낫지 않는 복통(Intractable Pain)

오랜 기간동안 상복부 통증으로 고생하는 분이 생각보다 많습니다. 이런 분들을 잘 살펴보면 적절한 약물 치료를 받지 못하였거나 치료를 중단한 경우, 만성적으로 신경통 약을 복용한 경우, 또는 위액의 분비가 병적으로 많이 나타난 경우 등으로 구분할 수 있습니다.

드물게는 위 천공이 발견되지 않고 있는 경우에도 복통이 낫지 않는 것으로 나타날 수 있습니다.

위궤양의 진단 및 치료개요.

지금까지 서술한 위궤양의 증상이 나타나는 환자는 상부 위장관 X선 조명술이나 위 내시경으로 진단이 가능합니다.

위 내시경은 가격이 비싼 흠이 있으나 위궤양을 직접 보고 진단하며 필요하면 조직 검사나 위출혈을 치료하는 등 여러 가지 좋은 점이 많으므로 최근의 의학에서는 위 내시경을 선호하는 경향이 있습니다.

위궤양의 치료는 보다 전문적이고 환자의 상태, 병이 진전된 정도에 따라 치료 방향이 결정될 것이므로 한마디로 논하기는 어려우나 치료의 큰 줄거리를 설명 드리는 것으로 만족할 수밖에 없습니다.

일반적으로 위 십이지장 궤양 환자는 약물 치료로써 대개는 나을 수 있습니다. 수술적 방법은 위궤양의 합병증이 나타나는 경우에 그것도 선별하여 사용합니다.

약물 수술적 방법 등의 전문적인 치료법 이외에도 환자가 반드시 알아두어야 할 것은 위 십이지장 궤양 환자는 반드시 담배, 술을 삼가야 합니다. 또한 신경통 약이나 아스피린 같은 약도 중단해야 합니다. 한때는 식사요법이 위 십이지장 궤양 치료에 매우 중요한 요소가 된다고 알려졌고 지금도 많은 분들이 어떤 음식을 먹으면 안 되는지 질문을 하고 있지만 대개는 식사형태를 근본적으로 바꾸는 것은 그리 바람직하지 않은 것으로 되어 있습니다. 다만 어떤 특정한 음식을 먹었을 때 그 음식이 위를 자극하여 아프게 한다든지 하면 그 음식은 피해야 하고, 세끼 식사 중간에 간식을 자주 먹는 다든지 잠자리 들기 직전에 음식물을 먹는 것은 피해야 합니다. 왜냐하면 이런 습관은 위액의 분비를 촉진시켜서 위 십이지장 궤양을 나쁘게 하거나 재발하게 할 수 있기 때문입니다.

위장 질환
(Diseases of the Stomach and Duodenum)

위의 기능은 ① 음식을 저장하고 잘게 섞어서 십이지장으로 내려보내는 저장의 기능과 ② 음식이 소화될 수 있도록 위산을 분비하고 섞는 소화의 기능이 있습니다.

현대인은 특히 복잡한 생활환경과 스트레스, 그리고 불규칙한 식사습관 등으로 인하여 알게 모르게 위장질환을 갖고 있는 경우가 흔합니다.

1. 위염(Gastritis)

위염에는 위점막이 헐거나 위출혈을 일으키는 궤양성(출혈성) 위염과 외형적으로 보아 염증성 조직변화가 잘 안 보이는 비궤양성 위염이 있습니다.

궤양성 위염의 원인은 매우 다양하지만 특히 어떤 종류의 약물들 즉, 아벡필, 비스트레스성 신경통 약품, 술 등은 위점막에 손상을 주기 때문에 위염의 원인이 될 수 있습니다.

또한 스트레스로 인한 궤양성 위염도 있는데 이것은 수술을 받았거나 또는 심각한 내과적 질환이 있을 때 나타납니다.

궤양성 위염의 가장 중요한 합병증은 위장출혈이라 할 수 있는데 이런 경우에는 대변이 검게 나오거나 선홍색의 피를 토하기도 합니다.

비궤양성 위염은 위점막의 외적 소견은 그리 염증이 없어 보이는 것이 특징입니다.

특히 위의 기저부(Fundus)에서 생기는 비궤양성 위염은 연령이 많아지는 경우 또는 악성 빈혈이 있을 때 같이 생길 수 있습니다.

위계실 부위(Antrum)에서 생기는 비궤양성 염증은 위궤양을 동반하는 경우가 많습니다. 최근에 밝혀진 바로는 H. Pylori라고 하는 박테리아의 감염이 원인이 되는 경우가 많은데 이 H. Pylori는 앞서 기술한 비궤양성 위염, 위궤양 그리고 더 나아가서는 위암의 원인이 될 수도 있는 것으로 생각되므로 많은 의학자들의 관심을 끌고 있습니다.

2. 위궤양(Peptic Ulcer Disease of the Stomach and Duodenum)

한 사람이 살면서 여러 가지 병에 걸릴 수 있는데 그 중에서 위궤양을 평생에 한번 걸릴 확률은 5~10%로 이 비율은 꽤 동일합니다.

위궤양보다는 십이지장궤양이 더욱 흔한 것으로 되어 있습니다.

위궤양은 연령이 증가할수록 발생빈도가 높아지는데 발생요인으로서 가족력(직계가족에 환자가 있으면 다른 가족들도 발생할 확률이 높아진다), 흡연, 인종(흑인이 백인이나 동양인보다 발생률이 높다), 여러 가지 질환들(만성 호흡기질환, 간경화증, 부갑상선 기능항진증, 만성심장질환)에서 많이 나타납니다.

연령과 상관없이 비스테로이드 계통의 진통제를 장기적으로 복용하면 위궤양의 발생률이 높아지고 심리적인 충격도 위궤양의 원인이 될 수 있다고 합니다.

위궤양의 증상은 대부분의 환자가 윗배가 아프다는 호소를 합니다. 특히 식사 후 1-3시간 후에 가장 통증을 많이 호소합니다. 이때 식사를 하면 통증이 없어진다는 환자도 있습니다.

복부의 통증 외에도 소화불량을 들 수 있는데 이때 배가 부글거린다든지, 구토, 식욕부진, 신물이 올라온다든지 하는 증상이 흔히 나타납니다.

식도의 질환(Diseases of the Esophagus)

식도는 문자 그대로 입과 위를 연결하는 관모양의 기관입니다. 매우 단순한 관(Duct)의 형태를 하고 있으나 식도의 질환은 의외로 흔히 나타나는데 그 증상으로는 쓰린 흉통(Heart Burn), 음식이 잘 넘어가지 않는 것, 그리고 식도출혈 등이 있습니다.

증상별로 살펴보는 식도질환

1. 연하장애(Dysphagia)

연하장애는 입에서 삼킨 음식물이 시원하게 내려가지 않고 가슴 어딘가에 걸려 있는 듯한 느낌을 주는 증상을 나타냅니다.

고체로 된 음식을 삼키는데 지장이 있는 질환은 궤양으로 인한 식도 협착, 식도하부의 기형으로 인한 협착, 특히 연령이 50세 이상이고 최근에 체중이 감소하는 경우에는 식도암을 의심해 보아야 합니다. 고체 음식만 아니라 액체음식도 잘 내려가지 않는 경우에는 식도의 경련, 피부경화증 또는 Achalasia(식도 하부의 협착으로 식도가 깔때기 모양으로 되는 질환) 등을 의심할 수 있습니다.

2. 가슴앓이(Heart Burn)

이것은 흔히 가슴이 쓰리고 아픈 증상을 일컫는 용어인데 식도질환에서 오는 가장 흔한 증상입니다. 입에서 쓴맛이 느껴지거나 속이 쓰리고 소화가 안 되는 증상을 함께 갖는데 주로 위액이 식도로 역류해서 발생합니다.

이런 속쓰림 또는 가슴앓이의 흔한 원인 요소로써 음식물 중에 지방이 많거나 초콜릿, 매운 음식, 카페인이 많은 음식, 포도주 등이 있고 흡연이나 식사 후 바로 눕는 습관을 가진 분에게 많이 나타납니다. 심리적인 충격 또는 예민한 성격에서도 흔히 나타나는 증상입니다.

3. 연하통(Odynophagia)

이것은 음식을 삼키면 식도에 통증을 느끼는 것으로, 원인으로는 식도의 점막을 손상시키는 물질을 삼키거나 알약이 식도에 걸려 식도 점막을 헐게 하거나 바이러스나 곰팡이 감염에 의한 식도의 염증 때문에 나타나는 증상입니다. 특히 감염에 의한 식도염은 에이즈(AIDS) 환자에게서 흔히 나타납니다.

역류성 식도질환(Gastroesophageal Reflux Disease)

이 질환은 위나 십이지장의 내용물이 식도로 역류하면서 생기는 질환으로 실제로 많은 건강한 사람도 위나 십이지장의 내용물이 역류할 수 있지만 이런 현상이 흔히 나타나면서 위산이 식도의 점막을 자극하여 염증을 유발함으로 생기는 질환입니다.

1. 증상은 연하장애, 연하통, 쓴 물이 입에서 느껴지는 것, 군침이 도는 것, 트림을 많이 하는 등의 위장 증상 이외에도 흉통이나 귀나 코 또는 목구멍에 통증을 느낄 수도 있습니다. 입에서 냄새가 난다든지 목이 당겨지는 듯한 느낌도 가질 수 있습니다.

이런 환자들은 가끔 위액이 역류하여 기도(Airway)로 들어가기도 하기 때문에 만성적인 기침을 하거나 사래가 잘 나는 등 호흡기 증상을 나타내기도 합니다.

2. 진단은 환자의 병력과 임상 증상으로써 비교적 쉽게 되기도 하지만 근본적인 원인을 찾으려면 좀더 정밀한 검사를 필요로 할 경우도 있습니다.

3. 첫번째 치료방법으로 생활방식을 조절하는 것이 중요합니다. 즉 식사 후 바로 눕는 다든지 엎드리지 말고 2-3시간 후 눕고 머리를 높이고 누우며, 너무 시거나 매운 음식을 피하고 담배, 술을 멀리하고 체중이 초과된 경우 체중을 줄이는 방법이 있고, 두 번째로는 전문의의 처방에 의한 약물복용이 있겠고, 세 번째로는 매우 심한 증상이 상기 두 가지의 방법으로도 안 되는 경우에는 수술적인 방법을 생각할 수 있습니다.

2. 한원희 M.D. (한원희 알러지 · 천식전문의)

- Columbia 의과대학 부속병원
  알러지 · 천식과 전문의 과정수료
- Albert Einstein 의과대학
  소아과 전문의 과정수료
- 미국 알러지/천식학회/뉴욕 알러지/
  천식학회/미국 소아과 학회 정회원
- Diplomate, American Board of Pediatrics
- 현재 Flushing Hospital Medical Center
  소아알러지-천식과 과장

- 주소: 143-20 Sanford Ave.
  Flushing, NY 11355
- 전화: 718-460-3943
- Fax: 718-460-9141

◎ 음식 알러지의 증상, 치료 및 예방법

◎ 봄 꽃가루 알러지철 건강관리법

◎ 아토피성 피부염 및 알러지성 습진의 치료 및 예방

◎ 과일 알러지

◎ 계절성 알러지(잡초 알러지) 증상의 최신 치료법

◎ 알러지성 기관지 천식(Allergic Bronchial Asthma)

음식 알러지의 증상, 치료 및 예방법

간혹 응급으로 걸려오는 전화 중에서는 무엇을 먹었는지는 모르지만, 얼굴과 눈이 붓고 전신이 가려우며, 온몸에 두드러기가 돋는데 어떻게 했으면 좋겠냐고 하는 경우가 있습니다.

많은 사람들이 "나에게는 그런 경우가 없겠지"하다가 무방비 상태에서 급성 알러지 증상이 나타나면 당황할 때가 있기에, 도움이 되고자 음식 알러지에 대해서 말씀드리고자 합니다.

현재 많은 사람들이 각종 알러지성 질환으로 고생하는데 그 중에서도 음식으로 인한 알러지는 영아 때부터 일찍 시작하여 심한 경우는 인구의 5.7%까지, 어른이 되어서도 계속 지속됩니다.

특히 음식에 의한 알러지 증상은 다양하므로 그 진단을 내리기가 어려우며, 세심한 주의와 병력이 중요한데, 영아나 소아 때 주로 알러지를 일으키는 음식으로는 우유 및 유제품, 달걀 및 콩 종류, 밀이나 땅콩 등에 의해서 유발하고, 어른들에서 알러지를 일으키는 음식으로는 땅콩, 견과류, 생선이나 갑각류나 어패류. 특히 새우, 게, 랍스터, 조개류 등에 의한 것이 많습니다.

이중에서 우유, 달걀이나 콩 종류는 자라면서 그 알러지 증상이 경감되지만 주로 사춘기 청소년기나 어른들에서 나타나는 땅콩, 견과류, 생선이나 어패류 등에 의한 알러지인 경우는 심한 급성 알러지 반응인 아나필락시스(Anaphylaxis)를 일으켜 위급 상황에 이르기도 하므로 그 원인을 아는 것이 중요합니다.

그 이외의 알러지를 일으키는 과일이나 채소로는 사과, 복숭아, 체리, 망고, 키위, 셀러리 등을 들 수 있는데, 주로 입 주위가 붓거나 가렵고 목이나 연구개가 가려운 구강 알러지 증후군(Oral allergy syndrome)을 일으킵니다.

음식으로 인한 증상을 살펴보면, 온몸이 가렵고 발진이 돋거나 전신에 두드러기가 나거나 눈 주위나 입, 얼굴이 붓거나 심하면 목소리가 변하면서 목이 쇠거나 호흡곤란 등이 오는데, 급성인 경우는 반드시 신속한 응급조치가 필요하고 알러지 증상이 만성적으로 계속될 때는 전문의의 지시 하에 특수 알러지 피검사나 즉각적인 알러지 피부반응검사를 통해 유발 음식을 알아내야 합니다.

알러지의 원인이 되는 음식은 되도록 피해야 하며, 저알러지성 식이요법을 사용하고, 달걀, 땅콩이나 어패류 등에 의한 알러지 증상이 있는 사람인 경우에는 알러지 팔찌를 착용하거나, 어른인 경우에는 에피펜(Epi-pen), 소아인 경우는 에피펜 주니어(Epi-pen, Jr.)를 항상 지참하며, 응급시는 대퇴부에 주사를 놓거나 베나드릴이나 약 효능이 뛰어난 항히스타민제와 필요시에는 프레드니손(prednisone)이나 메드롤 팩(Medrol-Pack) 등의 콜타롤제제를 복용하여 혈관성 부종을 예방하는 등의 신속한 조처가 필요합니다.

봄 꽃가루 알러지철 건강관리법

날씨의 변화가 심한 요즘, 겨울에서 봄철로 이행하는 시기이므로 많은 분들은 특히 건강에 유의하셔야 합니다. 이른 봄철에는 밤낮의 기온차가 심하므로 감기나 기관지염 또는 기관지 천식 등의 호흡기 증상을 호소하는 사람들이 많습니다.

날씨가 따뜻해지면서 봄바람이 불기 시작하면 안구건조증, 가려움증이나 피부염 등이 동반되고 본격적인 꽃가루가 날리는 4월 초순에서 5월 말까지는 재채기나 콧물, 눈물 등의 계절성, 알러지성 비염이나 결막염 등으로 고생하기도 합니다.

미 전국에 알러지 환자는 약 4천만 명에 달하고 그 치료에 사용하는 비용도 연 40억 달러 정도 되며, 많은 한인들이 여러 증상요법과 약물요법을 시도하지만 별 차도가 없다고 호소합니다.

일단 봄철 꽃가루에 의한 알러지 증상 등이 시작되면 그 알러지의 유발 인자를 피하는 것이 가장 중요하고 증상이 심하거나 매년 반복되거나 오래되면 전문의의 정확한 진찰과 병력을 통하여 증상의 심한 정도나 합병증의 유무를 알아내고, 특수한 알러지 피검사나 즉각적인 알러지 피내반응검사 등을 통하여 그 유발인자를 감별하여야 합니다.

유발인자를 확인한 후에는 조기에 효과적인 약물요법을 사용하여 증상을 경감시키고, 증상이 가벼운 경우에는 클라리틴(Claritin), 알레그라(Allegra)나 지르텍(Zyrtec) 등의 그 효능이 탁월한 항히스타민제 등을 사용하고, 부신피질 스테로이드계의 코 스프레이나 알러지를 치료하는 안약 등을 사용하면 더 이상 진전되지 않고 많은 효과를 볼 수 있습니다.

하지만 긍극적으로 증세가 매년 치료해도 호전되지 않거나 만성으로 진행되면 알러지 검사에 따라 양성 반응을 나타내는 알러젠에 따라 알러지 면역요법을 사용하여 주기적으로 인체에 투여해서 그 면역성을 기르는 방법으로 높은 완치 효과를 볼 수 있습니다.

〈 봄철 알러지의 효과적 예방법 〉

1. 꽃가루가 가장 많이 날리는 오전 5시부터 오전 10시까지는 외출을 삼가며 불필요한 신체활동을 가급적 피합니다.
2. 외출 후에는 반드시 샤워를 해서 몸에 붙어 있는 꽃가루를 제거하며, 옷이나 신발을 밖에서 털고 들어옵니다.
3. 알러지 철에는 가급적 실내에서 생활하고 창문과 자동차의 문을 철저히 닫고 집안에 공기정화기를 사용하여 그 주거환경을 청결히 합니다.
4. 많은 야외활동을 줄이고 수분을 많이 섭취합니다.
5. 의복과 침구는 자주 갈아주고 소독을 잘합니다.
6. 인공적인 식품이나 담배 연기 등의 자극제에 노출을 삼갑니다.
7. 적절한 약물요법을 조기에 복용하여 증세를 즉시 격감시킵니다.
8. 알러지가 심한 경우에는 면역요법을 사용하여 능동적인 치료를 하도록 합니다.

아토피성 피부염 및 알러지성 습진의 치료 및 예방

추운 겨울이 지나가고 따사로운 봄이 다가오는 계절엔, 특히 아토피성 피부염으로 고생하는 유아와 소아들, 또는 만성 알러지성 습진으로 고생하시는 어른들은, 여름철과 달리 춥고 건조한 날씨가 피부에 해롭기 때문에 피부건강관리와 치료가 중요하므로 그 적절한 치료와 예방법에 대해서 알려드리고자 합니다.

1. 아토피성 피부염은 주로 유아나 소아에서 발생하는 심한 가려움증을 동반하는 습진성이며 과민성 피부질환입니다. 주로 영아나 유아에서는 모유 수유의 감소와 더불어 인공조제 우유의 수유로 인해서 증가하고, 소아에서는 주로 달걀, 콩, 땅콩이나 견과류(nut), 밀(wheat), 또는 우유나 유제품(dairy product) 등의 음식 알러지가 있는 환자에서 많이 나타나며, 최근 대기오염이나 주거환경의 변화 등으로 그 발생 빈도가 증가합니다. 초등학생의 경우 약 20% 이상에서 아토피성 피부염으로 고생하며, 약 30%에서는 기관지 천식으로 진행됩니다.

2. 만성 알러지성 습진은 주로 유아나 소아 때 아토피성 피부염으로 고생했던 어른들에서 주로 나타나는데, 꼭 끼는 부위나 땀이 많이 젖는 겨드랑이나 팔꿈치, 또 물이 많이 닿는 손이나 손목, 또 심한 경우는 전신성으로 나타나기도 합니다. 알러지를 많이 일으키는 음식으로는 생선이나 조개 등의 어패류, 갑각류(새우, 게, 랍스터 등) 또는 땅콩이나 견과류 등이 있습니다.

3. 아토피성 피부염이나 알러지성 습진은 그 치료가 비슷하므로, 그 성공적인 치료 및 예방법을 보면 첫째, 긁지 않도록 하는 것이 중요합니다. 피부에 직접 닿는 옷은 100% 면(cotton)을 사용하고 세탁 후에는 반드시 맹물로 헹궈 세제나 섬유유연제가 남지 않도록 합니다. 목욕은 미지근한 물로 매일 자주하여 피부에 적절한 수분을 유지하고, 비누는 도브(dove)나 뉴트로지나(neutrogena) 등의 중성세제를 사용하고 때를 밀거나 목욕 후 피부를 문질러 닦는 등의 피부에 자극을 주지 않도록 합니다. 목욕 후 보습제나 처방 한약을 발라 습기를 항상 유지합니다.

진물이나 급성기 동안은 적신 가제나 면수건으로 덮어서 피부감염을 방지하고 약 효능이 뛰어난 항히스타민제나 스테로이드, 항생제 등의 약물을 처방하여 가려움증이나 염증, 피부감염 등을 치료합니다. 난치병 아토피성 피부염의 치료약으로는 최근에 2세 이상에서 타크로리무스나 피메크로리무스 등의 면역억제제인 연고제를 바르면 장기간 사용해도 부작용이 없고 약 효과가 뛰어나지만, 치료비가 비싸고 재발하는 단점이 있습니다.

4. 궁극적으로는 전문의의 지시에 따라 계획성 있는 치료 방침에 따른 적절한 피부관리와 소양증 및 피부감염의 치료, 또는 음식 알러지가 있는 경우는 그 원인이 되는 음식을 알아내어 피하도록 하며, 주로 실내에서는 가습기를 사용하여 방안이 건조하지 않도록 하며, 온도와 습도를 적절히 조절하고 집안을 청결히 하여 먼지진드기나 바퀴벌레의 서식을 방지하는 등의 환경요법으로 그 치료와 예방이 가능합니다.

과일 알러지

현대에는 많은 사람들이 체질적 또는 환경적인 요인으로 면역계의 과민성 반응으로 인해 만성 알러지성 질환으로 고생하는데, 그 중에서도 특히 없어지지 않는 알러지로서 음식 알러지를 들 수 있습니다.

대개 미국 전체 인구 중 적게는 0.3% 많게는 7.5%가 음식 알러지로 고생합니다. 연령별로 보면 어린이는 4~6% 어른은 1~2%로 나타납니다.

다양한 알러지 질환 중에서 과일 알러지는 음식 알러지에 속하며 환자의 연령, 인식 정도, 과일의 양과 질 또는 연관된 질환에 따라서 그 증상과 예후가 각각 다릅니다. 특히 많은 사람들이 사과, 복숭아나 수박 등을 먹으면 입안이 가렵고 입술이 부으며 연구개가 가렵고 목이 아프며 조이는 듯한 현상들을 많이 호소하는데 이는 과일로 인한 알러지 증상으로 볼 수 있습니다.

과일 알러지 증상은 대개 다른 음식 알러지와 유사하게 두 가지 증상을 들 수 있는데 급성 아나필락시스(Anaphylaxis)성 알러지성 반응과 만성 알러지 증후군으로 나눕니다.

첫째, 급성이며 치명적인 아나필락시스성 알러지 반응은 주로 소수의 특이 체질인 사람들에서 나타나며, 과일을 먹은 후 수분 내지 수 시간 내에 얼굴과 입 주위가 붓고 두드러기가 나며 심하면 호흡곤란이 오고 갑자기 의식을 잃고 쓰러지기도 하는데 주로 시투루스(Citrus), 바나나, 망고나 아보카도 등이 일으킵니다.

둘째로는 대다수의 사람들이 어릴 때부터 아토피성 피부염이나 알러지성 습진, 계절성 비염 또는 위장 장애나 구토, 설사 등의 장염이 동반되는 만성 '과일 알러지 증후군'을 들 수 있습니다.

주로 봄철에 버찌(Birch) 등 나무 꽃가루(Pollen)에 민감한 사람들 중에서 사과, 당근, 셀러리나 키위 등을 먹을 때 '구강 알러지 증후군'이 나타나 입술이 붓거나 입안의 점막이나 목젖 등이 가렵고 목이 아프기도 하는데 과일을 중단하면 즉시 증상이 사라집니다.

그 외 잔디 등의 꽃가루에 민감한 사람들은 사과나 복숭아, 체리 등의 과일에 알러지 증상이 있고, 가을철 잡초 알러지인 경우는 멜론류(수박, 캔탈롭이나 허니듀) 등의 과일은 피하여야 합니다.

일단 과일 알러지가 의심되고 증상이 있는 경우는 효능이 탁월한 항히스타민제를 일정기간 사용하여 급성치료를 하며, 되도록 과일을 날것보다는 조리해서 먹어야 하며 궁극적으로는 알러지 전문의의 지시에 따라 알러지 피부반응 검사나 특수 피검사 등을 통해 원인을 알아내면 효과적인 치료가 가능합니다.

계절성 알러지(잡초 알러지) 증상의 최신 치료법

매년 가을이 되면 많은 사람들이 잡초나 풀들의 꽃가루로 인한 알러지 증상으로 고통을 당합니다. 봄이 다 지나가고 늦여름이 되어 특히 봄철에 재채기나 콧물 또는 가려움증에 시달리셨던 분들도 이제는 알러지 철이 다 지나갔다고 생각했는데 느닷없이 어느 날 갑자기 눈이 가렵고 충혈되며 눈물과 재채기, 콧물 및 코막힘 또는 귀나 목, 연구개 등이 가렵고 자주 마른기침이 나오면 일단 잡초 꽃가루(Weed Pollen)로 인한 계절성 알러지로 보셔야 됩니다.

잡초나 풀로 인한 꽃가루 알러지 증상은 흔히 '건초열(Hayfever)'이라고 해서 늦여름부터 시작해서 가을철 10월 중순까지 진행되는데 주로 바람이 불고 건조한 날에 알러지 증상이 더욱 심하며 공원이나 야외에 산책하거나 여행 중일 때 더욱 심해지기도 합니다.

대부분 잡초 꽃가루에 알러지가 있는 사람들은 특히 과일 중에서 수박, 캔타롭이나 허니듀 등의 멜론과에 속하는 과일이나 바나나 등의 과일들을 먹을 경우 그 증상이 더욱 심해지니 앨러지 증상이 심한 사람인 경우에는 되도록 피하여야 합니다.

알러지란 우리 몸이 우리를 보호하기 위한 면역, 방어기 전의 한 종류로서 대개 유전성에 기인하는 과민성 반응을 일컫는데, 주로 외부로부터 알러지 유발인자(Allergen)가 몸 안에 들어와 코, 눈, 폐, 호흡기, 피부나 위장 등의 면역체계분자(Immunoglobulin E)를 자극하여 알러지 세포에서 히스타민 등의 화학물질을 방출하여 앨러지 증상을 일으킵니다.

주로 통년성 알러지는 실내 알러지를 들 수 있고 그 예로는 집 먼지, 먼지 진드기, 개나 고양이 등의 애완동물, 바퀴벌레나 곰팡이 등이 있고, 계절성 원인으로는 봄철이나 초가을 철의 나무나 잔디 또는 잡초 등의 꽃가루에 의한 것이 있습니다.

일단 계절성 알러지(특히 잡초 알러지) 증상이 의심되고 심하게 진행되면 꽃가루가 날리는 알러지 계절에는 되도록 실내에 머물며 집안을 청결히 하고 에어컨이나 공기 정화기로 실내의 환기를 유지하며 정원일을 할 때는 마스크를 착용합니다. 고혈압이나 다른 지병이 없는 경우에는 대부분 약 효능이 탁월한 항히스타민제와 디콘제스턴트의 복합제를 사용하며 급성이나 경한 경우에는 졸음이 잘 오지 않는 약의 지속기간이 긴 항히스타민제 즉, 지르텍(Zyrtec), 알레그라(Allegra)나 클라리넥스(Clarinox) 등을 사용하고 콜더롤제인 코스프레이를 함께 사용하면 더욱 그 효과가 뛰어납니다.

궁극적으로 계절성 알러지 증상은 전문의의 계획적인 치료방법 아래 피검사나 피내 반응검사를 통해서 그 유발원인을 밝혀내고 약 효능이 뛰어난 약물요법과 적절한 환경요법 및 환자 개개인의 과민성 정도에 따른 알러지 면역주사요법을 통해서 면역성을 길러 그 치료와 예방이 가능합니다.

알러지성 기관지 천식(Allergic Bronchial Asthma)

요즈음 많은 사람들에게서 '알러지가 무엇이며 어떤 증상이며 어떻게 완치되나요?' 라는 문의를 종종 받게 됩니다.특히 그 중에서 걱정스럽게 '알러지 천식'이 무엇인지 궁금해하시는 분들이 많기에 도움이 되고자 합니다.

현대를 살면서 많은 사람들이 알러지성 질환으로 고통을 받고 있으며 미국에서도 매년 약 4천만 명의 사람들이 알러지로 고생하고 있으며, 이중 백만 명은 증세가 아주 심각해서 그 생활 자체에 막대한 지장을 받고 있습니다.

특히 알러지성 질환은 한가지 증상이 아니고 면역학적으로 과민성 체질인 경우 비염, 아토피성 피부염, 알러지성 습진 및 결막염, 만성기관지염 또한 심한 경우는 기관지 천식 등의 다양한 증상으로 나타나므로 치료 후에도 재발율이 높아 그 유발 원인을 규명하지 않으면 고질병으로 진행되기도 합니다.

알러지성 천식은 미국에서 천 오백 만 명이 고생하고 있으며 그 중 4백만 명은 소아천식환자입니다. 알러지성 기관지 천식은 가장 흔한 만성호흡기질환으로 알러지 유발물질이 몸 안에 들어오면 혈액에 존재하는 면역체계가 과민성 반응을 일으켜 히스타민 등의 화학물질이 분비되어 호흡기 벽의 근육이 경직되고 기관지나 모세기관지가 좁아지며, 호흡기 세포들이 붓고 염증소견이 나타나 호흡기의 공기 흐름을 차단시키는 만성염증성, 폐쇄성 호흡기 질환입니다.

증상으로는 초기에는 기침을 발작적으로 하다가 특히 밤에 심하며 천

명음(Wheezing)을 동반한 호흡곤란이 오고, 소아인 경우는 호흡기에 쌕쌕 소리가 나고 심하면 청색증을 동반하고, 어른인 경우는 기관지에 가래가 많이 차고 쉽게 피로해지며 흉부압박감이나 흉통을 동반하기도 합니다.

특히 집 먼지, 먼지진드기, 애완동물의 비듬이나 털, 곰팡이 또는 계절성으로 나무와 잡초 등의 꽃가루(Pollen) 등을 들 수 있고 그 외 아스피린이나 음식(달걀, 유제품, 땅콩이나 Nut, 조개 등의 어패류) 등에서도 옵니다.

그 외에는 감기나 바이러스성 기관지염, 담배 연기 등의 공기 자극제 또는 찬공기, 운동이나 스트레스, 화학물질 등에서도 올 수 있습니다.

알러지성 천식의 효과적인 치료 방법으로는,

1. 천식에 대한 일반적인 상식을 잘 알아야 하고,
2. 알러지 유발물질을 규명하고 제거하는 환경조절요법이 필요하고,
3. 효능적인 약물요법과 계획적인 치료가 가장 중요합니다.

효과적인 약물치료로는,

호흡곤란이나 청색증 등의 증상이 있을 때는 주로 밤이나 활동 중에 오는데 즉시 기관지확장 흡입제나 산소호흡 등을 통해서 즉각적인 응급조치가 필요하고 가장 중요한 치료제로는 알부데롤(Albuterol) 같은 기관지확장 흡입제를 사용하고, 소아인 경우는 호흡기계(Nebulizer)로 기관지 확장제와 동시에 천식방지제(Cromoln Sodium)를 사용하여 치료를 합니다.

천식 증상이 심한 경우는 콜티졸(Cortisol)제의 흡입제나 먹는 약을

사용하여 기관지의 부종과 염증을 치료하고 천식체질개선제 등을 사용하여 장시간 체질을 개선합니다.

특히 천식에 필요한 상비약을 항상 준비하고 정기적인 의료검진을 통해서 전문의와 상담하며, 항상 충분한 영양섭취와 수영이나 에어로빅 등의 실내운동을 통하여 적당량의 운동을 하며, 피로가 쌓이지 않도록 해야 합니다.

노약자나 면역기능이 약한 소아 등은 감기철이 오기 전에 감기예방주사를 맞아서 폐렴이나 기관지염 등의 합병증을 방지합니다.

궁극적으로 알러지 천식은 초기에 전문의의 지시에 따라 유발원인을 알아내고 약 효능이 뛰어난 약물요법과 환경요법으로 적절한 치료가 가능하고 계획적인 치료를 하여야 예방이 가능합니다.

3. 원준희 M.D.(원준희 비뇨기과 원장)

- 현 New York Medical College 비뇨기과 교수
- Westchester Medical Center, St. Vincents Medical Center 일반외과, 비뇨기과 전문의 과정 수료
- New York Medical College, M.D.
- Columbia University, M.S.
- Cornell University, B.S.

- 주소: 41-61 Kissena Blvd., Suite B
  Flushing, NY 11355
- 전화: 718-888-7800
- Fax: 718-888-7377

◎ 발기부전(Impotence)

◎ 발기부전의 치료

◎ 혈뇨(Hematuria)

◎ 전립선 염(Prostatitis)

◎ 요실금

발기부전(Impotence)

발기부전이란 성관계 시 남녀가 모두 만족스러울 정도의 성행위를 할 수 있도록 발기가 충분치 않거나 발기가 되더라도 유지되지 못하는 경우가 전체 성 생활 중 25% 이상 일어날 때를 말합니다.

가장 흔한 발기부전의 초기증상은 발기는 잘 되지만 질 내에 삽입하려 하거나 삽입직후 발기가 시들어지는 경우, 아침이나 자위행위시에는 잘되지만 막상 성관계를 가지려 하면 발기가 안 되는 경우, 발기는 어느 정도 되지만 강직도가 현저히 감퇴된 경우입니다.

그러나 발기부전의 약 90% 정도는 약물치료가 가능하며 나머지 10%는 수술로 치료가 가능하고 치료 후 오르가슴, 정상사정, 임신이 가능하게 됩니다.

발기부전의 원인은 정신적 스트레스가 원인이 되는 심인성(Psychogenic)과 몸에 어떤 질환이나 해부학적 문제가 있는 기질적(Organic)인 것으로 나누어집니다.

10여 년 전만 하더라도 발기부전의 원인 중 90% 이상이 심리적인 것으로 생각되었지만 현재는 약 50% 이상이 신체적 이유에 의한 것이고 치료될 수 있는 질병이라는 것이 밝혀졌습니다.

(1) 심인성 (정신적) 발기부전

개개인에 따라 다양하지만 흔히 심리적 불안, 걱정, 스트레스가 주원인이 되며 우울증 같은 정신과적인 문제도 원인이 됩니다. 또 성적 능력에 대해 자신감이 없거나 열등의식을 가지고 있으면 불안감과 부담감 때문에 발기부전을 초래하게 됩니다.

(2) 기질적 (신체적) 발기부전

발기는 신경계, 혈관계, 내분비계(호르몬)가 함께 작용되어야 하는데 이 중 어느 한 계통이라도 이상이 생기면 정상적인 발기가 되지 않습니다.

a) **신경성 발기부전** ; 중추신경질환(척추손상, 다발성 경화증) 또는 말초신경질환(당뇨병, 골반수술) 등에 의해 발기를 조절하는 발기신경 섬유가 손상되어 성적 흥분의 자극이 신경을 통해 전달되지 않는 경우.

b) **혈관성 발기부전** ; 외상이나 동맥 경화증, 당뇨, 고혈압 등에 의한 음경 혈관 이상으로 생기는 경우입니다. 동맥경화증을 유발하는 요인으로는 흡연, 과지방 혈증, 만성 고혈압, 당뇨병, 관상동맥질환 등이 있습니다.

c) **호르몬성 발기부전** ; 고환기능 장애 등으로 인한 남성호르몬의 이상이 주요 원인이 되고 갑상선 이상이 원인이 될 수도 있습니다.

(3) 기타 원인

주위에서 흔히 볼 수 있는 고혈압 치료제, 이뇨제, 항암제, 신경안정제 등 약물의 장기복용 등으로 성기능에 장애가 올 수 있습니다.

또한 비뇨기과 질환, 과도한 음주, 흡연 등으로도 올 수 있습니다.

〈 진단 〉

발기부전의 진단은 우선 상담을 통해 정신적인 것인지, 신체적인 것인지 구별되어 집니다. 환자 개개인의 상황에 따라 여러 가지 검사(컴퓨터 발기력 검사, 초음파 도플러 검사, 야간 수면 발기 검사 등)가 시행됩니다.

〈치료〉

발기부전은 원인 치료와 약물치료로 90% 정도 치료가 가능하며, 약물치료가 효과가 없거나 쓸 수 없는 경우(협심증, 심근경색, 심부전, 뇌졸중 등 심혈관계 질환을 가진 환자들)에는 발기 유발 주사를 사용하거나 마지막 치료방법으로 음경 보형물 삽입술이 시행됩니다.

발기부전은 치료가 가능한 질환이므로 전문의와의 상담을 통해 과학적인 진단과 치료를 받는 것이 바람직합니다.

발기부전의 치료

질병으로 인한 발기부전

당뇨병

기질성 발기부전증의 원인으로 가장 흔한 단일질환 통계에 따르면 전체 발기부전 환자의 40%는 그 원인이 당뇨병이고, 당뇨병 환자의 50%는 발기부전이 되고 정상인보다 10-15년 빨리 발기부전 증상이 나타납니다. 당뇨병이 발기부전을 일으키는 주된 원인은 말초신경염과 동맥경화증입니다.

고혈압

당뇨 다음으로 들 수 있는 병으로 고혈압은 동맥경화증에 의해 혈관이 좁아져 혈류의 저항이 증가하여 생기는 병으로 특정 부위에만 나타나는 것이 아니고 신체 전반에 걸쳐 고루 나타나는데 음경의 가는 혈관에도 동시에 나타나 발기부전이 됩니다.

신장질환

투석환자의 50%에서 발기부전이 발생합니다. 혈중 남성호르몬 치의 감소, 자율신경병, 혈관질환의 악화, 약물복용, 심리적 스트레스 등이 원인입니다.

발기부전의 치료

발기부전의 치료는 심리적, 비수술적, 수술적 방법이 있으며 비수술적 치료에는 약물복용, 음경해면체 내에 발기유발제 자가주사, 발기유발제를 요도에 투입하여 발기를 유발하는 요도좌약 투입법, 진공 음경 흡입기 등이 있습니다. 수술적 치료에는 음경정맥 결찰술, 음경동맥재건술, 발기부전의 정도가 심하면 발기와 이완을 마음대로 조정이 가능하며 반영구적인 음경 보형물 삽입술 등이 있습니다.

(1) 심리요법

심인성 발기부전증으로 확인되면 원인이 되는 여러 가지 정신적인 문제를 제거해 주기 위하여, 정신과 의사, 심리학자, 성상담자 등 전문인의 상담과 치료를 받습니다.

(2) 비수술적 요법

a. **경구용 약제 및 남성 호르몬 주사** : 경구용 약제로는 요힘빈에서 최근 비아그라까지 여러 종류가 있으며 호르몬 주사에는 테스트테론 등이 있으나, 부작용이 있을 수 있습니다.

b. **요도주입용 발기 유발제** : 발기확장제를 요도에 투입하는 방법입니다.

c. **붙이는 발기 유발제** : 음경피부에 협심증 환자의 치료에 사용되는 혈관 확장제를 붙여 페니스를 팽창시키는 것이나 아직 강직도를 만들어주기보다는 팽창되는 정도로 만족해야 하는 실정입니다.

d. **진공 발기 유발기구** : 진공 상태의 실린더 내에 페니스를 가두어 발기 압력에 필수적인 혈류를 발기조직 내로 빨아들여 발기시킨 후 고무 밴드로 음경을 조여 발기를 유지시키는 방법으로 장시간(30분 이상) 발기유지가 불가하고, 조작이 복잡합니다.

e. **발기유발제 자가주사요법** : 가장 보편화된 치료법으로 널리 사용하며 음경해면체에 혈관확장제를 가느다란 주사바늘을 이용하여 직접 주사하여 인위적으로 발기시키는 방법으로 주사 후 3분 정도 경과 후 발기가 시작되어 5-10분 경과 후 음경이 최고로 발기되고 1-2시간 정도 지속됨으로써 원만한 성생활이 가능하며 1-2시간 후 서서히 발기가 사라집니다.

(3) 수술적 요법

a. **혈관재건 수술** : 동맥재건 수술 동맥혈관이 막혀있는 경우 다른 혈관을 음경으로 연결하여 혈액을 공급해 주는 수술로 성공률이 낮고 부작용 및 재발률이 높아 현재 거의 시술하고 있지 않습니다.

b. **음경정맥결찰 수술** : 음경으로부터 혈액을 배출시키는 여러 정맥 혈관을 결찰하여 정맥혈액의 누출을 막는 수술입니다.

c. **음경보형물 수술** : 음경내 보형물을 삽입하는 수술로 어떠한 발기부전의 경우에도 가능한 가장 확실한 발기부전 치료법이나 최종선택으로서 신중을 기해야 합니다.

혈뇨(Hematuria)

혈뇨란 간단히 말해서 소변에 피가 섞여 나오는 것입니다. 혈뇨에는 눈으로 볼 수 있는 육안적 혈뇨(Gross Hematuria)와 소변검사를 통해 현미경으로 관찰해야만 알 수 있는 현미경적 혈뇨(Microscopic Hematuria)가 있습니다.

가벼운 질환에서 심각한 암까지 다양한 질환에서 혈뇨는 나타나므로 눈에 보이는 혈뇨이든 검사에서 우연히 발견된 혈뇨이든 그 원인질환을 밝혀낸 후 적절한 치료를 받는 것이 중요합니다. 심각한 병이 있더라도 혈뇨가 한 번 보인 후 다시 정상 소변으로 보이는 듯한 경우가 있기 때문에 반드시 소변검사 및 다른 검사 등을 하여 원인 치료를 하는 것이 바람직합니다.

혈뇨는 세 가지 종류로 구별되는데 소변을 보기 시작하여 끝날 때까지 붉은 색을 보이는 것을 전혈뇨(Total Hematuria)라 하고 배뇨 초기에만 붉게 나오고 후반부에는 정상소변이 나오는 것을 초기혈뇨(Initial Hematuria), 그리고 처음에는 정상이다가 소변이 끝날 때쯤 혈뇨가 나오는 것은 종말혈뇨(Terminal Hematuria)라고 합니다.

대부분의 경우 전혈뇨는 주로 그 원인 부위가 신장이나 요관 및 방광에 있으며 초기혈뇨는 주로 요도나 전립선에, 종말혈뇨는 주로 방광 경부에 원인이 있을 때 나타납니다.

그러나 소변이 붉다고 해서 모두 혈뇨는 아닙니다. 특정약물(아스피린제, 관절염 치료약, 진통제 등)이나 음식물(Beef, Berries) 등이 소변을 붉게 만드는 경우가 있으므로 주의 깊은 감별이 필요합니다.

혈뇨를 일으키는 원인은 여러 가지가 있을 수 있는데 대부분 종양(신장, 방광암 등), 염증(방광염, 요로 감염 등), 결석(신장 결석, 요로 결석) 또는 외상(과격한 운동 등) 때문에 생깁니다.

연령에 따라서도 혈뇨의 원인 질환이 틀려지는데 소아기에는 대개 급성 요로 감염이나 선천성 요로기형으로 인한 감염 외에는 혈뇨가 드물며, 학령기 아동들의 경우에는 사구체 신장염이 가장 큰 원인이 됩니다. 20-30대 성인에게는 요로 감염, 요로 결석, 외상 등이 혈뇨의 가능성이 높고 40-50대의 경우는 방광염, 결석, 요로 감염, 방광염 등이 주요 원인이 되며, 특히 50세 이후의 혈뇨는 심각한 질환이 있을 가능성이 높아지므로 철저히 원인을 밝혀내야 합니다.

중년에 통증이 없는(무통성) 혈뇨가 생기면 요로나 생식계에 생긴 종양(특히 방광이나 신장)을 의심하게 되고 전립선 비대증이나 이에 따른 합병증도 고려해 보아야 합니다. 특히 오랫동안 담배를 피워온 분들은 방광암에 걸릴 확률이 그렇지 않은 분들보다 10배 정도 많게 됩니다.

혈뇨가 보일 경우 제일 먼저 하는 검사는 소변검사(Urinalysis)이며, 상황에 따라 Urine Culture(소변에 박테리아가 있어 요로 감염이 의심되면)나 Urine Cytology(암이 의심될 경우)를 하게 됩니다. 대부분의 경우 IVP나 CT Urogram으로 상부 요로(신장, 요로, 방광)의 이상 유무를 알 수 있으며, 필요한 경우 Cystoscopy(방광경)를 시행하여 하부 요로(방광, 요도)를 관찰하게 됩니다.

육안적 혈뇨가 아닌 경우 아무런 증상 없이 신체검사 등에서 우연히 혈뇨가 발견되는 경우도 흔하며 이때는 각종 검사를 하여도 특별한 원인을 찾을 수 없는 경우가 많은데 이를 특발성 혈뇨(Idiopathic or

Essential Hematuria)라고 합니다. 이런 경우에는 특별히 치료를 요하지 않지만 반드시 정기적인 검사와 진찰을 통해 심각한 질환으로 진전되지 않도록 하여야 합니다.

전립선 염(Prostatitis)

전립선에 염증이 발생하는 이 질환은 청장년 층에게 가장 흔하며 남성의 50% 정도가 전립선 염의 증상을 경험합니다.

전립선 염은 급성 세균성 전립선 염, 만성 세균성 전립선 염, 비 세균성 전립선 염과 전립선통 등 네 가지로 분류되며 각각의 원인과 그 치료법이 다릅니다.

전립선 염의 원인은 세균성 일 때와 비 세균성 혹은 전립선통 일 때로 나누어 보면,

세균성일 경우 :

요도염이 전립선 요도를 통해 직접 전염, 배뇨 시 감염된 소변의 역류, 직장 내 세균의 전염, 혈류를 통한 감염.

비 세균성이나 전립선통일 경우 :

배뇨 시 무균 소변의 역류, 소변의 화학 성분에 의한 자극적 염증이나 알러지 현상.

전립선 주위 장기의 기능적 이상 : 요도 괄약근 및 방광 입구의 경련으로 인한 기능적 폐쇄 등 입니다.

전립선 염의 증상은 다양하게 나타나며 그 원인과 타입에 따라 특이

한 증세를 보입니다.

많은 환자들이 빈뇨(소변을 자주 본다), 잔뇨감(소변 후에도 개운치 않다), 가는 소변 줄기, 배뇨통, 농뇨 등의 배뇨장애를 느낍니다. 그밖에도 아침에 맑은 액이 요도에 비치거나 회음부에 뻐근한 통증이 있거나 요도의 불쾌감, 하복통, 통증, 요통, 관절통, 사타구니 및 고환 통증, 그리고 성욕감퇴까지 올 수 있습니다. 간혹 사정 시 통증이나 정액에 피가 섞여 나오기도 합니다.

이 전립선 염은 감염되어 있어도 잘 모르고 지내다 과음, 과로, 스트레스, 과격한 성생활, 날씨가 나쁠 때 마치 요도염에 걸린 것 같은 증상으로 나타나는 경우가 많습니다.

전립선 염의 진단은 소변 검사만으로 불충분하며 항문에 손가락을 넣어 전립선을 마사지하여 액을 받아 염증세포검사를 하고 세균배양검사도 합니다.

또한 정낭염과 전립선농양 또는 전립선 결핵과의 감별과 전립선 내의 물혹, 결석유무를 확인할 목적으로 경직장 초음파 검사와 소변 속도검사 등을 병행하기도 합니다.

전립선 염 치료는 그 많은 발생 빈도에도 불구하고 아직 그 발생 원인이 정확히 밝혀지지 않고 있어 쉽게 치유되지 않아 정신적으로 불만스럽고 삶의 의욕을 떨어뜨리기도 합니다. 전립선은 특수세포(지방세포)로 약물이 잘 통과하지 못하는 구조를 가지고 있어 효과적인 항생제가 제한되어 있으며, 상당기간 치료를 계속해야 합니다. 그러므로 세균성 전립선 염은 전립선 특수세포를 투과할 수 있는 특수 항생제를 선택 투여하게 됩니다.

비 세균성 전립선 염 및 전립선통은 발생 원인이 소변의 역류 때문이므로(전립선 관내로) 항생제 투여로 만족스런 결과를 얻기는 어려우며 재발하는 경우도 종종 있습니다. 그러므로 항 콜린제나 교감신경 차단 제를 사용하여 배뇨장애 증상과 통증을 완화시키는데 중점을 두게 됩니다.

요실금

요실금은 그 양상에 따라 절박성 요실금(과민성 방광), 복압성 요실금 그리고 일류성 요실금으로 나눌 수 있고 때로는 이런 것들이 서로 혼합 되어 나타나기도 합니다.

잠시 정상적인 배뇨기능을 살펴보면, 먼저 방광은 신장으로부터 내려 온 소변을 저장하는 기능과 소변이 차면 수축하여 밖으로 배출하는 두 가지 기능이 있습니다.

방광은 보통 정상 성인의 경우 500ml까지 저장할 수 있으며, 요도는 닫혀 있어서 소변이 새지 않도록 합니다. 소변을 보고자 할 때는 골반근 의 저항이 감소하며 요도가 열리고 방광이 수축하여 소변이 배출됩니다.

이러한 방광의 저장과 수축, 요도가 열리고 닫히는 작용들은 뇌를 비 롯한 척추와 말초신경의 조화로운 작용에 의해 일어나 본인이 원할 때 만 소변을 보게 되는 것입니다.

따라서 요실금은 방광의 저장기능에 이상이 있거나(절박성 요실금), 요도의 잠금장치가 약할 때(복압성 요실금), 방광의 수축기능이 약할 때 (일류성 요실금) 나타날 수 있습니다.

복압성 요실금은 웃거나 재채기, 뜀뛰기 등을 할 때 자신도 모르게 소변이 새는 것으로 심하면 걷거나 앉아 있는 상태에서도 소변이 나오는 경우를 말합니다.

복압성 요실금에는 크게 두 가지 원인이 있는데 가장 일반적인 원인은 골반저근의 약화입니다. 골반저근은 요도와 골반 내 장기들을 받쳐 주는 역할을 하며 소변을 봐야할 때까지 요도를 꽉 닫아 주는 반면, 기능이 약화된 골반저근은 요도를 정확한 위치로 고정시키지 못하기 때문에 방광에 압력을 받았을 때 요도가 열려 소변이 새는 것입니다.

또 하나의 원인은 내요도 괄약근 기능저하입니다. 방광 내의 괄약근은 요도를 닫아주거나 느슨하게 하여 배뇨기능을 조절하는 역할을 하는데 이러한 괄약근의 기능이 약해져서 소변이 새는 것입니다.

골반근육이 약해지는 원인은 출산시 태아의 머리에 의해 골반근육이나 인대가 파열되면서 방광경부와 요도가 아래로 처지거나 나이가 들면서 점차 근육이 약해지기 때문입니다. 그러므로 복압성 요실금은 정상 분만 후에 잘 생기며 나이가 들수록 빈도가 증가합니다. 이밖에도 선천적으로 요도가 짧거나 자궁암이나 직장암 수술 후에 신경계 질환이 있어도 복압성 요실금이 나타납니다.

일류성 요실금은 심하게 팽창된 방광으로부터 소변이 넘쳐 나오는 것으로 방광 출구가 좁아져 있거나 방광의 수축기능이 약해졌을 때 나타납니다. 방광 출구가 좁아지는 원인으로 가장 흔한 것은 전립선 비대증이나 요도 협착입니다. 방광수축력이 약해지는 원인에는 신경이 다치거나 말초신경질환(당뇨병, 자궁암 수술 후, 척추 손상) 및 약물 복용, 만성 변비 등이 있으며 평소 소변을 오래 참는 습관이 있는 여성에게도 방광이 약해져서 일류성 요실금이 올 수 있습니다.

만일 요실금이 있다면 우선 주저말고 전문의와 상의하는 것이 올바른 치료를 받을 수 있는 지름길입니다.

복압성 요실금의 치료는 약물이나 골반운동, 전기자극과 같은 보존적 치료와 수술치료로 구분할 수 있습니다. 복압성 요실금의 가장 효과적인 치료는 수술이지만 요실금이 심하지 않거나 비교적 젊은 여성에게는 골반근육운동이나 전기자극을 이용한 바이오 피드백(Bio Feedback) 치료도 효과적입니다.

4. 진국광 한의사(제생당 한의원 원장)

• Guo-Guang Chen, M.D.
• Licensed Acupuncturist (N.Y.S.)
• Diplomate in Chinese Herbology
  (NCCAOM)

• 주소 : 144-06 Northern Blvd.
         Flushing, NY 11354
• 전화 : 718-445-4187 / 4379

◎ 만성피로증(Chronic Fatigue Syndrome)

◎ 편도통증(Sore throat)

◎ 만성근육통(Upper Back Pain,

◎ Fibromyalgia)

◎ 폐경(Menopause)

◎ 당뇨(糖尿)

◎ 고혈압의 한의학적 치료

◎ 한약과 침술에 의한 체중감소와 비만치료

만성피로증(Chronic Fatigue Syndrome)

병원을 찾는 많은 환자들 중에는 극도로 피곤함이 항상 있다고 호소하는 분들이 많이 있습니다. 이런 피곤함은 집에서 침대에 누워 쉬어도 좋아지질 않고 오히려 육체적으로 정신적으로 악화되어 갑니다.

1994년 국제 만성피로증 연구학회에서는 진단의 정의를 두 가지로 나누었습니다.

첫째, 심한 피로증세가 오랫동안 있었다는 것 외에는 임상학적으로나 의학적으로 설명하기 어려운 피로가 6개월 또는 그 이상 지속할 때.

둘째, 아래의 여러 증상 중 네가지 이상의 증상을 동시에 호소할 때, 즉 순간적인 기억이나 집중력이 현저하게 떨어짐, 인후통, 임파선염, 근육통, 붓거나 열이 없는 관절염, 평소와는 양상이 다른 두통, 불쾌함 등이 6개월 이상 계속 지속하거나 쉽게 재발할 때라고 했습니다.

CDC(Center for Disease Control)에서는 진단의 기준을 더욱 까다롭게 하지만 미국 인구의 10만 명 중 75~265 명의 인구가 고생하고 있고, 그러면 미국 전체 인구의 50만 명 정도가 이런 증상을 가지고 만성피로증이라고 진단을 받아놓고 있습니다.

이러한 철저한 연구에도 불구하고 만성피로증의 의학적 발병요인은 찾아내지 못하고, 치료는 나타나는 증상적 치료만을 하고 있습니다.

궁극적인 치료 목적은 예전대로 건강한 체력을 되찾는데 있고 서양학적인 치료와 대조해 볼 때 한의학적인 방법의 치료가 만성피로증에는 더욱 많은 도움이 되고 있습니다.

한의학에서는 만성피로증을 허로(虛勞, 허약증)라고 하고 고대 한의학 책에는 오로(五勞, 쇠약증), 육극(六極, 기진맥진), 칠상(七傷, 불치불능)이라고 쓰여 있습니다.

만성피로증의 발병원인은 정신적 우울증과 과로가 병리적 요인이 되어 체내에 침투되면 간장, 비장, 신장의 활동에 기능장애를 줍니다. 병리학적인 면에서 간장이 기(氣)와 혈액순환 순조로움과 균형을 잃으면 다음 결과는 비장의 비정상기능이 오고 마지막으로 신장기능 저하가 오면 피로증상이 옵니다.

증상에 의한 만성피로증을 세가지로 분류하면,

1. 비장과 위장 기능 저하에 의한 피로증.
2. 간장과 신장 기능 결핍에 의한 것.
3. 습열기(濕熱內阻, 습열내조)를 인한 순환장애로 나눌 수 있습니다.

1) 비장과 위장 기(氣)의 결핍증으로 오는 만성피로증의 주된 증상은 미열을 동반한 피로, 식욕부진, 팔다리가 아프고 숨이 가쁘고 현기증, 불면증, 멍하고 가슴이 답답해 한숨이 자주 나오며, 혀는 창백하고 이빨자국이 있습니다.

치료는 기(氣)의 순환을 고르게 하고 비장에 활력을 주며 간장의 기를 올려주어야 합니다. 보충익기탕, 십전대보탕을 처방하며, 인삼, 황기, 백술, 추산약, 복령, 자호, 천마 등을 가미 처방합니다.

2) 간장과 신장기의 결핍증으로 오는 피로증의 주증상은 피로, 허리와 무릎 통증, 현기증, 불면증, 신경쇠약, 입 속과 목이 마르고 아프며, 기억력 감퇴, 야한증 등이며, 혀는 붉고 약간의 백태가 덮입니다. 치료

는 간장과 신장을 보약하고 보혈해야 합니다. 육미지황탕, 소요탕, 좌기음 등을 처방하며 생지, 석과, 단피, 산황육, 오미자, 구기자, 우농 등을 가미합니다.

3) 습열기로 인한 순환장애 만성피로증은 피로, 현기증, 머리가 무겁고 가슴이 답답하고 배가 더부룩하며 열과 진땀이 나고 정신적으로 불안하며 우울증과 흥분하기 쉽고, 혀는 가늘어지고 황태가 나타납니다.

치료는 열기와 습기를 체내에서 제거하고(清熱利濕, 청열이습) 비장을 보약하는 평위산, 소요탕 등을 처방하며 창술, 백술, 반하, 진피, 복령, 풍란, 목향 등을 가미합니다.

침술도 만성피로증을 치료하는데 여러 가지 방법으로 사용할 수 있으며 예후가 매우 좋습니다.

편도통증(Sore throat)

편도선증에 대해서 무관심은 금물입니다. 많은 사람들이 편도통증을 앓고 있는데 대부분의 경우가 만성편도선염입니다. 아마 상당히 통증이 있다가 없다가 했을 것입니다. 편도선염은 후두염의 직접적인 원인이 되고 대부분 바이러스나 박테리아에 의한 감염입니다.

증상은 흡연이나 자극성 있는 음식, 음주에 의해 더욱 악화될 수 있습니다. 만성편도염이나 후두염은 직접적으로 큰 병은 아니나 치료를 하지 않고 오래두면 치료가 힘들어지고 합병증을 일으킵니다.

정통적인 한의학에 의하면 편도선염을 세 가지로 구분하는데, 속열이 많을 때(實熱; 실열), 바람으로 인한 열이 있을 때(風熱; 풍열), 음기가 부족해서 열이 있을 때(虛熱; 허열)등 입니다.

첫째, 속열이 너무 많을 때 : 열이 많이 나고 입에서 냄새가 심하며, 노랗고 찐득한 가래가 목에 끼고 소변이 진하며 변비가 있습니다. 혀는 황태가 끼고 맥이 빠르고 매끄럽습니다.

치료는 화기(火氣)를 없애고 편도와 후두의 열을 없애고 폐를 해독시킵니다. 약으로는 사간(射干), 산두근, 은화, 연교, 마발, 감람(Olive)을 씁니다.

둘째, 바람으로 인한 열이 있을 때 : 편도가 아프고 후두가 붓고, 열과 오한이 나며 기침이 나고 하고 목이 쉬고 엷은 황태가 혀에 끼며 맥이 빠릅니다.

치료는 풍기(風氣)를 없애고 열을 내리며 목을 적셔주고 청결하게 합니다. 약으로는 박하, 우방자, 선퇴(매미 껍질), 비파엽, 반대해, 목호엽을 씁니다.

셋째, 음기부족으로 인한 허열이 있을 때 : 목과 입이 마르고 편도통증은 그리 심하지 않으나 손바닥과 발바닥이 항상 열이 나며, 혀는 붉은색이고 엷은 백태가 낍니다. 맥은 매우 약하고 빠르게 됩니다.

치료는 음기를 높이고 화기를 내리고 목을 편하게 해줍니다. 약재로는 원산, 방근, 천화분, 백미, 감람, 생지, 죽염을 씁니다.

예방으로는 항상 방을 건조하지 않게 하여 금주와 금연을 권장하고 수면을 충분히 취하면 편도선염을 예방할 수 있습니다.

만성근육통(Upper Back Pain, Fibromyalgia)

요즈음 같이 문화가 고속도로 발달하는 사회에서는 사람들은 매우 바쁘고 오랜 시간동안 쉬지 않고 일을 하므로 스트레스가 많이 쌓입니다. 그러한 이유로 Upper Back Pain 즉, 위쪽 등 또는 어깨가 아프고 목이 뻣뻣해지는 증상을 일으킵니다. 이러한 환자들 중에는 많은 사람이 만성근육통으로 고생하고 있습니다.

만성근육통은 만성증후군이며 근육과 뼈로 아픈 통증을 넓게 퍼져나가며 복합적인 예민한 점(Tender Point)을 늘려나갈 뿐 아니라 만성피로증을 쌓이게 합니다.

이러한 Tender Point는 감수성이 예민하게 되고 집중적이 되며 특히 목, 등, 어깨, 응치(Hip)로 근육이 뭉쳐집니다. 사람들은 이러한 증후군(Syndrome) 때문에 잠을 설치게 되고 아침에 일어나서도 온몸이 뻣뻣하고 피곤하며 불규칙한 배변, 정서적인 불안 등의 증상을 초래합니다.

미국 류마티스학회(American College of Rheumatology−ACR)에서는 만성근육통을 호소하는 미국의 인구가 3−6백만 명 정도라 추산했습니다. 이 만성근육통은 우선적으로 출산연령의 여성에 가장 많으며 아이들이나 노년층의 순서이고 장년기의 남성에게도 많이 올 수 있습니다.

만성근육통의 정확한 원인을 알 수 없지만 의학연구원들은 병이 날 수 있는 몇 가지 원인과 요점을 주로 사고 후의 상해나 외상에 기인하는 경우가 가장 많다고 합니다. 이러한 외상과 상해는 중추신경에 커다란 자극을 주며 그럼으로써 근육의 신진대사에 변화를 주어 혈액순환과 산소운반을 감소시켜 근육을 피로하게 하고 무력하게 합니다.

다른 의견으로는 근육에 침투하는 특정한 Virus에 쉽게 감염되는 체질의 사람에게 바이러스(Virus) 염증을 일으킨다고 하나 이러한 특정 바이러스는 확인되지 않았습니다.

의사들이 만성근육통이라는 정확한 진단을 내리기가 어려운 것은 이러한 통증이 다른 병의 한 가지 증상이기도 하지만, 환자의 병력에서 통증이 점점 심해지며 3개월 이상 지속하는 경우 만성근육통이라고 확신할 수 있습니다. 류마티스학회에서는 18가지의 특정한 표준을 내놓고 그 중 복합적이고 예민한 통증부분이 11개가 넘으면 만성 근육통이라고 진단을 내립니다.

정통적인 한의학에서는 만성근육통을 고망통이라고 하는데, 예민한 부분이 항상 '고망'이라는 침술 포인트(Point) 주위에 있기 때문입니다. 중국말로는 병들어 거의 죽음의 지경에 이르렀다는 말이기도 합니다. 그렇지만 고망통은 만성근육통이라는 말이지 죽게 되었다는 말은 아닙니다.

정통한의학의 만성근육통은 기(氣)와 혈액이 인체의 경락(Meridium)에 정체함으로 생기는데, 주로 오래 같은 자세로 앉아서 일하는 사람에게 많고 보통 컴퓨터 앞에서 일하는 사람이나 Nail Salon에서 일하는 사람들이 클리닉을 많이 찾습니다.

기나 혈액의 경락에서의 정체는 아픔을 가져오고(不通則痛; 불통즉통), 외부로부터의 찬공기(外寒)가 몸 속으로 침투하게 되면 아픈 증상이 더욱 심해지게 됩니다.

한의학의 치료방향은 기와 혈의 침체를 해소하고 순환시켜주어야 합니다(活血化瘀; 활혈화어). 이것은 한약이 매우 효과적이며, 처방으로는 혈부수어탕(血府逐瘀湯), 당귀, 생지, 도인, 홍화, 지곡, 적약, 자호, 감초, 결변, 천궁, 우능을 사용하며, 만약 환자가 기(氣)의 허함이 있으면 보중익기탕(補中益氣湯)을 가미할 수 있습니다. 또한 신장이 허약하면 좌기환(左歸丸), 우기환(右歸丸), 금궤신기환(金 腎氣丸)을 보충해 주어야 합니다.

침술도 환자를 치료하는데 매우 중요하며 침술의 포인트는 곡항(曲恒), 빙풍, 고망 등을 주로 사용하며 마사지를 겸하면 치료의 상승효과를 볼 수 있습니다.

폐경(Menopause)

폐경은 여성의 난소에서 나오는 에스트로겐(Estrogen) 호르몬의 감소로 인해 신체적, 정신적인 변화가 오는 시기를 말합니다.

폐경은 여성의 나이가 주로 45-55세 사이에 오고 이 때에 난소에서의 난자생성이 끊어지며, 난소 호르몬이 저하되기 시작함으로써 여러 가지 변화가 생깁니다.

체내의 Estrogen 외에 다른 호르몬의 변화도 가져오는데 뇌하수체 호르몬인 고나도드르핀(Gonadotropin)과 남성 호르몬(Androgen)이 증가됩니다. 이러한 모든 호르몬의 혼돈으로 폐경의 증세는 2-5년 지속되거나 길게 나타날 수도 있습니다. 약 25%의 여성은 이때 의료의 도움을 받아야할 정도로 증상이 심각합니다.

폐경의 증세는 ① 화기(火氣, 열)가 위로 오르고 난 후 땀이 많이 나며 ② 질 건조증과 질에 염증이 쉽게 생기고 ③ 요도와 방광의 변화로 소변을 자주보고 싶고 ④ 피부가 건조해지며 특히 머리피부의 건조로 머리카락이 잘 빠지며 ⑤ 정신적 증상으로는 기억력이 약해지고 집중력이 낮아지며 공연히 불안하고 초조하고 화가 나며 성욕이 쇠퇴합니다. ⑥ 신진대사의 변화로 뼈의 칼슘 손실 골모공증이 나타나고 ⑦ 혈압이 높아질 수 있으며, ⑧ 혈액에는 지방질환의 침착이 쉬워 동맥경화나 심장병을 유인할 수 있습니다.

전통적인 한의학에서는 여성의 신장의 기(氣, Vital Energy)가 40대 말기에 허약해져서 중, 임맥 즉, 2개의 주된 경락이 다른 모든 음기 경락과의 연결을 약화시키거나 끊어져 월경이 불규칙해지고 마침내는 중단된다고 봅니다.

신장 음기가 허약해짐으로써 모든 장기의 기능이 약해지고 온몸의 음과 양의 평행이 무너지게 됩니다.

페경의 두 가지 증상과 치료

1. **신장의 음기 부족과 심장과 간장의 양기가 높을 때(心肝偏旺; 심간편왕)** : 열이 오르고 진땀이 나며 어지럽고 혼돈이 오며 불안과 불면증, 요통, 무릎이 허약해지고 귀가 울리고 입이 마르고 혀는 붉고 맥은 매우 적으며 빠릅니다.

치료원칙은 신장의 음기를 올려주고 심장과 간장의 열기를 없애주는 약, 즉 생지, 백약, 여정자, 국화, 황금, 산조인, 단피, 황육, 수오, 방근 등을 사용합니다.

2. **신장의 음과 양기와의 부족일 경우** : 증상은 오한이 오고 손과 발이

차며 열기가 얼굴로 오르고 요통과 특히 밤에 소변을 자주 봅니다. 혀는 창백하고 맥은 깊고 벌레가 기는 것 같은 맥이 잡힙니다.

치료는 신장의 양기를 올려 주는 숙지, 회산약, 황육, 두충, 구기자, 육계, 부자, 황부자, 선방, 선령피를 씁니다.

폐경 여성의 76%는 치료가 없어도 이 시기를 참고 지낼 수 있으나 나머지 25%의 여성은 증상이 매우 심하지만 적절한 치료로 폐경 증상을 쉽게 이길 수 있습니다.

또한 이 폐경의 어려운 시기는 가족과 친구의 많은 도움과 이해를 필요로 합니다.

한 해가 사계절로 변화가 있듯이 폐경도 한 평생을 살아가는데 피할 수 없는 생의 일부입니다.

당뇨(糖尿)

당뇨는 현대에서 상당히 흔한 병으로 간주됩니다. 정상 상태에서 음식은 위와 장에서 소화 흡수되며, 특히 에너지원으로 사용되는 탄수화물인 당은 호르몬에 의해 소화되고 간에 저장시켜주며 지방세포로 저장되었다가 혈당을 고르게 유지시켜줍니다.

당뇨병은 췌장에서 나오는 인슐린이 부족하여 혈당을 비정상으로 높여주며, 소변량을 늘리고 지속적인 갈증과 배가 고픕니다. 인슐린의 부족으로 체내의 당의 저장이 불가능하여 필요할 때 사용할 수 없으므로 인해 체중이 줄고 피로가 심하게 옵니다.

당뇨에는 두 가지 형이 있습니다.

첫째, Insuline dependent Diabetus는 가장 심한 타입이고 보통 발병이 어린 나이(10~16세)에 나타나기도 하며, 췌장으로부터의 인슐린 세포가 거의 완전히 파괴되어 인슐린이 고갈한 상태입니다. 대부분 바이러스 감염 후에 나타나는 것이 원인이며 인슐린을 주사하여야 하고 심하면 혼수상태로 생명의 위험도 있습니다.

둘째, Non Insuline dependent Diabetus는 발병이 서서히 나며 주로 나이 40세 이후에 나타나고 인슐린의 생성은 있으나 부족하여 약이나 식이요법으로 체내 인슐린 양을 일정하게 지속시킬 수 있습니다.

당뇨병의 치료를 소홀히 하면 합병증이 쉽게 오고 합병증으로는 눈, 신경조직, 신장기능 저하, 고혈압, 백내장, 신체 말초부분의 궤양 등의 치료가 어려운 증상으로 유도됩니다.

한의학에서는 옛날에 벌써 세 가지의 과량(excessive)인 병 즉, 소변 양이 많고 많이 먹고 마시며 많이 마르는 병이라고 했습니다. 즉 소갈병(消渴病)이라고 합니다.

한의학에서 당뇨는 유전적 음기부족증에 기름지고 단 음식을 많이 먹거나 정신적 스트레스가 많고 육체적 노동이 심하고 과다한 성생활을 하면 신장의 음기가 더욱 부족해져 폐와 위에 열기가 조갈(燥渴)이 생기며 끝내는 신장양기가 부족해집니다.

한의학에서의 당뇨는 세 가지 즉, 상소(上消), 중소(中消), 하소(下消)로 나누는데 첫째, 상소는 폐에 기가 있고 진액(津液)이 부족해서 올 때이며, 증상은 조갈이 심하며 많이 마시고 소변 양이 많습니다. 혀는 붉고 얇은 황태가 끼며 맥이 많이 뛰고 빠릅니다. 치료는 폐의 열기와 화기를 없애주고 체액을 증가시켜 조갈증을 해소시킵니다.

둘째, 중소는 주원인이 위의 열기가 과다할 때이며, 증상은 과식과 과뇨, 과음뿐만 아니라 혀는 황태가 끼고 맥은 매끄럽습니다. 치료는 열기와 화기를 없애고 음기를 올리며 체액을 늘리고, 약으로는 황금, 황연, 우시, 생석고, 전고루, 생포자, 생지, 당삼을 사용합니다.

셋째, 하소는 주원인이 신장의 음기부족에서 오며 증상은 소변 양의 증가는 물론(이때의 소변은 우유빛 같기도 함) 목이 마르고 물을 많이 마시며 입술과 입이 마릅니다. 혀는 매우 붉고 맥은 빠릅니다. 근본적인 치료는 신장의 음기를 보(補)하고 힘을 주는 약으로 숙지황, 화산약, 산황육, 지모, 갈근, 오미자, 창포, 원지, 용골, 무려, 당귀, 구판을 사용합니다.

결론적으로 당뇨는 세 가지 증상 즉, 소변 양이 많고, 많이 먹고 마시며, 많이 마르는 증상이 항상 있으므로 정확한 진단과 정확한 약재와 개인차를 고려하여 치료해야 합니다.

현대한의학과 적당한 식이요법으로 대부분의 당뇨병은 치료가 매우 낙관적이며 정상적인 생활에 지장 없이 생활할 수 있습니다.

고혈압의 한의학적 치료

혈압은 정상에서 스트레스나 육체적 운동에 의해 조금 올라가는 것이지만, 휴식시에도 높은 혈압수치를 나타낼 때 고혈압이라고 합니다.

고혈압은 주로 수축혈압(140 mmhg)이 이완혈압(90 mmhg)보다 높은 것을 고혈압이라고 하고 연령에 비례해서 수축혈압은 조금씩 높아지는 것이 보통입니다.

고혈압의 명백한 원인은 밝혀지지 않지만 약 10%의 경우는 신장이나, 부신, 대동맥 등의 병변을 발견할 수 있습니다. 흡연이나 비만증은 물론 고혈압의 원인이 되고, 피임약을 복용하는 부인에게도 고혈압이 올 수 있습니다.

고혈압의 초기는 거의 아무런 증상이 없으므로 대개 정규 진찰이나 검진에서 발견되고, 치료를 하지 않으면 예기치 않게 중풍이나 심장마비, 신장손상, 눈의 합병증을 초래합니다. 심한 경우는 정신혼돈이나 발작을 초래하기도 합니다. 한의학에서 고혈압은 ① 간의 양기가 너무 심하게 높을 때(肝揚上亢; 간양상항) ② 간이나 신장에 병이 있을 때(痰濕內滯; 담습내체) ③ 담과 습기로 인한 폐쇄가 있을 때(淸瀉肝火; 청사간화) 등 세 가지로 구분합니다.

① 간의 양기가 너무 심하게 높을 때의 고혈압의 증상은 어지럽고, 머리가 아프고, 얼굴에 열기가 있고, 눈이 붉으며, 시력이 흐리고, 귀가 울리고, 입이 쓰고, 황대가 끼며, 맥은 실이 튕기는 것과 같으면 빨리 뜁니다.

치료원칙은 간의 열기를 제거합니다. 예를 들면 찬(cold) 본성인 쓴 약으로 간 열을 제거해야 하는데 약재로는 황금, 산치(치자), 생지, 당귀, 하고초, 자호, 목통, 차전자, 택사 등입니다.

② 간이나 신장에 병변이 있을 때, 즉 음기(Vitalessence)의 체액이 간과 신장에 동시에 고갈할 때입니다.

주 증상은 어지럽고, 머리가 터질 것 같이 아프며, 시력이 흐리고 귀가 울리고, 열이 있고, 입이 쓰고, 발바닥과 손바닥이 뜨거우며 불면증, 허리와 무릎이 쑤시고, 유정이 있고, 맥은 실같이 약하며 빠르게 뜁니다.

치료원칙은 음기를 높여주고 피를 조혈하여 주며 정신과 신경을 안정시켜주는 약재로 두충, 우시, 쌍기생, 호마, 산조인, 천궁, 지모, 복령 등을 사용합니다.

③ 담과 습에 의한 폐쇄증으로 오는 고혈압은 비장의 기능이 쇠하고 담이 경락을 폐쇄하므로, 가슴이 답답하고, 식욕이 없습니다. 또한 다리와 팔에 힘이 없고, 목이 마르나 마시기는 싫고, 항상 졸리고, 혀에는 백태가 끼며 매우 매끄러운 맥이 잡힙니다.

치료 원칙은 비장을 보하고 습기와 담을 제거하며 간을 청결하게 하는 약 즉, 백출, 천마, 반하, 진피, 복령, 목향, 황금, 구 등을 사용합니다. 침이나 쑥뜸으로도 이상의 세 가지 고혈압을 치료하는데 매우 중요한 역할을 합니다.

고혈압은 약뿐만 아니라 체중을 항상 조절하고 편안한 마음으로 생활하는 것도 매우 중요한 치료가 됩니다. 흡연가는 금연하고 음주가는 금주하며 소금이 적게 든 음식 섭취를 강력히 권합니다.

한약과 침술에 의한 체중감소와 비만치료

요즈음 가장 인기가 있는 제목이고 또한 많은 신문이나 잡지에 여러 가지 다른 의견과 방법과 많은 추천들이 실리고 있으므로 사실상 독자들에게는 혼란을 주고 있는 체중감소에 대한 한의학적 방법과 치료에 대해 글을 써달라는 부탁을 받았습니다.

나는 이 글에서 비만증, 즉 과체중에 대한 가장 근본적인 이론을 설명하며, 체중을 줄이는 가장 올바른 방법을 이야기하고 그리고 한의학적인 방법으로 한약과 침술을 사용한 체중감소 즉 비만치료법을 설명하겠습니다.

비만증이란 무엇입니까?

비만은 체중과잉으로 BMI(Body Mass Index) 30Kg/m2를 넘는 것을 말하고, 27-30Kg/m2 는 과잉체중이라고 하며, 30Kg/m2 이상을 비만 (Obesity) 이라고 합니다.

BMI = [체중 Pounds ÷ 신장 Inches ÷ 신장 Inches] X 703 또는,

BMI = 체중 Kg ÷ [신장 Meters] 2

자신이 과잉체중이라고 생각하는 독자분은 스스로의 BMI를 계산하실 수 있습니다.

어떻게 비만증이나 과잉체중 증상이 나타날까요?

보통 사람의 하루의 기본영양가는 여자의 경우 약 2,000 칼로리이고 남자의 경우 약 2,500 칼로리이며 운동선수와 노동군은 약 4,000 칼로리 이상이며 임산부와 수유부는 300~500 칼로리를 평균 여성들보다 더 많이 필요로 합니다.

인체는 과잉 섭취한 단백질이나 탄수화물을 그대로 체내에 저장할 수 없고 칼로리를 쓰고 남은 단백질이나 탄수화물은 지방질로 변하여 인체에 저장이 됩니다.

CDC(Center of Disease Control)에 의하면 약 1파운드의 지방은 3,500 이상의 열량 칼로리를 낼 수 있다고 하고 미국 인구의 반 이상이 과체중이라고 합니다.

비만은 당뇨병, 뇌졸중, 심장질환, 고혈압과 같은 질환의 위험도를 가중시키며 높은 콜레스테롤은 어떤 종류의 암을 초래하기도 하며, 관절염(Osteoarthritis)과 무호흡수면(Sleep Aphea)을 가져오기도 합니다.

체중조절의 가장 바른 방법은 무엇일까요?

체중조절 방법은 시기에 따라 변할 수 있으나 사람들은 언제나 빠른 시일 내에 체중을 감소시키기를 원하고 있습니다. 사람들은 체중증가가 적어도 5~10년 동안에 천천히 증가되었다는 사실을 잊어버리고 있습니다. 사실상 체중감소를 빠르게 할 수 있는 방법은 없습니다.

첫째, 체내의 지방질을 감소시키는 것이지 근육이나 체액을 줄이는 것이 아니며 일주일에 1~2파운드를 감소시키는 것이 바른 방법입니다. 가장 성공적인 체중감소는 약 일년동안 같은 체중을 유지시키는 것은 물론 사계절이나 또한 음식이 풍부한 명절에도 변함 없는 체중을 그대로 유지합니다. 또한 체중감소는 건강을 해치지 않는 범위 내에서 이루어져야 함이 가장 중요합니다.

체중감소 원칙은 (1)안전해야 하고 (2)건강하고 (3)효과가 있어야 하며 (4)영구적이야 합니다. 영구적이 아닌 것은 체중감소가 이루어졌다고 할 수가 없습니다. 가장 좋은 방법은 가장 오래된 방법으로 영양을 골고루 평행하게 취하면서 적당한 운동을 계속하는 것입니다.

한의학에서는 비만을 어떻게 치료할까요?

약 2,000년 전 중국의 고서 황제내경에서는 비귀인 즉고량지질야(肥貴人, 卽膏粱之疾也; 좋은 음식을 지나치게 많이 먹으면 비만이 된다)라고 하였습니다.

한의학에서는 인체가 담(痰)과 습(濕)함이 천천히 축적되어 기(氣)의 채널(Channel), 흐름을 방해하고 결국은 기의 결핍증을 일으킵니다. 즉 담(痰)이 비만의 주원인이 됩니다.

정상적으로 비장(Spleen)이 습기나 담을 몸밖으로 배출하는 작용을 하는데, 비장의 기가 약하면 담습기가 체내에서 배출되지 못하고 남아 담 성분은 더욱 농축되는데 이것이 비만의 원인입니다. 다시 말해 한의학의 비만은 인체 생기의 결핍 증상인 병리현상입니다.

치료방법으로는 비장을 보하여 인체의 습기를 건조하게 하고 폐를 정화하고 기의 흐름을 고르게 잡음으로써 내장기능을 튼튼하게 하며 허열을 내리고 신장의 양기를 올리며 과잉수분을 체내로 배출해야 합니다.

이러한 모든 생리현상이 한번에 다같이 이루어져야 하며 이것을 한의학에서의 유명한 말로 표본동치(標本同治)라고 합니다.

결론적으로 입맛을 낮추고 당분의 합성을 막음으로써 열량(Calorie) 사용에 자극을 주어 대장의 활기와 배변, 숙변의 배출에 활력을 줍니다. 그럼으로써 체중감소는 물론 콜레스톨의 수치를 낮춰 혈압을 내리고 심장기능을 증진시키고 소화기능을 정상화합니다.

한약의 처방으로는 방기황기탕(防己黃耆湯), 삼자양친탕(三子養親湯), 도질탕(導疾湯), 삼령백술산(參笭白術湯), 영계술감탕(桂術甘湯), 온단탕(溫 湯), 가미신기환(加味腎氣丸) 등이 있습니다.

5. 정인국 M.D. (정인국 소아과 원장)

- 경북대 의대 졸업
- Hubermann 의대 수료
- Long Island Jewish Hospital 소아혈액학 수료
- 미국 소아과 전문의
- 뉴욕 기독교 TV 건강 특강 강사

- 주소 : 37-28 Parsons Blvd.
  Flushing, NY 11354
- 전화 : 718-961-2600 / 718-445-5900
- Fax : 718-961-7259

◎ 오줌싸개를 어쩌면 좋아요!

◎ 아이가 열이 날 때

◎ 소아 호흡곤란(Respirnetory Disless)

◎ 우리 아이 뇌염 예방 접종을 맞아야 되나요

◎ Pink Eye(눈이 빨간 아이)

◎ 팔방미인 아스피린

◎ 백혈병과 골수이식

오줌싸개를 어쩌면 좋아요!

가족 간의 비밀 중에는 남에게는 말못할 비밀들이 있는데 그 중에도 아이가 6-7세가 되어도 밤마다 요에다 지도를 그리는 아이들 문제입니다.

옛날에는 일부러 창피를 주어서 치료해야 된다고 키를 덮어쓰고 옆집에 가서 소금을 꾸어 오라고 시켰습니다. 아이는 멋모르고 부모가 시키는 대로 옆집에 소금 꾸러 갔더니 아뿔싸 벌써 옆집에는 미리 알아차리고 오줌싸개라고 놀리면서 소금을 줍니다.

그런데 아이는 창피스러운 것은 알지만 저도 어떻게 할 수가 없습니다. 오늘밤만은 실수하지 않으리라 굳게 다짐하지만 아침에 일어나 보면 벌써 이불이 젖어있습니다. 옆집 친구에게도 (여자아이면 더하다) 이미 들통이 나서 창피해서 학교도 가기가 싫고 열등감만 쌓입니다. 부모도 당근과 채찍으로 별수를 써도 나아지긴 커녕 더욱 걱정거리만 늘어갑니다.

아기 때는 누구나 싸개인데 나이가 들면서 졸업을 못하고 계속 오줌싸개 하면 일단 소아과 의사와 상담을 해보는 것이 좋습니다.

대개 오줌 가리기는 한 살 반에서 두 살 반부터 시작할 수 있는데, 대개 여자아이들은 빨리 적응하는 것 같습니다. 남자아이는 고집이 많거나 쉽게 순종하지 않고 변기 자체를 겁내는 경우가 많습니다.

우선 변기를 소변 처리하는 용도로 쓴다는 것을 시범을 보여주며 알게 해 주어도 좋을 것입니다. 처음엔 아기와 변기와 친근감을 가지도록 도와주어야 합니다. 그리고 하루에도 몇 번씩 변기에 앉혀서 쉬하고 신호를 보내면 때로는 성공할 것입니다. 성공할 때는 칭찬을 듬뿍 해주고 못해도 나무라서는 안 됩니다.

　방광을 조절(control)하는 신경이 발달하는 것은 평균 2-3세이나 사람마다 차이가 많이 나므로 결코 옆집 아이보다 늦다고 실망할 필요는 없습니다. 3~4세가 되어도 발전이 없으면 소변 검사를 해봅니다. 잘 가리던 아이가 갑자기 소변을 자주 보고 싸는 것은 혹 방광염이나 당뇨병이나 정서장애가 없는지 한번쯤 고려해 보아야 될 것입니다.

　새로 학교를 시작하거나 이사를 해서 학교를 옮기거나 하는 것도 아이들에겐 큰 스트레스가 될 수 있습니다. 스트레스는 방광의 압력을 높이고 괄약근 조절(Sphincter control)을 어렵게 합니다. 때로는 신경 안정제가 도움이 될 수도 있습니다.

　낮에는 잘 참으나 밤에만 조절이 안되면 저녁을 일찍 먹이고 난 후, 일체 마시는 것을 금하고, 자기 전과 한밤중에 소변을 누이면 좋습니다. 한밤중엔 잠이 완전히 깨지 않아도 변기에 데리고 가서 누일 수도 있습니다. 이렇게 차차 지도를 그리지 않고 지나는 밤이 많아지면 아이에게 자신감을 줄 수 있고 이것이 긍정적으로 도움이 됩니다. 괄약근(Sphincter)을 훈련하기 위해 낮에 소변 볼 때 한꺼번에 내보내지 않고 조금씩 중단해가며 몇 번에 나누어 소변보는 훈련을 하면 도움이 됩니다.

　근래에는 소변 경보기(alarm)이 많이 나와 있는데 몇 개월 쓰면 큰 효험을 봅니다. 또 밤에만 소변을 적게 하는 약도 있는데 코에 뿌리거나 먹는 약도 있습니다. 달력에다가 지도 그리지 않은 날엔 축하하는 스티커를 붙여줍니다.그러면 소금을 구하게 해서 창피를 주는 것보다 몇 배나 좋은 효과를 볼 수 있을 것입니다.

　신경장애가 있는지 척추 검사가 필요한 수도 있습니다. 오줌싸개를 핍박 맙시다. 우리도 아주 늙으면 또 그리 될지도 모르니까요!

아이가 열이 날 때

병원을 찾아오는 어린이 환자의 90% 이상이 발열을 동반하니 이 열이란 증세는 아이를 가진 부모의 최대의 적이요, 무서움의 대상일 것입니다. 의사들은 여러 가지 진찰기구를 동원하여 도대체 이 아이가 왜 열이 나는지를 찾아내려고 합니다. 특히 어린 아기 일수록 자기가 느끼는 것을 얘기해주지 못하니 부모도 답답하고 일반 의사들이 소아 환자를 꺼리는 이유도 여기에 있습니다. 물론 소아과 전문의들은 이런 문제로 매일 씨름하는 전문가이므로 대부분 진찰을 통해서 열의 원인을 찾아낼 수 있을 것입니다. 그러나 때로는 진찰만으로 확실치 않으면 피검사나 소변검사 X-ray를 통하여 원인을 규명하여 부모를 안심시키는 것이 의사의 큰 보람입니다. 그러나 어떤 때는 세계의 가장 훌륭한 소아과 의사라도 발열의 원인을 금방 알 수 없는 경우가 있습니다. 그럴 때면 입원을 해서 여러 가지 검사를 해보면 발열이 시작돼서 1-2주 후에야 진단이 확실히 나오는 경우도 있다는 것을 이해해야 될 것입니다.

발열의 원인은 대부분 바이러스가 많지만 세균성이나 알러지성이나 비세균성 염증, 또 관절염 계통이나 암종류 백혈병으로 나타나기도 합니다.

병원을 찾을 때 그때까지의 증세를 가능한 한 자세히 의사에게 얘기해 주는 것이 큰 도움이 됩니다. 열이 처음 생겨서 최고 몇 도까지 올라갔는지를 집에서 기록해 두면 좋을 것입니다. 부모님들은 각 아이의 병상일지를 각각 날짜와 증세와 나을 때까지의 관찰을 적어두면 의사들이 좀더 빨리 열이 원인을 찾는데 돕는 일이 될 것입니다.

우선 영아(1세 이하)의 경우 우리 어른들 보다 체온이 조금 높을 수 있다는 것을 이해해두면 좋을 것입니다. 어른들의 체온이 화씨 98.6도이므로 우리 손으로 영아의 몸을 만지면 항상 따뜻해서 열이 있다고 믿는데 실제 영아는 화씨 100도 이하는 열이 없다고 봅니다. 우리의 손등이 손바닥보다 더 예민한데 아이 특유의 따뜻한 느낌을 기억해 두어야 합니다. 그래서 평소보다 더 따뜻하다고 느껴지면 체온을 재어봅니다. 항문체온계가 가장 정확한데 겨드랑이는 실제보다 화씨 1-2도 정도 낮게 나타납니다. 유리로 된 항문체온계는 씻어서 또 쓸 수 있는데 더운물로 씻으면 재기도 전에 이미 온도가 올라가 있으므로 뿌리듯이 흔들어 눈금을 내려서 바셀린을 바르고 항문에 약 1인치 넣어서 2분 정도 후에 읽으면 됩니다. 해열제를 먹이고 기록한 뒤 1-2시간 후에 다시 만져봅니다. 때로는 배는 고열이 있는데 손발은 찬 경우가 있습니다. 이것은 열이 너무 높아서 열을 몸 전체에 고르게 퍼지게 하는 기능이 마비가 된 것을 의미합니다. 그럴 때는 해열제를 주고 따뜻한 물수건(찬물이 아님)으로 손발을 닦아주면 좋습니다.

해열제는 타이레놀(Tylenol)을 쓰고 2시간 후에도 열이 호전되지 않으면 Advil+motrim을 또 써도 됩니다.

병원에 다녀와서도 열이 금방 떨어지는 것이 아니므로 결국 열과의 투쟁은 부모의 몫이고 의사는 조언을 해 주는 입장입니다. 그리고 의사의 검진 후 3일이 지나도 열이 떨어지지 않으면 다시 찾아서 재진을 하고 또 검사를 필요할 수도 있는 것입니다. 왜냐하면 때로는 처음 진단에서 합병증이 생길 수도 있고 숨어있던 다른 병이 처음에 발견되지 않을 수도 있기 때문입니다. 집에서 적당히 항생제를 주는 것은 항생제 남용의 문제가 있고 때로는 병을 더욱 키우는 결과가 될 수 있다는 것이 또한 중요한 사실입니다.

소아 호흡곤란(Respirnetory Disless)

호흡은 인간의 생명이 지속되는 동안 끊임없이 반복되는 것으로 잠시라도 중단되어서는 안 되는 것입니다. 잠을 자는 동안 다른 근육은 다 쉬고 있는 동안에도 호흡이 관련하는 근육은 계속 일을 하고 있는 것입니다.

호흡이 15초 이상 멈추거나(Apnea) 너무 깊이 숨을 쉬는 것(Hyper Ventilation), 또는 너무 빨리 숨쉬는 것(Tachypnea)이 다 병적인 것입니다.

미숙아로 태어난 아기들은 폐의 기압을 유지하는데 필요한 성분이 부족하여 폐가 자주 위축되고 산소와 탄산가스의 교환이 잘 되지 못하여 호흡곤란을 겪게 됩니다. 이런 아기들은 낳자마자 곧 산소호흡과 기계호흡(Veutilator)이 필요한데 비록 호흡이 호전되어도 산소의 중독으로 눈과 기관지에 합병증이 생기기 쉽습니다. 따라서 미숙아로 호흡기 치료를 받았던 아기들은 정기적으로 안과 검진을 받아야 되고 또 기관지가 나빠지지 않도록 자주 소아과 검진을 받아야 됩니다. 특히 RSV라는 바이러스(Virus)가 기관지를 약하게 하므로 미숙아는 Synagis라는 예방주사를 겨울에 매달 맞아야 합니다.

한 살 이하의 아기들은 RSV라는 바이러스(Virus)와 인플루엔자(Influenza)가 기관지에 잘 침범하는데 모세기관지염에 걸리면 기침과 숨소리가 쌕쌕하고 요란한 소리가 나며(wheezing) 숨이 빨라집니다. 심하면 갈비 사이의 근육이나 배의 근육이 들어갔다 나왔다 하는 것이 눈에 보이는데 이것은 아기가 숨쉬기가 매우 힘들다는 의미가 있습니다. 빨리 병원을 찾아보아야 되는데 기관지가 나빠지면 입맛도 떨어지고 구토 현상이 많아집니다.

어릴 때 모세기관지염을 앓았던 아이가 커서 기관지 천식이 잘 생기게 되는데 역시 가래 섞인 기침을 하며 숨소리가 거칠게 나며(쌕쌕 소리) 숨을 내쉬기가 힘들어집니다. 천식에는 특수한 기관지 확장제를 쓰는데 일반 감기 기침약을 쓰면 더 악화되는 경향이 있고 폐렴이 합병증으로 생길 수 있어 반드시 진찰을 하고 약을 쓰는 것이 좋습니다. 기관지 확장제는 Inhaler라는 치료제도 있고 먹는 약도 있는데 심한 경우는 Nebulizer라는 기계를 가정에 사두는 것이 좋을 것입니다.

기관지 천식이 자주 생기는 체질은 hayfever나 알러지성 결막염, 두드러기, 습진 등이 잘 생깁니다. Singlulair라는 약은 천식의 예방제인데 자주 천식을 앓는 아이는 매일 먹어두는 것이 도움이 됩니다.

그 외에 자주 생기는 호흡곤란은 항아리 기침(Croup) 병입니다. 이것은 마치 개가 짖듯이 컹컹 울리는 기침을 하며, 한 살 이하의 아이는 심하면 숨을 들이쉴 때 마치 숨막히는(Choking) 듯한 숨소리가 들립니다. 대개 겨울에 오는 바이러스로 인해 생기는데 기침약과 또 뜨거운 김을 들여 마시는 것이 자주 도움이 됩니다. 호흡하기 힘들어하고 1분에 50~60회 정도로 빨라지면 응급실에 가는 것이 좋습니다. 아주 드물게 섭균성 후두염(Epiglottitis)이 생기면 갑자기 인공호흡이 필요할 만큼 치명적인 병이므로 급히 응급실로 가야합니다. 이 병은 결코 소아과 진료실에서 치료할 수 없고 응급실로 가서 입원 치료해야 됩니다.

간혹 아이들이 콩이나 동전, 플라스틱 장난감 등을 집어먹다가 기관지에 걸려서 마치 천식 같은 증세를 보일 수도 있습니다. 아기들은 아무거나 입으로 가져가는 습관이 있으므로 조그만 물질은 바닥에 놓아서는 안됩니다. 자주 청소를 해주는 것이 예방책이며 또 천식은 애완용 동물이나 집 먼지, 진드기 등 때문에 오기도 하니 공기정화기 같은 것도 고려해 보아야 합니다.

우리 아이 뇌염 예방접종을 맞아야 되나요

많은 분들이 미국에서는 뇌염 접종을 안맞히느냐고 문의해 옵니다. 신문과 뉴스에서 West Nile 뇌염을 듣고는 한국에서 해마다 여름철이 되면 아이들이 맞았던 뇌염 접종을 생각하며 미국은 한국보다 더 의학이 발달되어 있으니 틀림없이 예방 접종이 있으리라고 생각하겠지만, 아직까지 West Nile에 대한 접종은 없습니다. 이런 때에 뇌염에 대한 것도 알아두는 것이 좋을 것 같습니다.

일반적으로 뇌염은 뇌 내부에 감염을 일으키는 것을 말합니다. 뇌를 둘러싸고 있는 뇌수막에 생기는 염증을 뇌수막염이라고 부릅니다. 뇌수막염은 세균이나 바이러스로 생기며 주로 고열과 두통과 경련을 일으키며, 경련에서 깨어나면 혼수상태에서 대개 빨리 깨어나지만 뇌염은 뇌막염에 비해 정신도 오래 잃게 되고 비교적 더 심각한 후유증을 일으켜 뇌사상태가 되거나 정박아가 될 수도 있습니다.

뇌수막염에서 심각한 경우가 대개 세균성이므로 항생제가 많이 발달되어 치료가 많은 효과를 볼 수 있는데 비해, 뇌염은 원인이 거의 대개가 바이러스성이므로 항생제로 효과를 기대하기 어렵습니다.

한국이나 일본에 해마다 유행하는 뇌염은 일본뇌염이라고 부릅니다. 워낙 해마다 반드시 대량의 환자들이 생기므로 그에 대한 예방주사가 잘 되어 있습니다. 그러나 미국에는 일본뇌염(Japanese B. Encephalitis)은 전혀 없고 간헐적으로 미국 서남부에 St. 루이(Louis) 뇌염과 캘리포니아(California) 뇌염이 있었는데, 동부지역까지는 뇌염 모기가 올 수 없었기 때문입니다.

뇌염은 주로 바이러스가 새나 포유류동물이 원산지며 모기가 바이러스를 감염된 동물과 사람 사이에 운반하는 매개체가 됩니다.

모기 외에도 뇌염은 여러 가지 바이러스의 합병증으로 올 수 있습니다. 홍역, 수두, Herpes, 볼거리, 풍진, Ameba, Cat Scratch Disease, 장미진 등 여러 가지 질병이(우리가 가볍게 생각하는 병이지만) 뇌염까지 갈 수 있는 병입니다. 그러므로 이런 질병 중 예방주사가 개발된 질병(위에서 열거한 병들)은 각기 예방주사가 있는 셈입니다. 그러나 미국에는 없는 일본뇌염의 접종은 미국에서는 전혀 필요치 않습니다. 따라서 뇌염의 예방은 새, 닭, 돼지, 소 같은 뇌염 원산지는 방역하고 중간매개체인 모기에 물리지 않아야 합니다.

야외에서 놀 때는 모기가 싫어하는 약, Deet off Botanical 등의 Insect Repellent를 사용하고 모기향, 형광 램프 등을 쓰는 것도 도움이 됩니다.

일반적으로 일본뇌염이 어린이에게 많이 치명적인데 반해 West Nile 바이러스는 어린이들은 거의 없고 노약자에게 많습니다.

Nile 강의 서쪽에 기생하던 바이러스가 어쩌다 할렘 강가에까지 와서 이젠 거의 해마다 뿌리를 내린 듯 싶은데, 이미 16명의 노약자가 사망했으나 다행히 어린이들은 비교적 안전하다니 그나마 다행입니다. 그러나 고열이 오래가고 구토와 헛소리나 정신신경성 증세가 있으면 반복해서 처방을 받아서 혹시 뇌염의 합병증이 있는지 주의해야 할 것입니다.

Pink Eye(눈이 빨간 아이)

흔히 아이들이 학교에서 쫓겨오는 이유 중에 Pink eye가 아닌지 의사에게 검진을 하라고 쪽지를 받아 오는 경우가 많습니다. 그런데 과연 pink eye란 얼마나 나쁜 것이길래 우리 아이가 학교에 있지 못하고 쫓겨온단 말입니까?

사실 학교 선생님도 학교의 간호원도 Pink eye의 의미를 잘 모르는 때가 많습니다. 그래서 의사의 진단을 받아보라는 것입니다.

일반적으로 Pink eye를 일으키는 것은 결막염을 의합니다. 옛날에는 많았으나 요즈음은 거의 찾아보기 힘든 트라코마입니다.

신생아에서 눈곱이 끼고 빨갛게 되는 결막염 등은 세균성 결막염이며, 감기와 함께 오는 바이러스성 결막염도 있습니다. 홍역, 콕삭키, Adeno 바이러스 등이 결막염을 일으킵니다. 또 한때 한국에서 많이 유행했던 아폴로 눈병도 출혈성 바이러스성 결막염입니다.

그러나 화농성 눈곱 없이 그냥 빨갛게 눈물만 나고 가려운 것은 알러지성 결막염도 있습니다. 대부분의 결막염은 전염성이 강해서 수선이나 도구를 따로 쓰는 것이 좋으며, 가급적 손을 눈에 대지 않는 것이 좋습니다. 특히 눈을 비비는 것은 더욱 증세를 악화시키기 쉽습니다.

눈이 빨갛다고 다 전염되는 결막염은 아닙니다. 녹내장의 증세일수도 있고 Kawasaki Disease도 Pink eye가 나타나지만 오히려 심장질환이 더욱 무서운 것입니다.

Pink eye가 수두나 herpes 또 각막손상으로 오는 경우는 실명이 될 수도 있으므로 응급치료가 필요합니다.

이와 같이 Pink eye는 여러 가지 질병과 연관되어 있으므로 빨리 진찰을 받아 얼마나 심각한 문제가 있는지 알아봐야 합니다. Pink eye는 적신호와 같은 것입니다.

팔방미인 아스피린

여러 가지 장기를 가지고 있어 여러 분야에서 쓰이는 사람을 가리켜 팔방미인이라고 하는데 의학에서 아스피린이 바로 그렇다고 볼 수 있습니다.

얼마 전까지도 가장 많이 쓰이던 해열진통제로서의 위용은 Tylenol, Advil 등에 밀려 요즈음은 거의 몰락했지만 아직도 아스피린은 곳곳에서 치료제로 쓰이고 있습니다. 지금도 물론 해열제로서 진통효과는 탁월하지만 위장장애나 위궤양의 원인이 될 수 있어서 감기치료약으로 거의 쓰이지 않고 있습니다. 이런 부작용이 있는 줄 알고도 아스피린을 쓰는 곳은 의외로 많습니다.

(1) Jubenile Rheumotoid Arthritis (소아성 류머티스성 관절염)
이 병은 원인불명의 면역학적 질환인데 주로 어린아이들에게 걸리지만 어른들에게도 올 수 있습니다. 고열이 나면서 관절통이 생기고 발진이 생기고 때로는 눈에도 침범해서 실명이 되기도 하는데 만성질환으로서 난치병입니다.

타이레놀(Tylenol)은 이 병에서 해열작용만 조금 도움이 되지만 소염작용을 가진 아스피린은 근본적인 치료제가 됩니다. 단지 아스피린을 대량으로 써야 하므로 부작용 또한 만만치가 않습니다. 장기간 쓰면 꼭 소화기관에 부작용이 나타나 심하면 장출혈과 코피 또 멍이 잘 드는 문제점이 있습니다. 비슷한 병인 Lupus라는 병에도 아스피린이 치료제로 쓰입니다.

(2) Kawasaki Syndrome(카와사키 질환)

이 병은 특히 어린 소아들에게서 고열이 1주 이상 날 때 꼭 의심해보아야 하는데, 처음엔 편도선염과 비슷하지만 조금 지나면 눈이 빨갛게 출혈되고 입술과 혀 점막이 새빨갛게 변합니다. 몸에는 임파선이 붓고 발진이 돋게 됩니다. 관절염이 생기기도 하며 가장 무서운 합병증은 심장의 관상동맥류가 생기고 심장마비가 되기도 한다는 것입니다. 특징은 적혈구 침전도가 크게 증가하고 혈소판 수가 정상의 3배씩이나 증가해서 심장의 혈관이 막히게 되는 것입니다.

이병의 치료는 가능한 한 초기에 면역혈청을 주사해야 심장병을 예방할 수 있습니다. 이때에 대량의 아스피린이 해열제와 소염제로 쓰이는데 후에는 아스피린의 양을 최소로 줄여서 혈소판이 잘 응고되지 않게 하기 위해 장기간 쓰입니다. 재미있는 것은 아스피린의 소염작용, 해열작용이 초기에 쓰이다가 후기에는 항응고제로써 쓰이니 정말 팔방미인이라고 부를만 합니다.

(3) 심장마비의 예방약

아스피린은 혈액응고를 조장하는 혈소판에 작용해서 혈소판끼리 잘 들어붙지 못하게 하는 작용이 있습니다. 심장마비의 주원인은 여러 가지가 있으나 혈관 내의 콜레스테롤이 쌓여 혈관의 속이 좁아지는 것과 술, 담배의 영향으로 역시 혈관의 공간이 좁아지는 것과 좁아진 관상동맥(심장에 산소와 영양을 공급하는 혈관) 안으로 지나던 적혈구와 혈소판이 막혀서 생기는 복합적인 현상입니다. 40대 이후의 성인이 1주일에 미량의 베이비 아스피린(Baby Aspirin)을 2회만 복용해도 심장마비의 예방효과가 있다는 것입니다.

(4) 중풍의 예방약

중풍은 머리 뇌 속의 작은 혈관에 생기는 막힘이나 좁아지는 현상이므로 아스피린을 복용하면 미량으로 중풍예방효과가 있다는 것입니다. 단지 이미 뇌출혈이 있었다면 오히려 뇌출혈에 작용 할 수 있으므로 내과의사와 상담을 해서 결정하는 것이 좋을 것입니다.

이렇게 여러 가지 요긴한 치료약으로 값싼 아스피린이 있다는 것은 얼마나 큰 축복입니까? 감사한 마음으로 아스피린을 잘 사용하면 우리의 건강관계에 큰 도움이 될 것입니다.

백혈병과 골수이식

　요즘 뉴스에는 7세 된 아이의 백혈병 투병을 돕기 위해 많은 분들이 골수이식을 위한 피검사가 온 한인사회를 뜨겁게 하고 있습니다. 1년 동안 약물치료(Chemotherapy)를 열심히 해왔으나 재발이 되어 이젠 유일한 치료수단이 골수이식에 달려 있다는 것입니다. 백혈병은 백혈구의 이상 증식으로 빈혈과 세균감염, 출혈증세, 신경증세 등의 많은 합병증을 나타내며 수년간의 치료에도 불구하고 안타깝게도 몸이 붓고 머리털이 빠지며 앙상하게 되어 죽게 되는 무서운 병입니다.

　백인한테 많이 생기는데 어린이 10세까지 2,800명 중 1명이 백혈병에 걸리고 동양인이나 흑인은 훨씬 발생빈도가 낮으나 우리 주위에 끊임없이 환자들이 생기고 있습니다. 매년 미국에서 해마다 2,500명 정도가 새로 생기는데 어린이들은 치료율이 약 80% 정도로 근래에 많이 발전했다. 그러나 한 생명이 완치되기에는 너무나 힘든 투병생활을 해야 하고 치료에 의한 부작용 또한 비참하게 많습니다.

백혈병의 초기증세

　급성일수록 초기에는 빈혈이 없는 경우가 많습니다. 적혈구는 대개 120일 정도 수명이 있기에 백혈병 발병 시에 빈혈이 있었다면 오히려 좋은 징조가 됩니다. 서서히 발병을 했다는 증거가 되기 때문입니다. 초기에 원인 모를 고열이나 두통, 경기나 관절이나 뼈가 아픈 경우도 있습니다. 코피가 나거나 멍이 잘 드는 출혈증세가 처음으로 발견될 수도 있습니다. 이런 증세가 있으면 부모나 의사가 한번쯤 설마 하고 의심하게 됩니다.

약물치료

일반적으로 진단이 나면 암전문병원이 있어 매주 치료를 받게 되고 자주 입원도 하게 됩니다. 스테로이드(Steroid)를 자주 쓰므로 몸이 붓게 되고 독한 약을 많이 쓰므로 구토와 영양실조가 많이 생깁니다. 2~3년을 계속 치료받아야 하니 환자와 가족이 정서적으로 많은 주위의 도움이 필요합니다. 빈혈 때문에 자주 수혈도 필요하고 항생제를 많이 요합니다.

방사선 치료

머리나 고환 같은 곳에 암이 숨어 있는 경우가 많아 그 곳에서 재발하기도 하는데 방사선 치료가 필요합니다. 또 골수이식 준비작업으로 온 몸에 강한 방사선 치료를 받게 됩니다.

골수이식(Bone Marrow Transplantation)

골수이식은 가장 확실한 백혈병의 치료법이 되며 재생 불량성 빈혈이나 선천성 Sickle Cell Anemia 빈혈의 치료에도 적용되고 있습니다. 문제는 혈액형만 맞다고 되는 것이 아니라 신체의 조직체형(HLA type)이 맞아야 가능한 것이 제한 요소입니다.

골수기증을 하는 사람은 또 기증 후에도 남은 조혈세포가 증식해서 보충이 되기 때문에 얼마든지 반복해서 기증을 할 수 있어서 제한된 신장기증이나 간기증 등과는 근본적으로 다르므로 기증을 해도 건강상의 손해가 없습니다.

우선 피검사를 하면 HLA 타입을 검사해서 그 자료가 전산화되어 Bank에 저장됩니다.이것은 혹 기술자가 나중에 필요할 때 골수이식을 받는데 이용될 수도 있는 것입니다.

골수형이 맞는 기증자가 나타나면 마취 하에 주로 골반 뼈 같은데서 골수액을 주사바늘로 뽑아내는데 여기에는 적혈구와 여러 조혈세포가 많이 들어있습니다. 이것은 필터로 걸러서 수혈하듯이 백혈병 환자의 정맥에 주사하면 이식은 끝납니다.그 후 약 한달 동안 무균 환경에서 골수세포가 환자의 뼈 속에 뿌리를 내려 혈구를 생성하는 것이 확인되면 성공적입니다.

거기에는 여러 조직과민반응이나 세균감염, 영양실조와 출혈증세 등 곳곳에 위험요소가 많지만 일단 어느 고비만 넘기면 약물치료 5년을 해도 안되던 환자도 완치가 될 수 있습니다.

중요한 사실은 확률상 수만 분지 일의 완벽한 기증자를 찾기가 어렵다는 것입니다. 그러므로 가능한 한 많은 사람의 혈액검사 자료가 Bank에 저장되어 있도록 해야 합니다. 과거에 한번이라도 골수기증을 위한 피검사를 했으면 다시 하지 않아도 되며 평생 한번만 이 검사에 참여하면 됩니다. 그러면 우리 동포 중에 혹 이런 불행한 병에 걸렸을 때 완치할 수 있는 기회가 더욱 높아지는 것입니다. 한 사람도 빠지지 말고 이 운동에 동참해 주기를 간절히 호소합니다.

6. 임주식 한의사(임한의원 원장)

- NYS Licensed Acupuncturist
- 서울 용문 고등학교 졸업
- Los Angelis 시립대학교 졸업
- South Baylo 한의대 석사 취득
- South Baylo 대학병원 인턴수료
- 뉴욕 면허소지
- 미국 NCCAOM 침구면허 취득

- 주소 : 8301 4th Ave.
　　　 Brooklyn, NY 11201
- 전화 : 718-238-0532/0578

◎ 설사 (泄瀉)

◎ 이명(耳鳴: 귀울림)

◎ 불면

◎ 양생(養生) - 한약, 침보다 더 좋은 치료방법

◎ 임증 1(淋證, PainfulUrination Syndrome1)

◎ 임증 2(淋 , PainfulUrination Syndrome2)

설사(泄瀉)

설사는 배변의 횟수가 많아지고 변이 희박하며 심하면 물과 같은 것을 말하며 항상 배변이 이런 것을 말하는 것은 아니고 정상보다 잦으면 설사라 합니다. 설사에는 두 가지 성질이 있는데 "설(泄)은 loose stools 를 사(瀉)는 stools like water"를 말합니다.

본 병은 일년 사계절을 통하여 발생하나 급성 계절적 설사는 여름과 가을에 보다 빈번합니다.

1. 외사의 감수(外邪感受)

"소문"에서 이르기를 "한(寒)이 소장을 범했을 때 소장이 적절히 음식을 운화하지 못하는 까닭에 설사와 복통을 야기한다"고 했습니다.

"영추"에서는 "한(寒)이 위(胃)를 침범하면 복부창통(腹痛)이 있고 장중(腸中)이 한(寒)하면 설사와 장명(腸鳴)이 있다. 위중(胃中)이 한(寒)하고 장중이 열(熱)하면 창(脹)하고 설사하다"고 했습니다.

"소문"에서 "봄에 풍(風)에 상하면 여름에 설사가 생긴다"고 했습니다.

비장은 건조한 것을 좋아하고 습한 것을 싫어하며 습사는 비의 운화기능을 방해하여 설사를 유발하며 설사의 가장 빈번한 원인입니다.

이 밖에 한이나 서열(暑熱)의 사기(邪氣)는 폐의 피모를 침습할 뿐만 아니라 직접 비위에 영향을 주어 비위의 기능을 장애하여 설사를 이르키게 하지만 대부분 습사와 유관합니다.

2. 음식

음식 또한 급 만성 설사에 잦은 원인입니다. 급성 설사의 가장 일상적인 원인은 상한 음식, 너무 뜨거운 것, 너무 찬 음식 등의 섭취로 인합니다. 만성설사는 과식이나 찬 음식의 과잉섭취, 기름기나 단 음식의 과잉 섭취에 의하여 간단히 야기됩니다. 이러한 것들은 비의 운화 작용을 상하게 하여 비기가 상승 할 수 없으며 설사를 야기합니다.

3. 정서적 압박

걱정, 생각, 과도한 정신적인 일은 비를 약화시키고 만성설사를 야기하기도 합니다.

4. 과로 만성 질환 (비위의 허약)

불규칙한 식사와 함께 장시간의 일 또는 육체적인 과로(과다한 운동)는 비를 약화시키며 자주 설사를 야기합니다. 만성 질환 또한 필연적으로 비를 약화시켜 설사를 야기합니다.

5. 과로, 과도한 성행위 (신양(腎陽)의 허쇠)

충분한 휴식 없이 긴장된 상태에서 장시간의 일은 신(腎)을 약화시킬 수 있으며 양기가 허한 경향이 있는 사람은 신양허를 야기할 것이며 신양이 비양을 자양하지 못하여 운화에 필요한 온양(warmth)의 부족은 설사를 야기하기도 합니다.

설사에는 여러 방제가 쓰입니다

증상에 따라서 곽향정기산, 갈근금련탕, 보화환, 지실도제환, 통사요방, 삼령백출산, 사신환, 갈근금련탕, 백두옹탕, 향련환, 등이 있고 가감법에는 외습(外濕)으로 인한 설사 초기에 습(濕)을 가볍게 아래로 빼기 위하여 복령을 더합니다.

비기하함으로 인한 설사에 기를 올려주기 위하여 황기를 더합니다.

한(寒)으로 인한 급성 설사에 한을 없애기 위하여 건강, 고량강을 더합니다.

간기체(stress)로 인한 설사에 기를 돌려주기 위하여 향부자를 더합니다.

빈번하면서 복통이 있는 급성 설사를 위하여 감미(甘味)한 약제로 완화하기 위하여 감초, 백작약을 더합니다.

수분의 대량 손실과 만성 설사를 위하여 신맛으로 수렴합니다. 이때 감실을 더합니다.

비허와 내습(內濕)으로 인한 만성설사는 백출, 창출을 더합니다.

비신양허로 인한 만성설사는 육계를 더합니다.

심각한 비신허로 인한 만성설사는 백출, 속단을 더합니다.

이명(耳鳴: 귀울림)

귀속에서 자각적으로 매미가 우는 소리가 나거나 혹은 기타 여러 소리가 나는 감을 느끼는 것을 "이명(耳鳴)"이라고 합니다.

먼저 이명에 병인, 병리를 알아보도록 하겠습니다.

첫째로 정서적인 경향 ; 노여움, 원한 좌절, 증오는 간기체(스트레스)를 유발하고 이것이 오래 되면 간화로 발전하고 상행하여 귀를 방해합니다. 이것이 이명의 원인일 수 있으며, 이런 경우 갑자기 발병하며 큰 소리의 잡음이 들립니다. 또한 슬픔, 실망, 감정은 폐와 심(心)을 약화시켜 이명을 야기할 수 있습니다.

둘째로 지나친 성행위와 과로 ; 이것들은 신(腎)을 약화시키고 신이 귀를 자양하지 못해서 이명이 옵니다. 이 형태의 이명은 점차적으로 발병하며 잡음은 낮은 음조이며 이것이 가장 보편적인 이명의 원인입니다.

셋째로 노화(Old Age) ; 신정(腎精)은 나이를 먹으면서 자연적으로 쇠퇴하며 노인들에게서는 귀와 뇌를 충분히 자영하지 못하므로 이명을 야기합니다. 이것이 건강상태가 양호하지 못한 것을 의미하지는 않으나, 노인이 되면 이러한 이명은 피할 수가 없습니다. 매우 천천히 발병하며 낮은 음조의 잡음입니다.

넷째로 음식 ; 유제품, 기름기 많은 음식의 과잉섭취와 함께 불규칙한 식사 습관은 담을 형성하여 뇌로 올라가는데 청기(淸氣)가 머리에 올라가서 머리의(귀도 포함) 구멍(竅;규)을 밝게 하는 것과 탁기(濁氣)가 머리로부터 내려오는 것을 방해하여 이명과 현훈(眩暈)을 야기할 수 있습니다.

다섯째로 시끄러운 소리에 노출 ; 작업으로 인한 시끄러운 소음, 이어폰을 통해 듣는 큰 소음, 이 모든 것이 이명을 야기할 수 있습니다.

이명은 허실(虛實)의 변별이 중요합니다.

실증은 어떤 병리적 요인이 상요하여 귀를 방해하기 때문이며, 여기에는 화(火), 풍(風), 양(陽), 담(膽), 담화(膽火), 매우 시끄러운 소리의 노출 등이 있습니다.

허증의 경우에는 충분한 기(氣)가 머리와 귀에 닿지 못하여 발생합니다. 신기(腎氣), 신정(腎精), 폐기(肺氣) 또는 심혈(心血) 등이 그것입니다.

허실 진단의 초점은 갑작스런 발병과 큰 소리의 잡음, 그리고 두 손으로 귀를 막아서 잡음이 들리거나 심해지면 실증 형태입니다. 정신적인 발병과 낮은 소리의 잡음, 그리고 두 손으로 막아서 호전되면(소리가 더 작아지거나 안 들림) 허증 형태입니다.

치료는 침치료, 뜸치료, 약물치료 등으로 할 수 있습니다. 약물치료는 증상에 따라 용담사간탕, 온담탕, 보증익기탕, 인삼녹용환, 육미지황환 등을 적당히 가감해야 하며 반드시 전문의의 조언이 필요합니다.

불면

요즈음 많은 사람들이 불면으로 고생을 하고 있습니다. 가정불화, 재정적인 문제, 사업관계 등 여러 문제로 인해 밤이면 잠을 잘 이루지 못합니다. 잠을 충분히 자지 못하면 기혈 순환이 원활히 되지 않는데 이런 불면이 반복될 경우, 나아가 건강을 해치는 결과를 초래합니다.

불면이란 잠들기 어려운 것, 밤에 자주 깨는 것, 불안한 수면, 아침에 일찍 깨는 것, 다몽(多夢)으로 인해 잠을 푹 못 자는 것 등을 통칭합니다. 수면의 양과 질은 신(神; 한방의 精神氣, 정신기의 하나)의 상태에 따라 다르며 신은 심(心), 특히 심혈(心血)과 심음(心陰)에 뿌리를 둡니다. 신체 내에 기관들이 허하거나 실하여 서로 간의 부조화가 생기면 이는 혈과 정에 영향을 미치게 됩니다. 정과 기는 신의 뿌리이므로 부조화의 영향을 받아 신은 거주할 곳을 잃게 되고 따라서 불면을 야기할 수 있게 됩니다. 잠을 자려고 누웠는데 잠에 들 수 없다면 이는 몸이 상한 것을 의미합니다. 몸이 상해 정이 거주할 곳이 없고 평화롭지 않아 잠을 이룰 수 없기 때문입니다.

이런 불면의 원인은 여러 가지가 있습니다.

과로와 근심 : 과로와 근심은 비(脾), 폐, 심(心)을 상하게 합니다. 비허(脾虛)는 혈의 생성을 더디게 하여 심과 신에 영향을 끼치게 됩니다. 더욱이 심혈은 근심에 직접적으로 영향을 받아 약화되므로 신의 거주처를 잃게 해 불면을 야기합니다.

정신적, 육체적 피로 : 정신적 과로, 장시간 휴식 없는 긴장상태에서 제대로 식사도 못하고 육체적 과로, 과도한 성행위 등은 모든 심음(心陰)을 상하게 합니다. 또한 신음 허는 심음이 자양하지 못해 불면이 됩니다. 불면은 정신적, 육체적 혹은 두 가지가 동시에 원인이 되어 발생하게 되며 잠들기 어려우면 혈허, 잠든 후 자주 깨면 음허라 하나 이것은 따로 일어날 수도, 동시에 발생할 수도 있습니다.

노여움 : 노여움은 분노, 좌절, 실망, 과민성을 총괄하며, 이는 간양상항(肝陽上亢), 간화를 유발하여 불면의 원인이 되며, 특히 청, 중년층에서 많이 나타납니다.

또 이외에 겁 많은 담, 불규칙인 식사, 다산, 횡경막 잔류열 등도 불면의 원인이 됩니다.

불면은 잠자는 자세로 병증을 구분할 수 있습니다. 반듯이 누워서 잘 수 없다면 이는 폐심(肺心)의 실증일 수 있습니다. 큰 대(大)자로 손을 펼치고 잘 수밖에 없다면 이는 열증을 의미합니다. 그리고 항상 엎드려서만 잔다면 이는 위허(胃虛)를 의미하며, 옆으로 누워 자는 것은 신체의 한쪽 면에 기, 혈허가 있던가 아니면 그 반대쪽이 실증임을 의미합니다.

불면증을 치료하기 위한 침구 치료는 주로 심장경락을 이용 경혈들을 자극하며, 방제로는 증상에 따라 산조인탕, 귀비탕, 천왕보심단, 양심탕, 안신정지환, 사심탕, 도적산, 용담사간탕 등이 주로 사용됩니다.

양생(養生) – 한약, 침보다 더 좋은 치료방법

"열심히 한약을 먹고 부지런히 침, 뜸과 같은 물리치료를 받았는데 왜 병은 차도가 없느냐?"하고 한의사에게 따지는 환자가 적지 않습니다. 물론 그 이유가 불치병이라든지 난치병과 같은 경우도 있긴 하지만 대부분의 경우는 환자측에 잘못이 있습니다. 환자측에 잘못이 있다하여 환자측에 책임을 전가하려는 것이 아니라 여기서의 잘못이라 함은 양생을 하지 않은 잘못을 말합니다.

양생이란 자연의 치유력, 환자의 올바른 식생활, 평소 생활습관을 말합니다. 즉 올바른 양생은 어떠한 처방이나 침보다 더 좋은 치료가 됩니다.

예를 들어 고혈압이나 당뇨병 등 수 년 혹은 수십 년 된 만성병의 경우, 양생을 하지 않으면 아무리 용한 한의사의 치료, 신묘한 한약을 복용하더라도 그 병은 차도가 없을 수 있습니다. 또 평상시에 감기에 자주 걸리고 항상 피곤한 환자는 그 원인을 찾아 치료하는데 그 원인을 찾아보면 대부분 과로, 스트레스, 불규칙한 식생활과 생활습관들입니다. 이런 원인들은 우리 몸에 기혈을 부족하게 만들고 기혈의 흐름 또한 방해합니다.

요즘 각종 성인병, 갱년기, 다이어트 치료제라 하여 건강식품들이 범람하고 있는 가운데, 이러한 건강식품보다 더 좋은 것은 바로 나의 생활습관 바꾸는 것(양생)입니다. 그리고 더 위험한 것은 건강식품 선전효과에 현혹되어 "다른 사람은 몰라도 나만큼은 건강식품을 먹고 있으니 병에 걸리지 않겠지"하는 안일한 생각으로 병을 키우는 사람들도 있습니다.

옛날부터 "밥이 보약이다" 라는 말이 있듯이 적당한 야채, 과일의 섭취가 필요합니다. 하지만 요즘 시대에는 햄버거, 피자, 스테이크, 인스턴트 음식을 더욱 더 접하기 쉽습니다. 우리 한국 불고기를 예를 들면, 불고기에는 육류뿐만 아니라 각종 야채들을 같이 섭취하지만 스테이크는 육류섭취에 비하여 야채의 섭취가 적습니다. 이러한 불규칙한 섭취는 비만, 고혈압, 콜레스테롤, 심장병, 당뇨병, 성인병을 유발시킵니다.

전체적으로 많은 사람들의 체형은 커지나 체력과 면역성이 약해져서 각종 질병으로 고생하게 되는 것입니다. 이러한 사람들에게 가장 좋은 치료방법은 올바른 양생 즉, 적당한 식사와 운동량입니다. 따라서 양생을 무시하고는 병을 고칠 수 없고 올바르지 못한 양생은 병을 더욱 크게 할 수 있습니다.

그래서 나는 항상 환자들에게 병은 한의사, 한약만이 고치는 것이 아니라 환자 자신 즉, 양생의 힘으로 고치는 것이고 한의사, 한약, 뜸이나 침은 환자의 양생하는 것을 도와주는 것이라고 조언해 줍니다. 따라서 양생을 하면 한약도 잘 듣게 되고 물리요법의 효과도 확연히 나타나게 됩니다.

선천적으로 갖고 있던 병 이외는 환자들이 갖고 있는 병들은 나쁜 식생활 습관이나 태도가 원인이 됩니다. 이러한 나쁜 습관들을 버리지 않고는 절대로 건강해질 수 없습니다. 침 잘 놓고 한약 잘 짓는 한의사가 훌륭한 한의사가 아니고 그 환자의 육체적, 정신적인 아픔까지도 치료해줄 수 있는 한의사가 진정한 한의사입니다. 또한 이런 훌륭한 한의사 곁에 부지런하고 그 한의사를 믿고 따르는 환자가 있어야 합니다.

임증(淋證, Painful Urination Syndrom) 1

임증이란? 임증은 소변의 기능 장애를 뜻하며 화장실을 급하게 자주 가고 소변의 양이 적으며 통증을 동반하고 배뇨가 어려운 것이 특징입니다. '금계 요락의 오장 풍한 적취병' 에서는 임증의 병인을 '열이 하초에 있다'고 보았다.

임증의 중요한 병리적 상태는 습과 습열, 기체, 기허, 신허

첫째로 습(濕)과 습열(濕熱), 습은 임증의 가장 중요하고 보편적인 병리적 요인입니다. 비허(脾虛) 생습과 외감습으로 인한 것이 있으며, 습은 하초(下焦)에 정착하여 소변이 통과하는 것을 방해하여 소변 곤란을 야기하거나 심한 경우 소변 적체를 야기하기도 합니다. 습은 또한 임증의 소변 혼탁과 요탁을 만들기도 합니다(요탁은 배뇨시 통증이 없는 것이 임증이 소변 혼탁과는 다르다). 습은 한(寒)보다 열(熱)과 더 잘 결합하나 때로는 한과 결합하기도 합니다. 습열은 배뇨 곤란뿐만 아니라 배뇨 시 작열감도 야기합니다. 급성의 습은 순수한 실증(實證)이며 만성의 습은 항상 비신(脾腎)의 허(虛)를 배경으로 하여 일어납니다.

둘째로 기체(흔히 기가 막힌다고 표현함), 하초에서의 기체는 대게 간삼초경(肝三焦經)에 영향을 미칩니다. 생식기로 통하여 흐르는 간경(刊經)에서의 기체는 방광의 기화공능과 삼초의 수도롱조 기능을 방해합니다.

셋째로 기허(氣虛), 중기(中氣, 중기는 내장기관을 제 위치에 붙들어

주는 역할을 한다) 하함을 포함하는 비기허(脾氣虛)는 즉, 중기하함은 소변 빈삭과 소변이 물방울 떨어지듯이 뚝뚝 떨어지는 현상을 야기합니다. 기허는 폐를 통하여 배뇨 기능에 영향을 미칩니다. 폐기(肺氣)는 신(腎)과 교제하기 위하여 숙강할 뿐만 아니라 배뇨를 위하여 방광에 강한 기를 공급합니다. 그러므로 특히 노인에게서 폐기허 소변의 적체나 임증을 유발합니다.

넷째로 신허(腎虛)는 임증의 보편적인 배경입니다. 신양(腎陽)과 신음(腎陰)의 균형이 배뇨량을 조절합니다. 신양이 허하면 소변량이 많으며 신음이 허하면 소변량이 적습니다. 임증에서 신양허는 소변이 한 방울씩 뚝뚝 떨어지는 현상을 일으키고 신음허는 소변량이 적어지는 현상을 일으킵니다. 이외에 신양허일 때는 진액의 문화를 실조되어 습의 형성을 야기합니다. 하초에서의 습은 신양허에 반하여 비례하여 생겨납니다. 만성의 경우에 신음허에 비례하여 생겨납니다. 이것은 신양허가 신음허로 전환되고 신음허 허열(虛熱)은 진액을 농축시키고 이로 인하여 습이 형성되기 때문입니다.

임증과 가장 관계 깊은 장부는 비장, 신장, 폐장, 방광, 간장, 삼초, 소장입니다. 또한 임증에는 6가지 형태가 있는데 공통된 임상적 증후는 배뇨곤란과 배뇨통(하복부로 퍼지는 통증), 소변이 방울방울 뚝뚝 떨어지는 현상, 요추 아래의 천골통과 소변 빈삭이 있습니다.

이 여섯 가지 형태는 열림(熱淋), 석림(石淋), 기림(氣淋), 혈림(血淋), 고림(膏淋), 노림(勞淋)입니다. 이 여섯 가지의 자세한 설명과 치료법은 다음에 알아보기로 합니다.

임증(淋證, Painful Urination Syndrom) 2

임증이란 소변의 기능장애를 뜻하며 화장실을 급하게 자주 가고 소변의 양이 적으며 통증을 동반하고 배뇨가 어려운 것이 특징입니다.

임증에 여섯 가지 형태인 열림(熱淋), 석림(石淋), 기림(氣淋), 혈림(血淋), 고림(膏淋), 노림(勞淋)에 자세한 설명과 치료법에 대해서 알아봅니다.

첫째, 열림(熱淋) : 열은 보통 비허로 인한 내부 또는 외부에서 비롯된 습열로서 증후되어 나타납니다. 습(濕)이 오랜 기간 동안 지속될 때 습열(濕熱)로 변화하는 경향이 있으며, 매운 음식을 과잉 섭취하는 사람들에게 많이 나타납니다.습은 Water Passage를 방해하고, 반면 열은 배뇨 시 작열감을 야기합니다.

둘째, 석림(石淋) : 습열이 장기간 지속될 때 열은 진액을 증발시키고 습을 농축시켜 돌이나 모래를 형성하기 위하여 농축된 것을 응결시킵니다.

셋째, 기림(氣淋) : 기림에는 신경질(간기 울결)로 인한 것과 중기하함으로 인한 것 두 가지가 있습니다. 간 기체(氣滯)로 인한 하복 창롱이 현저하며, 중기하함으로 인한 것은 소복이 밑으로 빠지는 듯하며, 질질 끄는 배뇨가 특징입니다. 간기울결은 대개 정서적 압박에서 오며 장시간 서서 있거나 운동 없이 앉아서만 일할 때 하초(下焦)와 방광에 영향을 미치게 됩니다.

넷째, 혈림(血淋) : 열이나 허열이 혈을 맥관 밖으로 밀어 냄으로써 발생하며, 혈열은 대개 간화와 관계가 있으며 허열(虛熱)은 대개 신음허(腎陰虛)에서 발생하며 혈에 영향을 미칩니다. 두 경우 모든 소변에 혈이 섞여 있으며 배뇨시 작열감이 있습니다.

다섯째, 고림(膏淋) : 습이 적적한 진액 대사와 하초에서의 청탁(淸濁) 분류를 방해함으로써 야기됩니다. 배뇨곤란과 혼탁한 뇨가 중요한 증후입니다. 고림은 또한 신(腎)과 원기(元氣)가 허약하여 배뇨계통에서 청탁을 분류하는데 필요한 기를 공급할 수 없으면 고림으로 발전할 수 있습니다.

여섯째, 노림(勞淋) : 노림은 여타의 다른 임증이 발전하여서 오는 만성의 상태입니다. 신이 허(虛)하기 때문이며, 중요한 증후는 배뇨곤란과 빈번한 배뇨, 고갈 등이며, 통증은 그리 많지 않습니다. 대체로 과로할 때 발작이 한 차례씩 밀려옵니다.

임증의 진단 시 소변의 빈번한 정도, 배뇨 곤란의 정도, 소변의 색깔, 통증, 하복부의 느낌들을 고려하여야 합니다.

임증의 치료에는 팔정산, 용담사간탕, 도적산, 석위산, 보중익기탕, 지백지황환 등을 증상에 따라 가감해서 써야 하며, 반드시 전문의와 상의하여야 합니다.

임증의 예방은 짜고 매운 것은 습열을 만들기 때문에 담백한 식생활, 하복부의 적당한 긴장(운동), 정신적 안정이 필요합니다.

모든 병은 그 치료도 중요하지만 예방할 수 있을 때 예방하는 것이 더 중요합니다. 🦔

7. 김호연 M.D.(정신과 Dr. 우리 병원 원장)

- 서울대 의과대 졸업
- 공주도립병원 내과 근무
- 대전도립병원 내과 근무
- 1970년 도미
- Intem 1년, 정신과 3년 수료
- 1977–1980 State Hospital(South Carolina-Columbia에서 정신과 3년 근무)
- 1980–1996 V. A. Medical Center
- 1996 Retired from Federal Governmental Employee
- 1996–2002 개인정신과 Clinic 개업
- 2002–현재 우리종합병원 원장

- 주소 : 35–11 Farrington Street
  Flushing, NY 11354
- 전화 : 718–886–6677
- Fax : 718–886–1413

◎ 불안장애(Anxiety Disorder)

◎ 우울증

◎ 치매와 우울증

◎ 불면증(Insomnia)

불안장애(Anxiety Disorder)

일반적으로 우리의 일상생활에서 어떠한 특수환경 속에서 예를 들어 중요한 직장 또는 학교에서의 면접이든지 대중 앞에서의 중요한 이야기를 할 때나 혹은 아주 중요한 시험에 임하였을 때 거의 누구나 손바닥에 땀이 난다든가 가슴이 두근두근 하며 위 속이 답답 하는 등 초조하며 불안감을 경험하게 되는 경우가 많습니다. 이것은 인간의 정상적 감정의 표현이라 할 수 있습니다.

그러나 불안 장애증은 일종의 정신, 정서 장애로 정상적인 신경과민에서 오는 정상적인 감정과는 다르며, 어떠한 미연의 경고도 없이 사소하며 단순한 일상생활에 감당 못할 불쾌감이나 불안감을 주게 합니다.

불안장애증의 일반 개념과 증상

통계에 인하면 매년 미국인의 2억 이상이 즉, 9인 중 1인이 불안증에 걸리게 됩니다. 특별히 우리 한인 교포 중에는 의외로 많은 사람이 여러 가지 원인으로 이러한 불안증에 고통을 당하고 있는 것으로 알려져 있습니다. 특히 9·11사태 이후와 지속되는 경제 불경기로 많은 영향을 주고 있는데 불안증은 정신과 학회에서 몇 가지로 분류되어 있으며 공통적인 주증상은 다음과 같습니다.

(1) 공환 또는 공포 등 견디기 어려운 감정

(2) 감당할 수 없는 강박관념

(3) 고통스럽고 절박성인 뼈저린 아픔의 추억 또는 자주 재연하는 악몽

(4) 토기(구역질), 발한(진땀이 남), 소화불량증, 근육의 긴장감 및 통증 등, 기타 여러 가지 불쾌한 신체적 장해

(5) 불면증

(6) 우울증

다행히도 불안증 종류에 따라 그 예후가 각각 다르지만 전반적으로 약물 또는 정신치료로 대부분의 환자가 치유가 됩니다. 그러나 대부분의 환자들이 적절한 치료를 구하지 아니하며 또 개중에는 불안증을 깨닫지 못하며 한편 동료, 가족 혹은 친구에게 알리게 됨을 두려워하는 수가 많습니다. 만일 이러한 불안증을 치유하지 않으면 심각하게 되고 직장인인 경우 자기의 능률이 저하되며, 대인관계(가족 또는 사회인으로서의) 큰 문제를 일으키게 될 수도 있습니다. 또 흔히 알코올, 기타 약물 중독에 빠져 때로는 패인이 될 수도 있습니다.

불안증의 종류(Types of Anxiety Disorders)

여기서는 간단히 이름과 의의만 열거하고 후일 상세하게 열거하고자 합니다.

공황장애(Panic Disorder)

이 장애는 예고 없이 아무 이유 없이 증상을 수반하기에 환자들은 마치 심장마비가 온 것으로 착각하고 응급실에 자주 가는 수가 있습니다.

공포증(Phobias)

이 공포증은 특수한 물체, 환경 또는 활동에 견딜 수 없으며, 자극적이며 지속적인 불안감이 오는 증상입니다. 심한 경우에는 공포로 오랫동안 그 환경 속에 있을 수가 없게 되는데 다음 세 가지 종류가 있습니다.

a) **특수공포증(Specific Phobia)** : 어떠한 아무 위험성이 없는 특수 물

체 혹은 환경에서 공포를 느낀다.

b) 사회 공포증(Social Phobia, 대인공포증) : 사회 환경에서나 일상
생활 환경(공중 석상에서의 이야기 할 때, 모임에 참석할 때 또는 공중
화장실을 사용할 때 등)에 당혹하며 불안하여 불쾌감을 갖게 됩니다.

c) 광장공포증(Agoraphobia) : 광장에 나가는 것을 두려워하며 무기
력하게 집에서 나가는 것을 거부합니다.

d) 강박신경증(Obsessive-Compulsive Disorder)

자신의 의지와 무관하게 특정한 생각이나 행동을 계속 반복하게 되는
경우입니다. 정상적으로도 어느 정도의 강박적인 생각이나 행동이 있
을 수 있으나 강박 증상 때문에 생활에 방해를 받거나 심신의 괴로움이
오게 됩니다.

e) 외상 후 스트레스 장애(Post Traumatic Stress Disorder)

보통 사람들이 살면서 겪을 수 없는 극히 충격적인 사건(9 · 11 사건,
전쟁, 비행기 또는 차 사고, 강간 등)을 경험한 다음 그런 끔직한 사고에
대한 생각이 되풀이되어 떠오른다든지 꿈에 나타나는 등 재경험을 하
게 되고, 외부에 대하여 무감각하게 되며, 여러 가지 심신의 고통을 초
래할 수 있습니다. 많은 환자들이 알코올 또는 약물 중독에 빠지며 심한
우울증을 동반하게 됩니다.

f) 병 불안장애(Generalized Anxiety Disorder)

일상적인 상황에서 광범위하고 지속적인 불안으로 악화되는 불안으
로 일상생활과 사회생활에 많은 지장을 초래합니다.

불안증의 원인

유전으로 오는 증상은 아니지만 가족 중에 불안증이 있으면 일반인보다 불안증이 오는 확률이 높습니다. 어떤 이유이든 뇌 안에서 화학 물질의 불균형으로 올 수도 있으며 근자에 항불안증 약으로 많은 효과를 보게 됩니다.각 개인의 성격 장해와 장기간의 알코올 또는 약물 중독, 혹은 가정불화와 빈궁한 생활 환경 속에서도 이 불안증을 일으키는 요소가 될 수 있습니다.

불안증의 일반적 치료

각 불안증마다 특이한 증상이 있으나 많은 불안증의 치료에는 약물치료와 정신/심리요법 치료(Psychotherapy)의 두 종류가 있습니다.

세 가지의 정신/심리요법 치료.

1) 행위치료(Behavior Therapy) : 이환기술(Relaxation Techniques)과 노출방법(Exposure to the feared object or situation) 등이 있습니다.

2) 인지 행동 요법(Cognitive-Behavior Therapy).

3) 정신 역학 정신/심리요법(Psychodynamic Psycherapy) : 불안증 치료에 대하여는 정신과 의사, 일반 의사 또는 정신건강전문분야의 인사의 상담과 진료가 필요합니다.

불안증 환자의 주의사항

항상 긍정적인 생각을 하고 술, 흡연 등은 금물이며 특히 카페인이 함유된 커피 등의 음료수는 불안증을 악화시키는 경우가 많으므로 가능하면 금하는 것이 좋습니다. 규칙적 생활을 하며 초기에 전문기관에 가서 상담과 진료를 받는 것이 좋습니다.

우울증

우울증을 간단히 설명할 수는 없으나 생각 외로 심각한 정신질환의 일종이며, 특별히 우리 교포간에는 여러 가지 환경변화와 언어 장해 또는 인종간의 갈등 등의 원인으로 심각한 우울증에 시달리는 분들이 의외로 많은 것이 현실입니다.

일반인의 9.5%가 이런 우울증에 시달리고 있으나 우리 교포사회에서는 20~30%를 웃돌고 있는 것으로 추정됩니다. 많은 환자들이 자신뿐 아니라 가족마저 숨기며 전문기관의 도움과 치료를 피하고 있는 실정입니다.

우울증이 오래되고 심한 경우에는 자신의 파멸 소동은 물론이지만 가족의 파탄까지도 일으키는 돌이킬 수 없는 불행을 일으킬 수가 있습니다. 또한 우울증은 개인의 신체, 기분, 사고(생각) 및 행동 등의 모든 면에 장해가 오며, 또한 식사, 수면, 자신이나 사물에 대한 부정적인 느낌 또는 생각 등의 악영향을 일으킬 수가 있습니다.

다행히도 많은 정신 의학의 향상된 연구 결과로 일찍 우울증을 조기 치료를 하게 되면 전체 환자의 약 80% 이상이 호전되어 정상적인 사회생활에 잘 적응될 수 있습니다.

우울증의 원인

원인은 여러 가지 복합적인 요소가 있습니다. 직계가족 중에 우울증이나 자살자가 있는 경우, 유전성은 없으나 우울증 발병 위험성이 우울증이 없는 가족에 비하여 높은 비율을 보이고 있습니다. 이런 위험성은 '조울증'에서 더 높습니다.

연구결과 우울증 환자의 뇌의 특수 시경 전달 물질의 불균형을 일으키고 있습니다. 낮은 자존심이나 지속적으로 자신이나 세상에 대한 허무감을 갖는 사람, 혹은 심한 스트레스를 받는 사람은 우울증에 잘 걸릴 수 있습니다.

심각한 상실(사랑하는 가족 등), 만성질환, 대인 관계의 어려움, 경제적 문제 혹은 일상생활에 있어서 좋지 않은 변화 등도 우울증을 유발시킵니다.

결국 생물학적, 심리적, 환경적 요소들이 복합적으로 우울증의 유발에 관련됩니다. 특별히 여성에 있어서는 여성 호르몬의 영향을 많이 받으며 여성의 특유한 산후 우울증, 갱년기 또는 전 월경기 우울증이 있습니다. 남성에서는 여성보다 우울증이 적다고는 하나 많은 우울증 환자들이 술과 마약 등으로 우울증을 나타내지 않는 경향이 있습니다.

특히 근자에 와서 70세 이상의 노인층의 자살율이 높아졌으며, 85세 이상에서 더욱 자살율이 상승됨을 보이고 있습니다. 노인층의 우울증도 신체적 쇠약, 노후의 고독감, 배우자와의 사별, 은퇴, 경제적인 독립성 결여 등 근자에 와서 노인층의 우울증이 많은 심각성을 일으키고 있습니다.

아동들의 특히 이민자 자녀들의 급격한 환경 변화, 이민생활(사회 및 가정)의 적응 결여, 그리고 부모들과의 대화부족으로 생기는 어린이들의 우울증 발생도 큰 문제에 이르고 있다고 볼 수 있습니다.

우울증의 위험인자

성별(Sex) : 여성이 남성보다 두 배가 높습니다.

나이(Age) : 20~30대 혹은 70~80대에서 높습니다.

가족력(Family history of depression) : 가족력이 있는 사람이 없는 사람보다 1.5~3배 정도가 높습니다.

결혼 여부 : 별거나 이혼한 사람에게 더 많이 나타납니다. 남성은 미혼이 기혼남성보다 발병률이 높으며, 여성은 기혼여성이 미혼여성보다 발병률이 더 높습니다.

출산 : 최근 6개월 동안 출산한 경우 우울증이 생길 위험성이 높습니다.

자살 : 자살 시도는 여성이 남성보다 많으나 자살율은 남성이 더 많으며 근자에 70~80세 층의 자살율이 높아지고 있습니다.

우울증의 종류

학술적보다는 일반적으로 종류만 나열하고 구체적인 것은 생략합니다.

일반적으로 간단히 정리하여 나열합니다. 우울증이 2주 이상 지속 또는 재발하고 일상 개인, 가정 및 사회생활에 지장을 초래할 때 우울증상으로 생각하게 됩니다.

1. 속증 가벼운 신경증적인 우울증(Dysthymic Disorder)

2. 심한 우울증(Major Depressive Disorder/Melancholia)

3. 조울증/쌍극증(Bipolar Disorder) 우울증과 조울증의 혼합형

4. 산후 우울증(Postpartum Depression)

5. 월경 전 증후증(Premenstrual Syndrome)

6. 적응 부정에서 오는 우울증(Adjustment Disorder with Depressive Mood)

7. 계절적 우울증(Seasonal Depression) : 주로 일광이 부족한 늦은

가을부터 이른봄에 오는 우울증

이 우울증 분류는 절대적이 아니며 자세한 것은 전문서적이나 전문가에 문의 바랍니다.

우울증의 증상.

1. 계속되는 우울, 불안, 혹은 공허감

2. 절망적인 느낌, 염세 사고(생각)

3. 죄책감, 무가치 혹은 무기력감

4. 성생활을 포함하여 한 때 즐거웠던 일이나 취미생활에서 의욕 및 흥미 상실

5. 수면의 장해, 불면 또는 과다한 수면

6. 식욕감소나 체중 감소, 과식이나 체중 증가

7. 힘이 없고 피로하여 몸이 처지는 기분

8. 죽음이나 자살에 대한 생각 또는 자살기도.(경우에 따라서는 타살도 동반할 때가 있으며, 우울증 회복 직후에 뜻하지 않은 자살율이 많으므로 특별한 주의가 필요할 때가 있음)

9. 초조감, 쉽게 짜증남

10. 집중력 및 기억력 저하, 의사 결정을 하는데 어려움

11. 두통, 소화기 장애 또는 만성 통증 등 신경성으로 동반하거나 또는 우울증에 앞서 나타남

조울증의 증상

1. 부적절하게 들뜨는 기분 또는 민감한 반응

2. 심한 불면

3. 과대, 조리 없고 빠른 사고가 있으며 말이 많아짐

4. 성욕의 증대

5. 지나친 의욕이나 힘이 생기며 어설픈 판단을 함

6. 부적절한 사회적 행동

우울증의 치료

1. **약물 치료** : 항 우울제, 기분 조절제 또는 안정제를 적절하게 사용하면 좋습니다.

2. **정신 치료** : 정신치료는 의사 또는 전문적 인사와의 대화를 통하여 문제를 해결하고 환자가 자신의 병에 대한 바른 인식을 갖게 되는데 도움을 줍니다. 정신 치료에는 여러 가지 치료법이 있으며 근자에 인지/행동(Cognitive and Behavior Psychotherapy)을 많이 선용하며, 약물치료와 정신 치료를 겸용하는 것이 좋은 효과를 나타냅니다. 자세한 정보는 전문지나 전문 분야 인사에게 문의하는 것이 좋습니다.

우울증 환자와 가족에 대한 조언

1. 가족들의 인내 있는 환자에 대한 이해, 사랑, 협조 그리고 환자에게 자신감과 격려를 주며 마음을 편하게 해주어야 함

2. 가족 간의 대화가 필요함(말 없이 참지 않아야 함)

3. 술, 담배는 금물이며 자극성 음료수나 음식도 금하는 것이 좋음

4. 모든 스트레스를 줄임

5. 가벼운 소설이나 잡지를 읽으며 음악 감상도 좋음

6. 오랜 기간 혼자 집에 있는 것을 피하고 친구와 교제할 것

7. 정기적인 가벼운 운동, 산책 또는 단기 관광 여행도 시도할 것

8. 혼자서 고민하지 말고 전문기관이나 종교 지도자와의 상의가 필요함

9. 가벼운 직업 전환도 필요할 때가 있음

10. 모든 사고방식을 긍정적이고 즐거운 생각을 하도록 노력할 것

11. 다른 질환과 마찬가지로 우울증도 조기에 정확한 진단과 치료를 받도록 해야함

12. 만일에 환자 자신의 생명 위험성(자살) 또는 타인에게 위험성(타살)이 있다고 인정될 때는 즉시 병원 응급실(정신과) 또는 경찰에 보고 입원 조치를 취해야 함

치매와 우울증

급격히 고령인구가 증가하는 현세에서 고령자뿐만 아니라 그 가족들에게 이 치매증상이 큰 관심거리가 되고 있습니다. 치매증상은 주로 기억상실과 지각장해, 예를 들어서 방향감각, 지능작용, 언어작용 그리고 판단력 등이 저하하여 일상 기본생활을 자신의 능력으로 이행 못하며 성격과 기타 행동에 큰 변동을 동반하게 됩니다. 65세 이상에서 79세까지의 고령층에서 약 5%와 80세 이상 고령층에서 약 20%의 치매증상이 발생합니다.

치매에는 크게 분류하여 제일 많은 알츠하이머 형(전체의 약 40~50%를 차지함)과 혈관성 즉 오랜 악성 고혈압증세로 뇌혈관의 손상 등으로 오는 치매, 그리고 여러 뇌 질환, 예를 들어 바이러스 감염 또는 뇌 외상 등으로 혹은 알코올 또는 여러 약물중독으로 원인이 될 수 있습니다.

일반적으로 치매는 불치병으로 알려져 있으나 여러 가지 질환으로 원인이 된 치매는 원인을 치유함으로써 치유될 수 있습니다.

특히 고령층에서 우울증으로 치매와 같은 증상이 나타나는 수도 있습니다. 이런 경우 우울증이 치료되면서 유사치매 증상이 완전히 없어지게 됩니다.

여기에 몇 가지 치매와 우울증(유사치매)의 차이점(절대적인 것은 아님)을 참고로 열거하고자 합니다.

	우울증(유사치매)	치매
모든 증상	급격히 진행	서서히 진행
증상에 대한 반응	많은 불평	석연치 않은 불평
질문에 대한 관심	무관심	관심이 있는 듯한 태도
증상의 악화	야간에 악화 없음	야간에 더욱 악화됨
집중력	비교적 보전됨	상실
질문에 대한 대답	일반적으로 '모른다'	빗나가는 대답
기억력	심한 과거와 근자의 상실	근자의 것이 더 심함
항 우울증 약에 대한 반응	효과가 현저함	없음

일반적으로 조기에 전문의사의 진료가 필요하며 가족들의 지속적인 인내 속에 따뜻한 간호와 환자 자신의 적극적인 사회활동에 참여할 수 있는 의욕이 촉진할 수 있는 분위기 조성을 만드는 것이 중요합니다.

불면증(Insomnia)

불면증은 수면장애에 가장 대표적인 것입니다. 남녀노소 누구나 이 불면증을 어떤 모양의 형식이든 경험하였으리라 생각합니다. 충분한 수면은 중추신경계의 활성화, 에너지의 저장, 체온조절, 기억과 학습에 중요한 역할 등이 있어 우리 신체에는 꼭 필요한 생체 리듬입니다.

불면증을 간단히 정의하면 부적절하고 또는 수면의 양이 부족하여 신체적이나 정신적인 기능의 저하가 와서 기본적인 일상생활을 수행하는데 다소나마 지장을 초래하는 상태를 이야기합니다. 그러나 수면시간이나 잠에 들어가는(수면의 시작) 시간 그리고 자신이 기분 좋게 수면을 취하였다고 느끼는 만족감 등등은 각자 사람의 체질, 성별, 나이, 신체적 혹은 정신적 상태 또는 환경에 다라 일정하지 않습니다.

불면증은 수면 상태에 따라 다음과 같이 구분

1) **초기** : 수면에 들어가는 것이 힘든 경우
2) **중기** : 수면이 야간에 깨지 않고 지속하기 힘들거나 일단 깬 후에 다시 잠에 들어가기 힘든 경우
3) **말기** : 너무 이른 아침에 깨는 경우

불면증은 또한 그 기한에 따라 다음과 같이 분류

1) **일시적**(Transient) : 하루에서 3~4 주간의 불면증이 있을 경우
2) **만성**(Chronic) : 계속적인 거의 매일 밤에 오는 불면증이 최소한

한 달 이상 계속될 경우. 보통 임상적으로 불면증은 증상이 한 달 이상 지속되는 경우

3) **간헐적**(Intermittent) : 일시적인 불면증이 주기적으로 한 달 이상 또는 몇 넌씩 지속되는 경우

〈 불면증의 원인 〉

그 원인은 다양합니다. 보통 일시적이나 간헐적으로 오는 원인은 스트레스, 환경에서 오는 소음, 주위 환경의 급격한 기온 변화, 밤과 낮의 부조리, 예를 들어 시차(Jet Lag) 문제 또는 야간 근무, 약물의 부작용, 배우자의 나쁜 잠버릇(심한 코 골기) 등 여러 가지 원인을 찾아 볼 수 있습니다.

만성적으로 오는 원인은 여러 가지 복합적인 것이며 신체적 질환 또는 정신질환의 원인이 될 수 있습니다. 그 중 우울증이 가장 큰 원인 중에 하나입니다. 신체적 질환 중에는 만성질환으로 오는 통증과 가려움(소양증), 고혈압, 뇌장애(뇌일혈, 뇌 연화증 등) 등이며, 그 외에 다음과 같은 질환을 예로 들 수가 있습니다. 관절염, 신장 질환, 심장 질환, 해소병, 하지 초조증, 파킨슨 질환, 갑상선 항진증, 수면 무호흡증 등이 있습니다.

이외에도 각 개인의 행실의 원인으로써 카페인(다량의 커피), 술, 담배, 기타 약물의 부적당한 사용으로, 장기간의 야간근무, 만성 스트레스, 여성의 호르몬 부조화, 고령자의 호르몬의 변화 등으로 오게 됩니다. 우울증 이외에 조울증, 정신분열증, 불안증, 강박관념증, 정신적 · 신체적으로 오는 만성 스트레스 등으로도 불면증이 올 수 있습니다. 일반적으로 불면증의 원인은 신체적, 정신적인 다양하고 복합적인 요소를 가지고 있으며 서로 중복되는 경우가 많습니다.

〈 치료 방법 〉

(1) 원인 치료 : 정확한 원인을 규명하고 치료하는 것이 중요합니다. 원인이 되는 신체적 질환이나 정신적 질환(우울증이나 불안 신경증 등)이 치료가 되면 불면증은 따라서 좋아진다.

(2) 수면 환경 치료(자체 구조 치료 포함) :

a) 잠자리에 눕는 것은 잠을 잘 때만으로 제한한다. 오래 누워 있을수록 더 자주 깨지고 수면 깊이가 얕아진다.

b) 몇 시에 취침하든지 규칙적이고 일정한 시간에 일어난다.

c) 잠자는 곳의 소음을 방지하고 가능하면 시계는 침실에 두지 말아야 한다.

d) 방 온도와 습도를 일정하게 유지하도록 한다. 너무 덥거나 추워도 잠이 안 온다.

e) 정기적으로 하는 운동은 좋지만 자기 직전의 지나친 운동은 피하는 것이 좋다.

f) 자기 전에 가벼운 간식은 괜찮다. 특히 따끈한 우유 한잔은 좋다. 우유에는 수면과 관계되는 트리토판이라는 물질이 함유되어 있다.

g) 너무 배가 부르면 장이 음식을 소화시키기 위해 일을 해야 함으로 저녁때는 지방이나 단백질이 많은 음식은 피하는 것이 좋다.

h) 저녁때는 음료수를 많이 마시지 않는 것이 좋다. 소변을 보기 위해서 잠이 자주 깰 수 있다. 특히 카페인이 함유된 음료수는 피하는 것이 좋다.

i) 알코올이나 담배는 수면 장애를 일으키므로 절대로 피하는 것이 좋다.

j) 불규칙한 낮잠은 피하는 것이 좋다. 특히 오후 3시 이후의 낮잠은 절대 피해야 한다. 주말이면 하루 종일 밀린 잠을 자는 사람이 있는데, 이런 경우 일요일 밤에 잠을 설치게 되어 소위 월요병을 유발하게 된다.

k) 낮에 있었던 복잡한 일은 가능한 잊어버리고 가벼운 음악을 들으며 가벼운 마음으로 자리에 눕는 것이 좋다.

l) 잠자기 전에 20분 정도 따뜻한 샤워를 하는 것도 좋다.

m) 잠이 안 와서 불안하거나 불쾌할 때는 억지로 자려하지 말고 일어나 불을 켜고 가벼운 책을 읽거나 조용한 음악을 듣는 것이 좋으며 또는 다른 무언가(자극이 없는 것)를 시도해 보다가 다시 졸리면 들어가 눕도록 해본다.

n) 정기적으로 이완요법(명상이나 근육 이완, 복식호흡, 밝은 등사용법-Bright Light)을 전문의의 도움으로 시도해 본다.

이러한 시도를 하루 이틀 해보고 안 된다고 포기하는 사람들이 있는데 한 번 흐트러진 수면 리듬이 회복되려면 몇 주일이 걸린다는 것을 알고 꾸준한 노력이 있어야 합니다.

(3) **약물요법** : 수면제는 가능한 한 사용을 안 하는 것이 좋습니다. 그러나 경우에 따라서는 필요할 때가 있습니다. 수면제에는 여러 종류가 있는데 종류에 따라 수면을 잘 유도하는 것, 수면을 잘 유지하는 것이 있으며, 수면에서 깨어난 후의 각성 상태나 의존성 등이 다르며 모든 수면제에는 원하지 않는 부작용 있으므로 반드시 전문의(정신과 의사)와 상담하여 처방을 받아야 합니다. 가능하면 의사의 처방 없이 살 수 있는 매약(Over-the counter)을 불면증 치료에 사용하는 것은 추천하지 않습니다. 수면제를 3-4주 이상 연속적으로 사용하면 대부분 의존성이 생기므로 유의해야 하고 될 수 있으면 소량에서 시작하고 꼭 필요시 즉 간헐적으로 사용하는 것이 좋은데 약을 중단할 때도 서서히 그 용량을 줄여 나가야 되므로 전문의의 조언을 따르는 것이 좋습니다.

8. 이윤석 D.P.M.(후러싱 & 뉴저지 발 병원전 문의)

- Diplomate, American Board of Podiatric Orthopedics and Primary Podiatric Medicine
- SUNY at Buffalo 졸업
- N.Y. College of Podiatric Medicine 졸업
- Brooklyn Hospital Medical Center 족부질환 전문의 과정 수료
- Member, American Board of Podiatric Orthopedics and Primary Podiatric Medicine
- American Podiatric Medical Association 정회원
- 임상 Staff, Pascack Valley Hospital (Westwood, NJ)
- 현재 Flushing, NY과 Fort Lee, NJ에서 개원
- 월간 건강과 교육 편집위원

- 주소 : 142-28 37th Ave. Flushing, NY 11354
- 전화 : 718-939-9858
- Fax : 718-939-9865

◎ 발 통증의 원인

◎ 류마티스(Rheumatoid Arthritis) 발

◎ 살을 파고드는(내향성) 발톱

◎ 발톱질환 치료의 중요성

◎ 통풍

◎ 어린이 발 건강과 걸음 교정의 중요성

◎ 당뇨병성 족부 질환

◎ 신경종양

◎ 발에 생기는 낭종

발 통증의 원인

발의 통증을 유발하는 것은 무엇인가?

모든 발이 다 동일하게 만들어진 것은 아닙니다. 어떤 발은 혹사를 시켜도 불평을 안하지만 대부분의 발은 유감스럽게도 그렇지 않습니다. 어떤 사람들은 편한 신발을 신고도 조금만 걸어도 발에 통증을 호소하기도 합니다. 잘못된 신발이 발의 통증을 일으키는 것은 분명하지만 발자체의 문제일수도 있다는 것을 알아야 합니다.

사람의 발은 대략 26개의 뼈와 다수의 관절, 인대, 근육 그리고 건을 포함하는 아주 정교하고 복잡한 구조로 이루어져 있습니다. 그런데 이것이 항상 체중을 떠받들고 있는 것입니다. 사람은 대략 하루에 5000보 가량을 걷고 평생 5만 마일 이상을 걷습니다. 우리가 어떤 신발을 신고 어떤 활동을 하느냐 하는 생활양식이 우리들의 발 문제에 영향을 줄 수 있는 것입니다. 건강하고 젊은 발은 회복력이 좋아 자그마한 손상은 거뜬히 나을 수 있습니다. 그러나 나이가 들수록 회복력은 더뎌지는 반면 크고 작은 손상이 누적될 수밖에 없습니다. 이런 이유로 나이가 듦에 따라 발이 점점 더 불편해지는 것입니다.

발 상태로 건강을 알 수 있는가?

발 문제가 여러분의 건강에 영향을 미칠 수 있지만 반대로 전신적인 건강이 발에 영향을 미치기도 합니다. 예를 들면 당뇨병, 관절염, 혈액순환장애, 중풍 그리고 골다공증 등은 발에 문제를 일으키기 때문에 발을 진찰하다보면 몰랐던 질환을 발견할 수도 있습니다. 비만은 다양한 성인병을 유발하는 것으로 알려졌지만 발에도 문제를 일으키는 중요한 요소입니다.

뒤꿈치 통증과 발의 아치가 무너지는 평발 등 몇몇 형태의 발 질환은 과체중을 가진 사람에게서 비교적 흔히 발견되는 질환입니다.

발의 구조적 특징은 많은 형태로 나눌 수 있는데 특히 아치의 형태에 따라 크게 세 가지 기본적인 형태로 나눌 수 있습니다. 정상적인 아치, 요족(오목족), 그리고 편평족(평발)입니다. 물론 정상적인 발은 특별한 경우를 제외하고 문제를 일으키지는 않습니다. 하지만 요족이나 편족은 대체적으로 크고 작은 문제를 일으킬 수 있는 가능성이 항시 있다고 보면 됩니다. 요족은 발 아치가 과도하게 높은 발로 평발과는 반대되는 발인데 충격흡수기능이 떨어지기 때문에 하퇴, 무릎, 허리에 많은 부담을 줄 수 있습니다. 또한 갈퀴족같이 발가락 기형을 동반하는 경우가 많고 발바닥에 통증을 유발하는 굳은살을 만들기도 합니다. 평발(편평족)은 아치가 무너져 내린 형태로 발이 쉽게 피로해지고 염좌, 관절염 및 여러 가지 통증을 유발할 수 있습니다. 자신이 발 생태를 알아봄으로써 이러한 증상자체를 미연에 예방할 수 있는 것입니다.

류마티스(Rheumatoid Arthritis) 발

우리가 흔히 말하는 관절염 중에 류마티스성 관절염이 있습니다. 류마티스 질환은 체내의 면역학적 기전의 변화로 발생하는 만성질환으로 관절뿐만 아니라 심장 및 피부 등 전신에 이상을 일으키는 질환입니다. 연령별로는 40대 이상에서 많이 발생하나 그 이전 연령층에서도 발생하는 빈도가 늘어나는 추세입니다. 보통 발병하게 되면 진행속도가 급격하게 진행하는 경우도 있기 때문에 정확한 진단과 치료를 필요로 하는데 현재 치료에 쓰이는 약들은 이러한 진행을 억제시키거나 정지시키는 약들입니다.

발에 나타나는 증상

대개의 경우 류마티스성 관절염은 손이나 발에 가장 먼저 발생하는데, 따라서 변형이 가장 많이 나타나는 부위도 손과 발이 됩니다. 발에 오는 변화는 엄지발가락의 안쪽이 심하게 튀어나오고 뒤틀리는 무지외반증과 함께 나머지 발가락들도 심하게 변형되면서 탈구까지도 되어 발가락들이 서로 위아래로 겹치기도 하는 형태를 보이기도 합니다.

이런 상태가 되면 탈구된 관절로 인해 발바닥에 심해 심한 굳은살이 생기고 통증을 유발하게 됩니다. 통증은 매우 심해서 보행자세가 힘들게 되며, 변형된 발이 보통 신발에 맞지 않게 되며 신발을 신더라도 신발의 자극으로 인해 부위가 붓고 통증을 유발하는 등 일상생활이 불가능한 지경까지 이르게 됩니다. 발에 맞지 않는 신발을 강제적으로 신게 되면 통증뿐만 아니라 감염, 궤양, 심한 경우 골수염까지도 발생할 수 있습니다.

치료

발병 초기에는 약물치료와 병행해서 특수신발을 착용하므로 통증완화와 병의 진행 억제에 효과가 있으나, 계속적인 진행을 보이는 관절의 변형이나 보존적 치료로써 효과가 없는 경우에는 수술적 치료가 필요합니다. 수술치료는 통증완화를 우선적 목표로 하게 되며 발의 정상적 활동이나 미용적 치료는 불가능한 경우가 있을 수 있습니다. 수술 후에도 신발치료를 병행하면 치료효과가 더욱 좋습니다.

살을 파고드는(내향성) 발톱

살을 파고드는(내향성) 발톱은 가장 흔한 발톱 질환입니다. 정상적인 발톱은 반듯하게 자라지만 내향성 발톱은 가장자리가 구부러져 자라면서 살 속을 파고 들어가 염증이 생기고 심한 통증을 동반합니다.

흔히 발톱을 딱딱한 물질로 알기 쉽지만 발톱은 유연한 물질로 압력을 받게 되면 안으로 파고 들어가는 성질이 있기 때문에 조이는 신발이라든가 반복적인 마찰 등으로도 내향성 발톱을 유발할 수 있는 것입니다. 생기는 위치는 엄지발가락이 가장 많지만 다른 발가락에도 생길 수 있습니다.

내향성 발톱의 원인

1. 발톱을 깎는 습관이 잘못되거나(일직선으로 반듯하게 깎아야 함)
2. 신발이 너무 좁아서 발가락이 조일 경우
3. 일이나 스포츠, 레저 중에 발생한 반복적인 외상
4. 유전적 원인
5. 무좀 및 다른 감염으로 인해 발생

내향성 발톱의 치료

치료는 보존적인 방법으로 할 수 있고 때에 따라 부분 혹은 완전 절제술이 필요할 수 있습니다.

제일 먼저 유발할 수 있는 원인을 찾아 없애주는 것이 우선입니다. 따라서 발톱을 깎을 때 일직선으로 깎고 꼭 맞는 신발을 벗고 넉넉한 신발을 신는 습관을 가지는 것이 예방 방지 및 치료법이 될 수 있습니다.

약간의 통증만 있다면 그 부위만 제거할 수도 있지만 그래도 재발을 할 가능성이 있다거나 정도가 심하거나, 한 번 제거한 경험이 있거나 한 경우에는 완전절제수술을 하는데, 발톱 및 발톱의 뿌리를 같이 제거하는 간단한 방법입니다. 이때 발톱의 뿌리를 잘 제거하는 것이 재발 방지에 중요합니다.

발톱질환 치료의 중요성

많은 사람들은 손, 발톱의 가치를 제대로 알지 못합니다. 손, 발톱은 자주 손질해야 하고 성가신 존재로 생각하며 신체의 다른 부분에 비해 관심이 적은 것이 일반적이지만 최근에는 손, 발톱 미용에 많은 관심을 기울이는 경향으로 그나마 점점 그 중요성이 제대로 인식되어 가고 있습니다.

실제적으로 손, 발톱은 혈액 순환의 가장 말단부에 위치해 있기 때문에 다른 질환을 조기에 진단할 수 있는 건강의 척도가 될 수 있습니다. 예를 들어 건선이 있을 때 패이거나 두꺼워지고 철결핍성 빈혈이 있을 때에는 오목해지기 때문에 이러한 변화 조기에 이상 질환을 진단할 수 있으며 또한 손, 발톱 아래 부분이 붉게 변색되었을 때에는 곧 심장 발작이 올 수 있음을 미리 알 수도 있습니다.

손, 발톱은 끊임없이 자라는데 손톱의 경우 하루에 0.1mm(1개월에 3mm) 자라며, 발톱은 전체적인 성장이 12~18개월에 걸쳐서 자라나게 됩니다. 그렇기 때문에 손톱이 외상으로 빠진 경우 발톱이 빠진 경우보다 성장이 더 빠른 것입니다.

또한 갑상선 호르몬 과다증이나 손상을 받고 회복될 때 같은 몇몇 경우에서 자라는 속도가 더욱 빨라지기도 합니다. 그런데 조직의 양이 적음에도 불구하고 자라는데 많은 에너지가 소요되기 때문에 이러한 왕성한 대사 요구량으로 인해 몸에 질환이 있을 때 모양이나 색깔이 변하기도 하고, 염증과 같은 이상 소견을 보이게 되는 것입니다.

이렇듯이 질환과 깊은 관련성 때문에 발톱에 이상이 오는 것은 반대로 다른 질병을 알려주는 지표가 될 수 있는 것입니다.

발톱에 올 수 있는 변화로는 쉽게 부서지거나 구부러지거나 변색되거나 염증이 생길 수 있고, 움푹 패이거나 줄이 생길 수도 있는 것입니다. 때에 따라 빠져서 새로 날 수도 있습니다.

외상, 사마귀, 발톱 밑의 종양, 염증, 불결한 위생, 순환 장애, 때에 따라 선천적인 질환이 원인이 될 수 있습니다. 나이가 들면서 혈액 순환이 나빠져 변색되거나 어두워지고 두껍지만 잘 부러지게 되는데 노인분들 중 기력 및 기술이 떨어지고 시력도 안 좋기 때문에 이렇게 변형된 발톱을 제대로 깎지 못하는 경우도 있기 때문에 전문적인 의료인의 도움이 필요할 수 있습니다.

통풍

통풍은 관절질환의 일종으로 관절주위가 빨개지면서 붓고 많은 통증을 동반하며 엄지발가락 위쪽으로 튀어나온 관절주위에 주로 발생합니다.

원인과 증상

주로 40대 연령층에서 발생하는 통풍은 요산 나트륨의 결정이 관절주위 및 연부 조직에 침착되어 관절에 극심한 통증을 유발하는 질환인데, 요산은 퓨린이 몸 속에서 대사되는 마지막 물질로써 이러한 퓨린 대사과정에 장애가 발생하여 혈증 요산이 증가하는 고요산 혈증이 나타나거나, 신장의 기능저하로 요산의 배설이 감소하여 혈증 요산처가 증가하여 늘어난 요산이 관절에 극심한 발작성 관절통을 느끼게 됩니다.

대개 혈액검사시 성인 남자의 혈증에서 요산이 7.0mg/dl 이상이면 비정상으로 생각할 수 있지만 이 수치가 높아도 아무런 증상이 없는 경우도 있습니다. 보통 급성으로는 한 개의 관절에서 시작하는 경우가 대부분이며 이중 절반 정도가 엄지발가락의 안쪽(중족 족지 관절)이 아픈 형태로 시작됩니다. 그 외에도 족근 관절, 발뒤꿈치, 무릎관절 등에서도 통풍발작이 시작될 수 있습니다. 이러한 급성 통풍을 일으키는 유발인자로서는 운동, 수술, 감염, 과량의 알콜 및 퓨린이 함유된 음식물의 과다섭취 등입니다.

급성 통풍 때에는 발열, 통증 등의 증세가 있으며 심하면 종기와 비슷한 모양으로 심한 발작성 격통을 겪게 되고, 특히 야간에 통증이 심합니다. 처음 발작 후에는 증세가 없는 기간이 수주에서 수 년까지 지속되는데 약 5% 정도에서 재발이 없을 수도 있으나 급성 통풍이 계속 재발되면 관절 내에 분필가루 같은 요산 결정이 침착되어 관절은 파괴되면서 점차 뻣뻣해집니다. 만성인 경우 엑스레이 상에 관절 변화가 나타나며 관절을 보강해 주어야만 더 큰 관절파괴를 막을 수 있습니다.

치료

급성 통풍의 발작 시에는 약물 요법과 함께 통증부위 찜질과 부위를 고정해서 안정시키는 것이 좋습니다. 가장 많이 사용하는 약은 콜치신, 인도메타신 등인데, 그 외 아스피린이나 비스테로이드성 소염제를 투여해 볼 수도 있습니다.

동통의 발작 시에는 약물치료로 콜치신, 요산뇨 배설제, 요산 생성 억제제(프로베네시드), 알로퓨리놀 등이 사용될 수 있습니다. 식이요법으로는 고기류, 정어리, 멸치, 간, 땅콩 등 퓨린을 많이 함유한 음식의 섭취를 피하고 체중을 감소시키며 저 지방의 식사를 하고 많은 양의 물을 섭취하는 것이 도움이 되며, 발작성 동통의 유발인자가 되는 알콜 음료는 피하는 것이 좋습니다.

어린이 발 건강과 걸음 교정의 중요성

아이들이 걷고, 뛰고, 즐겁게 놀 수 있게 해주는 발. 아이들이 성장하는 동안 발, 발목, 걸음걸이 등에 관하여 많은 부모님들이 지켜보며 "우리 아이 걸음은 조금 이상해", "우리 아이는 자주 넘어져"라는 궁금증을 가지면서도 그냥 지나쳐버리는 경우를 자주 보게 됩니다.

건강하고 튼튼한 체격을 가졌다 하더라도 그 체격을 지탱시켜주는 받침돌이 되는 발목과 발에 이상이 있다면 시간이 지남에 따라 걸음걸이가 변하게 됩니다. 또한 성장기를 지나버린다면 손쉽게 교정될 수 있었던 문제들도 돌이킬 수 없을 만큼 악화되는 경우가 생길 만큼, 하루가 다르게 빨리 성장하는 어린이들은 전문의에게 진료를 받아보는 것이 나중에 발생할 수 있는 더 큰 신체적 결함이나 손상 등을 사전 예방하는 것은 물론 빨리 조치를 취함으로써 효과적인 치료 결과를 얻을 수 있는 것입니다.

이제는 아이들이 성장함에 따라 생길 수 있는 발, 발목, 걸음걸이 등의 문제점을 알아봅니다.

한 살 이내의 영아들은 체중과 키가 급속도로 자라나는 동시에 9개월 내지 13개월 안에 혼자서 걷기를 시작합니다. 아기가 혼자서 걷기를 시작하기 전까지 부모님들이 하실 수 있는 것은 기저귀를 갈아 줄 때나 양말을 신겨줄 때 아기의 발 모양을 주의 깊게 관찰하고 다리가 보통이상으로 휘어지지 않았나 관심을 기울여 주십시오.

만약 발 모양이나 무릎 밑 종아리 등 다리의 생김새가 다른 아이들과 비교해서 차이가 있어 보인다면 전문의와 상의하시길 바랍니다. 상태가 심하지 않은 정도라면 매일 간단한 운동과 마사지로 아직 유연한 근골조직으로 이루어진 아기들의 발 형태를 바로 잡을 수도 있으나 심한 경우는 교정기(Brace)나 수술이 필요할 수도 있습니다.

두 살에서 네 살까지의 아이들은 걸을 때 발 앞쪽이 먼저 착지되고 발 뒤꿈치가 나중 착지되는 걸음걸이 형태를 보입니다. 종아리 안쪽의 발을 위로 올려주는 근육 조직과 발바닥을 위로 밀어주며 앞으로 나가게 해주는 근육조직의 발달이 아직은 미약하기 때문입니다.

하지만 네 살 이후까지 이런 형태의 걸음걸이를 보인다면 전문의의 처방이나 특수 깔창(Orthotics) 등으로 교정하여야 합니다. 또한 아이들이 걸을 때 발이 다른 쪽 발을 향하여 걷는 안장걸음(In-toe gait)이나 발과 다른 쪽 발과의 각도와 거리가 정상보다 큰 팔자걸음(Out-toe gait)의 경우 아이들의 대부분 평상시 앉아 있는 자세를 바꿔줌으로써 바로 잡을 수 있으나, 계속 그런 증상을 보인다면 특수 깔창을 사용하여야 합니다.

지금 치료를 받고 있는 환자 분들 중 성장기 때 안장걸음이나 팔자걸음, 평발 등을 가지고 계셨으면서도 관심을 기울이지 못하셔서 또는 치료 시기를 놓쳐 성인이 되어서도 안정되지 못한 걸음걸이로 생긴 여러 가지 근육통, 관절염으로 통증을 호소하시는 환자들을 보면서 안타까운 마음이 들 때가 많습니다.

간단한 교정, 치료가 가능한 증상들도 이미 굳어버린 신체조직들로 인해 근본 원인이 되는 자세교정 자체는 힘들어지고, 통증과 현재의 증상에 관한 치료를 계속하여야 하기 때문에 조기진단만이 평생을 함께 할 수도 있는 문제점들을 해결할 수 있다는 점에 유의하시기 바랍니다.

그러므로 부모님들께서 항상 아이들이 걸을 때 한쪽 어깨가 내려간다든지, 머리를 한쪽으로 기울여 걷는다든지, 한쪽의 신발이 유난히 빨리 닳는다든지 하는 아이들의 걸음을 유심히 관찰하고 그런 자세가 주의를 주었는데도 계속된다면 교정이 필요하다고 생각하시고 교정 방법 등을 상의하셔야 합니다.

아이들의 발육과 성장은 대개의 경우 18~22세 등을 전후하여 완성되는 만큼 발, 발목을 삐었거나 외상을 입었을 경우 관심을 기울여 치료를 받는 것이 무엇보다 중요합니다. 치료를 미루거나 자가 치료를 한다면 아직도 자라고 있는 뼈에 기형적인 변형이나 성장을 저해하는 요소가 되기 때문입니다. 우선 X-Ray를 찍어 골절 유무, 성장 장해 요소가 있는지, 골절이 있다면 빨리 치유될 수 있는 방법을 택하여 성장에 장애가 되지 않도록 하여야 합니다.

아이들이 자라나서 나이가 60세가 될 때까지 일년에 보통 1500 마일씩 무려 90,000 마일을 걷는다고 합니다. 부모님들께서 관심을 기울이시고 사랑으로 지켜주셔야 하겠습니다.

당뇨병성 족부 질환

당뇨병을 오랜 기간동안 앓으신 분들은 필연적으로 신경장애, 혈관장애, 면역기능장애 등 문제를 일으키게 되는데, 이런 장애들이 발에 가장 빨리 그리고 심하게 나타나게 됩니다.

나타나는 증상은 이상감각, 궤양, 염증, 괴사, 골수염, 변형, 굳은 살, 뼈의 무너짐, 난치성 무좀 등이 있습니다.

이런 당뇨병성 족부 질환들은 주로 서서히 진행되는데 술, 담배를 하시는 분들에게는 더 빨리 오게 됩니다. 술, 담배가 신경, 혈관, 면역성 그리고 당 조절 자체에도 악영향을 끼치기 때문입니다.

그리고 가장 중요한 것 하나로 혈당조절이 안 되는 경우인데 이런 경우 합병증은 더욱 심한 형태로 나타나게 됩니다.

당뇨병성 족부 질환은 앞에서 언급한 바와 같이 당뇨병으로 인한 혈관, 신경, 면역계 이상으로 신경이 서서히 파괴되고 혈관은 점점 막히게 되어 몸의 가장 말단에 위치한 발에 제일 우선적으로 심각하게 발생하는 질환을 말합니다. 발에 쉽게 상처가 나고 일단 상처가 생기면 감염될 확률 또한 높아지며 건강한 사람들과는 달리 치료자체가 어려워집니다. 또한 점점 상부로 번지게 되기 때문에 초기치료시기를 놓치게 되면 급속히 진행되어서 돌이킬 수 없는 결과를 초래하기도 합니다.

당뇨병성 족부 질환으로 나타날 수 있는 증상들을 살펴보면 먼저 감각신경장애로 인한 이상감각이 가장 먼저 나타나는데 초기증상은 발이 시리고 저리며 화끈거립니다. 이 증상이 점점 진행이 되면 발에 무언가 붙어 있는 느낌이나 발을 디딜 때 마치 모래나 구슬을 밟고 있는 듯한 이상감각을 호소하면서 이런 감각과 통증으로 밤에 수면장애로 시달리시는 분들이 많습니다. 더 진행이 되면 발의 감각둔화가 생기게 되고 이렇게 되면 쉽게 상처가 나게되며 다치거나 염증이 생겨도 환자 자신은 느끼지 못하는 경우가 많으며 상처가 더욱 커지고 나서야 발견하게 됩니다. 그러나 이렇게 발의 감각이 떨어져도 심한 통증을 느끼는 경우도 많이 있습니다.

또한 장딴지에 쥐가 자주 나는 증상도 생기게 되며 발이 붓고 피부는 땀이 나질 않아 건조해지고 갈라져서 상처가 쉽게 나기도 합니다. 혈액순환장애로 인해 아무리 작은 상처라 하더라도 잘 낫지 않고 때로는 상처주위나 발의 말단부부터 썩을 수도 있습니다. 빈도는 드물지만 당뇨병환자들의 발은 뼈가 약해져서 체중이 부과되면 무너져 내릴 수 있는데 이것 또한 신경합병증의 일종으로 뼈에서 골진이 빠져나오기 때문에 생기고 그대로 방치할 경우 발이 심하게 변형됩니다. 이러한 증상들은 모두 발 궤양을 포함한 염증을 일으킬 수 있고 방치할 경우 절단해야 할 만큼 극한 상황까지 몰고 갈 수 있습니다.

당뇨병성 족부 질환은 환자들이 호소하는 증상과 간단한 방사선사진을 가지고 쉽게 진단을 내릴 수 있으나 정확한 현 상태와 추후 치료 방법 및 예방을 판단하기 위해 혈관 조영술, 혈관 DOPPLER 등을 이용하기도 하며 가장 보편적으로 시행되는 기본검사로는 Semmes Weinstein Monofilament 가 있습니다. 이 검사로 발을 보호할 수 있는 감각이 얼마나 남아있는가를 알아볼 수 있습니다. 치료는 만성적인 신경성통증인 경우 여러 가지 약물이나 혈액순환개선제 등으로 통증을 많이 감소시킬 수 있으나 무엇보다도 가장 중요한 것은 엄격한 혈당관리와 발 궤양예방이 우선되어져야 한다는 것입니다. 혈당관리와 예방이 선행되지 않는다면 치료는 한계적으로만 이루어지기 때문입니다.

간단한 발 궤양예방법을 살펴보면 다음과 같습니다.

엄격한 혈당관리와 매일 발을 관찰하며 상처가 있는지 확인해야 합니다. 발이 꽉 조이는 신발을 신지 않아야 하며 맨발로 다녀서는 안 되고, 화상이나 동상에 주의하며 무좀이나 피부질환은 제때 치료하고 발톱을 깎을 때는 상처가 나지 않게 조심해야 합니다. 또한 발의 피부가 건조해지거나 갈라지지 않도록 예방하는 것도 중요합니다. 당뇨병성 족부 질환이 의심되거나 발에 염증 또는 궤양이 있으시면 신속히 치료를 받으시길 바랍니다.

신경종양

발에 발생하는 신경종양은 세 번째와 네 번째 발가락 사이를 따라 올라가는 위치에 생기는데, 발가락뼈와 뼈 사이의 신경조직이 계속되는 자극과 마찬가지로 굵어지면서 통증을 가져오게 되는 것입니다. 발에 맞지 않는 신발이나 잘못된 뼈들의 마찰이 주된 이유가 됩니다.

증상

통증이 점진적으로 발전되며 화끈거리거나 경직되는 것이 느껴지기도 합니다. 대개 오랫동안 서 있거나 걸었을 때 이런 증상이 나타나고 혹 작은 물체를 밟고 있다는 느낌이 들 때도 있습니다.

치료

코티손 주사나 소염제 등 약물치료와 물리치료로 치료가 가능하고 의사 처방의 신발창으로 재발을 막을 수 있습니다. 만성적 신경종양인 경우 MRI 촬영 후 수술로써 완치될 수 있습니다.

발에 생기는 낭종

주로 발등이나 발목 주위에 생기는 낭종으로 관절이나 근육건 주위에 생기며 크기가 점점 커지면서 통증이 오기 시작합니다. 피부 위로 돌출되어 있어서 만져보면 부드럽고, 낭종 속의 액체가 움직이는 듯 느껴지기도 하는데 주로 부츠를 신는 분들에게 많이 발생합니다. 발과 발목에 많은 충격을 줌으로써 관절이나 근육건을 감싸고 있는 막을 자극하기 때문입니다.

증상과 진단

낭종으로 인해 주위의 신경들이 압박을 받음으로 감각이 약해지거나 통증을 느끼게 되는데 활동 유무에 따라 크기가 커지거나 작아지는 것이 보일 수도 있습니다.

전문의가 빛을 비춰 봄으로써 종양인지 낭종인지 진단 할 수 있고 X-ray를 찍어서 낭종 밑에 돌출된 뼈가 있는지를 확인해 봐야 합니다. 또 안에 있는 액체를 주사로 빼내 성분 검사를 할 수도 있습니다.

치료

간단하게 신발과 마찰이 되지 않도록 하고 주사로 액체를 완전히 빼낼 수도 있으나 재발율이 높습니다. 얼음찜질 등으로 통증을 피할 수도 있지만 만약 고질적인 제거나 통증이 심한 경우에는 수술로써 제거해야 하니 전문의와 상의하시길 바랍니다.

9. 채경애 한의사 (늘푸른 한의원 원장)

- National Board Certified Acupuncturist
  (한의사 면허)
- Diplomate in Chinese Herbology
  (한약사 면허)
- NYS Licensed Pharmacist
  (뉴욕주 약사 면허)
- NYS Licensed Acupuncturist
  (뉴욕주 면허)
- NJ Licensed Acupuncturist
  (뉴저지주 면허)
- Sound Shore Medical Center of
  Westchester(침술과 근무)

- 주소 : 140-08 Holly Ave.
        Flushing, NY 11355
- 전화 : 718-353-3906
- E-mail : dchae@greenacupuncture.com

◎ 생리통

◎ 보약은 먹어야 하나?

◎ 변비

◎ 갱년기

◎ 자궁근종

◎ 남편들도 알아야 할 여성갱년기 상식

생리통

모든 여성들 중 60%가 생리통으로 고생을 합니다. 대개의 경우 약간의 복통과 요통이 발생하나 때로는 구토, 식욕부진, 변비나 설사 등의 소화기 증상과 유방통, 편두통, 심한 복통, 요통 등으로 통증이 너무 심해서 매달 하루 이상씩 정상적인 생활을 할 수가 없을 정도가 됩니다. 여성은 초경부터 폐경 때까지 일생에 35년 간 약 420회에 월경을 치릅니다. 이 긴 세월을 진통제나 피임약에 의지할 수는 없는 것입니다. 원인을 치료해서 좋은 효과를 얻을 수 있습니다.

월경통은 두 가지 타입으로 원발성과 속발성으로 분류하며, 원발성 생리통은 자궁의 다른 기능적인 질병과는 상관없는 통증이며 대개 미혼 여성이나 여학생들이 겪게 되는 증상으로 초경 시작 후 6~12개월 이내에 시작되는 특징을 갖고 있습니다. 속발성은 자궁근종 또는 만성 자궁염증, 자궁내막증 등의 골반 내 질환에 의하여 생기는 생리통을 말하며, 근래에 와서 갑자기 전보다 심해졌거나 원래는 없었으나 출산 후나 나이가 들면서 나타납니다.

1970 연대부터, 생리통을 겪는 여성들은 자궁내막에서 분비되는 프로스타글 란딘(Prostaglandin F2α)호르몬의 수치가 높다는 논문들이 발표되었습니다. 즉 이 호르몬이 생리 중에 자궁근육을 과도하게 수축시켜 생리통을 발생한다는 것입니다.

초경 이후부터 시작된 원발성 통경은 결혼과 출산의 과정을 거치면서

80%는 증상은 없어집니다. 보통 아기를 낳으면 생리통이 없어지는데 그 까닭은 임신동안 자궁에 혈액 공급체제가 완전히 성립되기 때문입니다.

한의학에서는 그 원인을 자궁의 기혈 순환이 잘되지 않기 때문이라고 보는데 월경기능을 담당하는 자궁과 충맥, 임맥의 기능 저하로 인한 어혈(순환장애), 기의 막힘에 의하여 일어나는 것, 허약체질과 냉증에서 오는 생리통 등으로 구분합니다.

기혈부족으로 인한 허증의 통경은 밑이 아래로 빠지는 것 같은 통증을 호소하며 생리가 끝난 후 까지도 아랫배가 은근히 아프며, 아픈 부분을 눌러주면 덜 아픈 기분이 듭니다. 양은 적고 색깔은 옅은 색이며 묽습니다. 특히 생리 후까지 전신이 쑤시고 어지러운 증상은 피를 보하고 몸의 기운을 북돋아 주는 약을 복용해야 합니다. 이에 해당하는 여성은 심한 다이어트나 운동을 하면 더욱 체력이 떨어지므로 피해야하며, 평소 몸을 따뜻하게 하고 집에서 복용할 수 있는 한방차로 쑥차, 대추차, 계피차, 백복령차 등이 있습니다.

냉증에 의해서 생기는 경우에는 자궁주위 아랫배 부분이 차갑고 손발이 차므로 따뜻한 팩을 대어주거나 하여 하복부를 따뜻하게 해주면 기분이 좋아지며 이런 여성들은 몸을 따뜻하게 해주는 약이나 뜸 치료법이 효과적입니다. 한방차로는 쑥차, 생강차, 계피차 등이 있습니다.

기 순환이 잘 되지 않아 오는 경우는 주로 신경성으로 스트레스가 심한 경우 자궁으로 흐르는 기 소통이 잘 안되어 생리통이 발생하는데, 구토, 식욕부진 등의 소화기 증상을 수반하는 수도 있으며, 이 경우 역시 기운과 혈액순환이 잘 이루어지게 하는 약과 치료법이 필요하며 정신을 안정시키고 마음을 편안히 하는 것이 중요합니다. 가벼운 운동이나 산책으로 기 순환을 원활하게 해주며, 한방 차로는 진피, 석창포, 용안육차가 있습니다.

어혈이 원인인 생리통인 경우에는 생리시 생리혈이 검고 많으며 덩어리가 나오는데, 덩어리가 나오면서 생리통이 감소되는 경우가 많습니다. 또한 반대로 생리량이 적고 덩어리는 없으나 통증이 굉장히 심한 경우도 있습니다. 이때에는 기혈순환을 바로잡아주고 자궁의 어혈을 풀어주는 약이나 뜸, 침, 부황 등 자궁의 기혈순환을 도와주는 치료법을 써야하며 또한 전신운동이 필요합니다. 한방차로는 익모초나 박하차가 있습니다.

이처럼 한방에서는 환자의 상태 따라 증상별로 구분하여 치료함으로써 좋은 효과를 기대할 수 있습니다. 단 월경이란 그 주기가 한 달이고 체질개선이 되어야 하므로 치료기간이 어느 정도 필요하므로 인내심을 갖고 치료해야 합니다.

- 꼭 끼는 바지를 입지 않는다.
- 하체를 따뜻하게 보온시켜주는 옷을 입는다.
- 찬 바닥에 앉는 것을 피합니다.
- 생리대를 자주 갈아주는 것이 좋습니다.
- 다리운동을 많이 하여 여성 생식기 부분에 혈액순환이 잘되게 합니다.
- 익모초와 쑥 : 평소 하복부가 차며 생리불순 및 생리통이 심한 경우에 복용하면 효과를 봅니다. 쑥은 하복부를 덥게 하며 기혈의 순행을 고르게 해줍니다.
- 차가운 음료수와 음식을 피합니다.
- 지방을 지나치게 적게 섭취하는 심한 다이어트는 금지해야 합니다.

머리카락과 손톱이 부스러지기 쉽고, 기력이 쇠약해지고, 면역이
떨어지고, 생리불순, 우울증과 비만을 유발할 수 있습니다.
• **쑥찜질** : 수족 및 하복부가 차면서 월경통이 있을 때 하복부에 찜질
을 합니다. 하체를 비롯한 몸 전체를 따뜻하게 하여 혈액순환을 좋
게 하여야 합니다.

보약은 먹어야 하나?

몸이 피곤해지거나, 여기저기 아프고 만사가 귀찮아져 병원에 가서
진찰을 해보아도 별다른 병이 없으니 푹 쉬라는 진단이 떨어지고, 시간
이 지나도 증세는 계속되면 보약을 먹어야 하나 하는 생각으로 한의원
을 찾게 됩니다.

현대의학에서의 병명은 없더라도 한의학에서는 장기와 장기 사이의
균형을 조절하고 부족한 것을 보충해주고 약한 부분을 보강하는 보법
으로 치료를 할 때 보약을 씁니다.

많은 사람들이 한약은 모두 보약인 것으로 알고 있으나 사실 한약 가
운데 보약에 해당되는 약재는 일부에 지나지 않으며, 또한 이처럼 보약
은 몸을 보할 때 뿐만 아니라 질병을 치료하는 치료제로써 작용할 때가
많은데, 그렇다고 무조건 아무 보약을 먹는다고 해서 건강해지는 것은
아닙니다.

개개인의 체질과 증세에 따라 부족한 것을 보충해 주고 장기의 균형
을 조절해 줌으로써 질병 예방과 치료를 합니다.

사람은 누구나 오장육부 중에 한두 개의 장기를 약하게 타고 나는데,

몸에 병이 발생할 때는 약한 장부로부터 병이 발생하여 다른 장부로 전병이 됩니다. 그러므로 평상시 약한 장부를 보강하게 되면, 다른 장부는 스스로 건강하게 되는 것입니다. 또한, 질병 예방 목적을 두고 할 때에는 단기간의 복용으로 충분하지만, 질병 치료를 목적으로 복용할 때에는 장기간을 꾸준히 복용해야 하는 경우도 있습니다. 물론 많은 돈을 들여야만 보약이 되고, 싼 것이라 하여 보약이 안 되는 것은 아니며 자기에게 맞는 것이라면 불과 몇 푼 안 되는 것이라도 훌륭한 보약이 됩니다.

보약을 투여해서 행해지는 보법은 한방 치료법의 하나인데, 이 보법에는 기, 혈, 음, 양의 네 가지 개념에 의해서 분류하고 있습니다. 기를 보충해 주어야 하는 기허 증상은 피곤하고, 기운이 없어 말하기조차 귀찮거나, 입맛도 없고, 식은땀이 나기도 합니다. 대표적인 처방으로 사군자탕, 보중익기탕을 활용하며, 인삼, 황기, 백출, 대추, 감초, 백두편, 황정, 산약 등의 약재를 사용합니다.

혈을 보충해 주어야 하는 혈허 증상으로는 얼굴과 입술, 손톱에 핏기가 없으며, 어지럽고, 빈혈이 있으며 손발이 저리고, 월경불순 등을 들 수 있습니다. 대표적인 처방으로는 사물탕, 당귀보혈탕, 귀비탕을 활용하며, 당귀, 지황, 백작약, 천궁, 백하수오, 구기자, 용안육 등의 약재를 사용합니다.

음을 보충해 주어야 하는 음허 증상은 몸안에 진액이나 혈액이 부족한 경우에 발생하는데, 입안이 마르고, 피부가 거칠어지며, 불면증, 불안증, 마른기침, 미열 등의 증상이 나타납니다. 대표적인 처방으로는 육미지황탕, 좌귀음 등을 활용하며, 숙지황, 산약, 산수유 등의 약재를 사용합니다.

양기를 보충해 주어야 하는 양허 증상으로는 추위를 잘 타면서 손발이 차거나, 생리통, 발기 불능, 설사, 무기력 등을 들 수 있습니다. 처방전으로는 팔미환, 우귀음 등을 활용하며 부자, 육계, 녹용, 음양곽 등이 쓰입니다.

이러한 허증은 복합적으로 나타나는 경우가 많으며, 허약의 정도에 따라 강력한 보약을 써야 할 때가 있고, 완만한 보약을 써야 할 경우가 있으며, 또한 체질에 맞추어 써야 하므로 보약 처방은 반드시 전문가의 진단 하에 이루어져야 합니다.

일반인들이 주위에서 전해들어 알고 있는 보약에 대한 상식에 궁금증에 대하여 적어 봅니다.

보약 먹으면 살이 찌는가? 보약의 본래 약효가 발휘되면 오장육부의 기능이 활발해집니다. 즉 건강해 지는 것입니다. 당연히 소화력과 흡수력도 좋아지며 신진대사가 활발해지면서 인체의 칼로리 소비능력도 높아집니다.

이때에 군것질을 많이 하거나 과식을 하면 살이 찌지만 그것은 음식 섭취량이 많아져서 찌는 것이지 보약을 먹어서 찌는 것이 아닙니다. 다이어트를 목적으로 살을 빼는 한약도 있고, 반면 소화기능이 약한 사람이 소화 기능을 회복 시켜주므로 해서 살을 찌우게 하는 한약도 있습니다. 사실 요즈음에는 살을 찌고 싶다는 사람은 거의 없기 때문에 보약을 복용한 후에 몸이 가벼워지는 경우가 많습니다. 그래도 걱정이 되면 보약을 복용할 때 살이 빠지는데 도움이 되게 해 달라든지 또는 살이 찌지 않도록 처방해 달라고 부탁하면 됩니다. 동의보감에 오래 복용하면 살이 빠지게 되므로 몸이 마른 사람은 피하라고 되어 있는 약재로는 녹차, 적소두(팥), 동과(늙은 황호박), 상지(뽕나무 줄기), 곤포(다시마) 등이 있습니다. 녹차 이외에 홍차, 우롱차도 여기 포함되며, 이외에 비만치료에 많이 쓰이는 약재로는 율무, 칡뿌리, 황기, 백복령, 숙지황, 연잎, 산사 등이 있습니다.

한약 먹으면 간이 나빠지나? 한약 중에도 간에 해가 될 수 있는 약이 있고, 간장의 기능을 회복시켜주는 약이 있습니다. 모든 한약이 간에 나쁘다고 일반화할 수는 없는 것입니다. 어떤 종류의 한약을 먹지 말라고 한다면 혹 올바른 말일 수도 있으나 한약 자체를 먹지 말라는 것은 잘못된 것입니다.

물론 한약 중에도 간장에 해가 될 수 있는 약재들이 있습니다. 보통 사람이 일정 기간동안 쓸 때에는 아무런 문제가 없지만 간염이나 간경화로 간 기능이 떨어진 사람에게 간에 부담을 주는 약재를 투여하게 되면 간 기능을 급속히 악화시킬 수 있습니다. 물론 간장치료를 목적으로 쓰이는 약재들은 간의 기능을 회복 시켜주며, 간 질환으로 인한 증상들을 완화시키고 기력을 회복하는데 도움을 줍니다. 간 질환에 쓰이는 약재들은 약재의 효과에 대한 검증뿐 아니라 장기간의 복용이 생명체에 미치는 독성 작용의 유무에 대한 검증에서도 안전하다고 입증된 것들입니다. 사실 가정에서 흔히 복용하는 Ibuprophen(Advil, Motrin)이 위나 간에 주는 부담에 비하면 전문의가 처방한 보약은 안전하다고 볼 수 있습니다.

보약은 언제쯤 효과를 보나? 보약은 복용 시나 복용 직후에 바로 좋아지는 느낌을 알 수 있으며, 복용 시에 속이 불편함이 없어야 하고 만약 속이 불편하거나 대소변에 문제가 오면 한의사와 상의하여야 합니다. 보약 복용 시 감기에 걸리거나 체했을 때는 복용을 잠시 중단하는 것이 원칙이나 이때도 처방한 한의사의 지시를 받는 것이 좋습니다.

변비

　변비로 인하여 하소연을 하는 사람들을 많이 보게 되는데 사실 변비는 겪어보지 않고는 모르는 괴로운 증세입니다.

　변비란 대변이 굳어져 용변하기 힘든 것으로 대변을 며칠씩 못보다가도 한번 볼 때 시원한 쾌변을 보면 한의학에서는 이를 변비로 보지 않습니다. 체질에 따라 2~3일, 혹은 3~4일에 한번씩 통변을 하여도 전혀 불편이 없을 때는 문제로 삼지 않으며 이런 체질의 사람이 굳이 매일 보아야 한다는 강박관념 때문에 여러 가지 변비 약을 복용하면 오히려 건강에 부담을 줄 수 있습니다. 또한 매일 배변을 하지만 배변 후 아직 남아 있는 느낌이 들거나 통증을 느끼는 등 불편이 있으면 변비라고 할 수 있습니다. 이렇게 배변 횟수와는 관계없이 변이 딱딱해서 시원하지 않고 힘이 드는 불편한 증상이 나타나면 변비라고 진단할 수 있습니다.

　변비가 되는 원인은 여러 가지가 있는데 우선 정신적인 면으로 환경변화, 스트레스로 변비가 되는 수도 있고, 음식물이 원인이 되어 섬유질이 부족한 식품섭취에 의하여 되는 수도 있으며 수분섭취 부족에 의해서도 일어나고, 또 운동부족, 혈액순환이 나빠서 생기는 수도 있습니다.

　한방에서는 변비의 원인을 열비(熱秘), 기비(氣秘), 허비(虛秘), 냉비(冷秘)로 구분하는데 원인에 따라 치료와 관리방법이 다릅니다.

　열비는 몸에 열이 많거나, 술과 매운 음식, 기름진 음식을 많이 먹거나 하여 위와 장에 열이 쌓여서 발생하는 것이므로 이런 경우에는 몸에 열을 더해주는 매운 음식, 술, 기름진 음식을 적게 먹어야 하며 알로에나 결명자차를 달여먹으면 도움이 됩니다.

기비는 신경을 많이 쓰거나, 스트레스를 많이 받거나 혹은 책상 앞에서 한자세로 오랫동안 일을 하여 운동부족으로 인하여 기가 잘 흐르지 못하고 뭉쳐서 발생하므로 가벼운 운동이나 산책으로 기 순환을 원활하게 하며, 마음을 즐겁게 하여 스트레스를 바로바로 풀어주는 생활습관을 기르는 것이 좋습니다.

허비는 기운과 혈액이 부족해서 생기는데 신체가 허약한 사람, 수술후, 출산 후, 노인변비가 주로 이에 해당되는데, 혈액이 부족한 경우는 당귀, 숙지황 등의 약재를 쓰고 기가 부족한 경우는 인삼, 당삼 등의 약재를 씁니다. 잣, 볶은 검은깨, 흰깨 등을 복용합니다.

냉비는 위나 장에 차가운 기운이 뭉치거나 체질적으로 평소에 항상 몸이 차고 허약한 사람에게 나타나는 증상이므로 몸을 따뜻하게 하고 찬 음식을 줄여야 하며, 뜸을 떠주는 치료가 효과적입니다. 공복에 냉수를 마시면 변비에 좋다하여 이 방법을 시행하면 더 악화될 수도 있습니다.

이와 같이 원인에 따라 치료방법이 다르며 복합적인 원인을 가지고 있을 수도 있으므로 변비의 원인을 정확히 알고 그에 적절한 치료방법을 써야 합니다. 다른 사람이 변비에 효과를 보았다고 해서 변비 약을 남용하게 되면 일시적으로 효과를 볼 수는 있으나 점차 만성 변비로 진행시킬 수도 있습니다.

대변에는 소화되지 않은 음식물의 찌꺼기 외에도 장 분비물, 담즙 등 인체 대사 후 노폐물을 배출하는데 변비가 지속되면 복통, 소화장애, 두통, 불안, 혈액순환장애를 유발할 수 있고, 피부에 잡티나 뾰루지가 잘 생기며, 치질이 발생될 가능성이 높아집니다.

일반적인 관리로는 규칙적인 식생활과 적당한 양의 섬유질 음식과 수분 섭취를 해야 하는데 섬유질 음식으로는 고구마, 우엉, 버섯류, 무, 배, 사과, 미역, 다시마, 묵 등이 있습니다. 맨손체조, 산책 등의 적절한 운동으로 혈액순환과 기 순환을 순조롭게 해주며 노인들이나 허약체질에는 참기름, 들기름, 콩기름 등 식물성 기름을 섭취하여 대장을 윤활하게 합니다.

변비에 도움이 되는 식품과 차

- **결명자 차** : 결명자 20g. 적당히 물을 넣고 끓여서 200ml 정도가 되면 하루 3번에 나누어 마신다. 결명자 차는 이름 그대로 눈을 밝게 하는 효능이 있어 눈이 충혈되고 아프며 눈물이 나는 증상에도 좋다.

- **삼씨(마자인)** : 볶아서 한번에 8-10g씩 하루 2번 복용합니다. 허약한 사람, 산후, 수술 후, 노인성 변비에 쓰인다.

- **대마씨(화마인)** : 12~18g 갈증을 풀고 열을 내리게 한다.

- **들깨, 삼씨** : 함께 짓찧어 흰쌀 죽을 쑤어 먹는다.

- 검은깨나 참깨를 볶아 식전에 큰 숟가락으로 하나 먹는다(30~40g).

- **대황(3~10g)** : 열비나 체력이 있는 사람에게만 씁니다. 노인의 변비에는 사용하여서는 안된다.

- **잣 15g** : 가루 내어 끓인 물에 타서 차로 마시거나 그냥 먹는다.

- **생감자 즙** : 열비에 마신다.

갱년기

갱년기는 여성으로서 가장 무르익은 시기. 이 시기를 슬기롭게 받아들이면 대부분의 여성이 또 다시 호르몬의 균형을 찾아 아주 쾌적한 생활을 지낼 수 있습니다.

여자나이 40에서 55 사이에 오는 증세를 흔히들 '갱년기 장애' 라 합니다. '장애' 라는 표현보다는 이 변화에서 오는 여러 가지 요소가 인생을 되돌아 보면서, 여태까지는 가족들과 살림을 중심으로 해서 살던 시기와 남편과 아이들의 필요로 인해 움직였던 몸과 마음이 이제부터는 나를 위하여 쓸 수 있는 좋은 기회인 것입니다. 이쯤 되면 아이들도 성장하여 나의 시간을 갖기에 적절한 때라고 볼 수 있습니다. 그런 의미에서 '갱년기 기회' 라 부름이 옳은 표현이라 생각합니다.

현재 미국에 있는 여성의 평균 수명은 80이 넘습니다. 지금부터 30~40년을 더 살 수 있으니 참으로 제2의 인생의 시작인 것입니다. 그러나 여자나이 40대에 접어들면 여성 호르몬의 기능이 점차 감퇴되기 시작하여 생체 리듬이 흐트러지면서 여러 가지 증세가 나타날 수 있습니다. 기본적으로 난소의 노화로 생기는 호르몬 부족이 원인이지만 나타나는 증상은 다양하고 복잡하며 불편을 느끼는 정도도 사람에 따라 차이가 많습니다.

한방에서는 이러한 증세를 음기가 허함에서 일어나는 증세로, 음기를 보하면서 허열을 진정시키고 그 사람의 체질에 따라 진단을 내려 처방

함으로써 이 과정을 가장 자연스럽고 지혜롭게 받아들일 수 있게 하며, 또한 앞으로 활기찬 건강을 오래 지속할 수 있도록 도와줍니다.

많은 여성들이 갱년기 증세를 경험하면서 말없이 혼자 고생을 하시는 분도 있습니다. 그러나 이시기를 잘 지내고 나면 대부분의 여성들이 또다시 호르몬의 균형을 찾아 아주 자유스러운 생활을 할 수 있습니다. 이때에 흔히 나타나는 증세로는 안면홍조로 머리와 목 주변이 화끈거리고 땀이 나는 현상, 손발이 차거나 몸의 어느 한 부분이 찬 냉증, 허리, 무릎, 손목, 어깨결림, 목덜미의 통증, 질 건조증으로 분비물이 감소되어 성생활의 부담, 우울증, 불면증, 초조함, 변비, 방광염, 월경불순, 피곤증, 골다공증 등을 들 수 있습니다.

갱년기 증상이 나타나면 누구나 호르몬(HRT)투입에 대한 생각을 해보았을 것입니다. 현재까지 호르몬제(HRT)는 부작용이 많으며, 이것은 시간이 지나면서 더 증가하고 있습니다. JAMA에 발표에 의하면 5년 이상 복용을 하면 유방암에 걸릴 확률이 60%~85%나 증가한다고 합니다.

그에 비해 한방에서는 2000년이 넘게 이 증세를 부작용 없이 관리해왔으며, 이것은 현대임상실험으로도 증명이 되고 있습니다. 일본에서의 임상실험에서 갱년기 때 한약을 복용한 여성과 그렇지 않은 여성의 골다공증 상태를 검사한 결과 한약을 복용한 여성들의 골밀도가 현저하게 좋은 상태였다고 합니다(Traditional Sino-Japanese Medicine, 13 [1992] : 38-43).

갱년기를 얼마나 현명하게 맞이하느냐가 나머지 삼사십 년을 얼마나 쾌적하게 보낼수 있는가 하는 것에 커다란 의미를 갖고 있습니다.

옛부터 명인이나 달인이라 불리는 사람들 중에는 40세, 50세가 되어서도 새로운 일에 도전하여 성공한 사람도 있습니다. 그러므로 이시기에 보람을 느낄 수 있는 적극적인 자세가 중요합니다. 이를 위해서는 취미를 살리거나 자원 봉사 활동을 하는 것도 좋을 것입니다. 평상시부터 마음이 맞는 친구를 만나 여행 등으로 기분 전환을 하는 것도 한 방법입니다. 꼭 무엇을 해야 한다는 것보다 몸과 마음을 새로이하여 편안한 자세로 이시기를 받아들이는 것이 무엇보다 중요합니다.

옛 고대 중국에서는 여성은 출산을 위하여 심장에서 자궁으로 흘러들어간 피가 영양분을 공급했지만 폐경기의 여성들은 지혜의 피를 더 이상 주기적으로 자궁으로 흘러버리는 것이 아니라 보유하여 그 반대로 마음(心)에 영양을 줌으로써, 여자는 지혜로운 사회의 어머니로 변화한다고 했습니다.

이 시기의 여성들은 인생의 어느 때보다 진실하고자 한다고 합니다. 자기의 가장 내면에서 우러나오는 가치를 일상생활에 활동화 함으로써 분명한 목적의식을 가지고 인생의 황금기인 40~50대 여성의 성숙한 아름다움과 건강을 오래 유지하도록 이 '기회'를 잘 이용하여야 합니다. 또한 적당한 운동, 비타민 섭취, 식이요법 등을 소홀히 하지 않아야 함이 매우 중요합니다.

갱년기 증세에 도움이 되고 가정에서 재료를 손쉽게 구하기 쉬운 한방차를 소개합니다.

감맥대조차

부소맥 15g(1과½ 큰 술), 대추 10개, 감초 6g(3-4쪽) 물 4 컵;

이상의 약재를 씻은 후 4 컵의 물을 넣고 은근한 불에 끓인다. 물의 양이 2컵 정도로 줄어들 때까지 달인 후 두 번으로 나눠서 마신다. 이 처방은 마음을 안정시키며, 불면증, 우울증, 초조함에 좋은 효과가 있다.

구기자차

구기자 4 큰 술, 물 5 컵;

구기자를 잘 씻어 물 5컵에 구기자를 넣어 끓인다. 물이 끓으면 은근한 불로 줄이고 물의 양이 3 컵 정도로 줄어들 때까지 달인다. 세 번으로 나눠서 마신다.

구기자는 혈과 음을 보해줌으로, 지속적으로 복용하면 갱년기증세에도 탁월한 효과가 있다. 뿐만 아니라 혈액 내의 콜레스테롤 수치와 혈당 수치를 내려주는 작용을 하기 때문에 중풍이나 고혈압, 당뇨병 예방에 좋은 차다.

자궁근종

자궁근종은 자궁에서 발생하는 가장 흔한 양성 종양으로 35세 이상의 여성 중 약 20~40%가 이 질환을 갖고 있습니다.

자궁근종은 자궁벽의 안쪽과 바깥쪽, 자궁강 내부 등 다양한 위치에서 혹처럼 자라는 것을 말하며, 자궁근종의 크기는 임신주기의 자궁의 크기와 비교를 해서 12주, 14주 등으로 측정 표현합니다.

자궁근종은 증상이 거의 없어 정기검진을 통해서 발견될 때까지 모르고 지내는 경우가 많으며 증상을 나타내는 지의 여부는 근종의 발생 위치, 발생 형태, 크기에 따라 차이가 있어 아주 크더라도 전혀 증상이 없을 수도 있습니다.

자궁근종의 위치에 따라 월경의 양이 아주 많아지고 불규칙해지며 월경통이 심해져 심지어는 바깥 외출을 못하게 될 때도 있고, 월경이 아닐 때에도 출혈이 반복되는 수도 있어 출혈이 심해짐에 따라 빈혈이 생기며 전신 쇠약, 권태감, 두통, 심계 항진, 호흡곤란 등의 증상도 나타낼 수 있습니다. 또한 자궁근종에서 흔히 보는 증상으로 근종이 방광을 압박해서 자주 소변을 보는 수도 있고, 직장을 압박해서 변비를 유발할 수도 있습니다.

임신을 하게 되면 기존의 근종의 크기가 현저하게 증가하여 자궁이 수축되게 함으로써 조기분만을 발할 수도 있고, 근종의 위치에 따라 낙태나 불임의 원인이 되는 수도 있으나 임신 중절 후에는 퇴화됩니다.

경우에 따라 자궁근종이 성장하기도 하지만 다 그런 것은 아니며 폐경기가 지나고 난 후 아무 증상이 없으면 6개월마다 정기적인 검사를 받으면서 변화가 있는가를 관찰해 봅니다.

치료법으로 현대의학에서는 근종절제술이나 자궁절제술, 호르몬 요법 등의 치료가 있으며, 한방에서는 대체로 한약 복용이 위주가 되며 환자의 상태에 따라 침구, 약침, 뜸 등의 치료를 추가합니다.

한방에서는 혈액 흐름이 좋지 않고 정체된 상태를 어혈이라고 부르는데 어혈로 인해 순환되지 않은 나쁜 노폐물이 자궁 내에 점차 쌓여 근종이 됩니다.

치료에 있어서는 자궁출혈이 멈추면서 피가 부족해서 생기는 혈허 증상으로 기력도 딸리고 현기증, 전신 쇠약증에 기혈을 보충해주는 치료를 우선적으로 시행합니다.

자궁에 노폐물이 축적되어 발병하는 것이니 만큼 혈액 순환을 촉진시키고 신진대사를 항진시켜 자궁에 어혈을 풀어주어 몸안의 습한 기운과 불순물을 걸러서 몸밖으로 배출하는 처방을 하는데 치료기간은 2개월에서 6개월 정도이며 좋은 효과를 기대할 수 있습니다.

노폐물이 제거되면 신체에 있던 여러 가지 증상들이 사라지고 눈과 머리가 맑아지며 생리가 원활해져 건강해집니다.

식이요법 : 녹색 잎 채소, 콩 제품, 해조류(다시마, 미역 등)

영양제 : 비타민 B Complex, 종합비타민제, 600mg 이상의 마그네슘.

궁귀차 : 천궁 40g, 당귀 40g, 물 2 리터를 15분 정도 끓이면 향기가 좋은 차가 된다. 이 차를 마시면 혈이 부족하여 생기는 빈혈에 좋으며 하혈이 그치지 않을 때 나쁜 혈을 제거시켜 주며 머리가 맑고 몸이 가벼워진다.

홍화(잇꽃) : 말린 것 3g을 하루 양으로 달여 두 번에 나누어 마신다.

뜸치료 : 기해, 관원혈. 배꼽에서 불두덩(치골)까지를 5등분했을 때 첫째 등분 밑 지점이 기해라는 혈이고, 셋째 등분이 관원혈이다.

자궁병, 냉증, 월경불순, 불임 등 여성의 자궁병을 치료합니다. 누구나 집에서 쉽게 할 수 있는데 꾸준히 하면 효과를 볼 수 있다. 뜸을 뜰 때의 주의사항은 한번에 많은 뜸을 떠서 상처를 만들거나 몸에 무리가 가서 현기증이 나지 않게 해야 한다. 몸에 열이 있을 때는 뜸을 뜨지 않는 것이 좋다.

남편들도 알아야할 여성갱년기 상식

남녀를 막론하고 오십 세 전후가 되면 몸과 마음의 변화가 온다고 합니다. 여자의 경우는 폐경기와 더불어 여러 가지 증상이 나타나기 시작합니다. 갱년기가 시작되는 것이지요.

"갱년기"라고 불리는 것은 여성에게는 좋지 않은 이미지가 있습니다. 어쩐지 갑자기 나이를 먹어버린 것 같고, 여성에서 떨려난 것 같은 기분이 되기 때문입니다. 그러나 누구나 거쳐야 하는 인생의 흐름에 있어서 한 시기에 지나지 않는 것, 이때 남편의 이해와 사랑은 힘이 되고 약이 됩니다.

사랑하는 부인을 위하여, 평화로운 가정을 위하여 갱년기의 기초적 상식은 남편이 부인을 이해하는데 도움이 되리라 생각합니다. 어느 여성들은 증상들을 드러내놓고 말하기를 꺼려하여 증상을 악화 또는 장기화시키는 경우가 있습니다. 남편에게 자신의 증상을 호소할 수 없을 때 불안증상은 한층 심해질 수 있습니다. 이럴 때 남편이 관심을 보이고 나도 이 정도는 알고 있다는 내색을 하면 부인의 마음은 훨씬 가벼워지고 말하기도 편해질 것입니다.

갱년기 증세는 자연스러운 변화이나 개개인에 따라 증상의 심각도가 다르므로 우선 다른 부인과 비교하지 말아야 합니다.

주요 증상으로는 얼굴이 붉어지고 식은땀이 나며 가슴이 두근거리는 자율신경증상, 불면, 불안, 짜증이 나고 머리도 아픈 신경정신증상, 부종, 비만, 근육통, 골다공증 등의 물질대사증상, 부정기적인 자궁출혈과 위축성 질염과 같은 성기 증상들이 있습니다.

한방에서는 이러한 증세를 음기가 허약함에서 일어나는 증세로, 음기를 보(補)하면서 허열을 진정시켜 음양의 균형을 잡는 처방을 하고 있습니다. 각 내장기별로 음액이 모자랄 때는 다음과 같은 음허증이 생깁니다.

음허증의 여러 가지 증상

심음허(心陰虛) : 현기증, 건망증, 불면증, 우울증, 초조불안하며 가슴이 두근거린다.

폐음허(肺陰虛) : 입안이 마르며 미열이 있고 마른기침, 가래, 식은땀이 나고 목소리가 쉰다.

위음허(胃陰虛) : 식욕이 부진하고 갈증이 나며 메스껍고 배가 더부룩하고 불편하며 변비 증상이 있다.

간음허(肝陰虛) : 눈이 피로하고 침침해지며 두통, 어지러움, 불안, 분노, 근육경련 등의 증상이 있다.

신음허(腎陰虛) : 골다공증, 사고력 감퇴, 허리와 무릎의 무력함, 탈모증, 질 건조증, 성욕감퇴 등이 있다.

이와 같은 갱년기 증상들은 허열을 내리며 진액을 보충해주는 한방으로 잘 치료가 되며 이 시기를 잘 지내고 나면 대부분의 여성들이 또다시 호르몬의 균형을 찾아 건강한 생활을 하실 수 있습니다.

남자도 역시 갱년기가 있다고 합니다. 그러나 남성의 갱년기는 여성만큼 눈에 띄지 않습니다. 그 이유는 호르몬의 분비상태와 관계가 있습니다. 여성의 경우는 갱년기가 되면 배란이 없어지고 난소 호르몬의 분비가 급격하게 떨어집니다. 그런데 남성의 경우 고환에서 분비되는 남성 호르몬은 급속도로 떨어지지 않고 서서히 떨어져 갑니다. 그러므로 아내의 괴로운 심정을 이해하기 어려울지도 모릅니다.

특히 갱년기 때에는 섹스의 행위시에 여성에게는 불합리한 점이 여러 가지 생겨납니다. 우선 성기의 기능 약화로 성욕감퇴와 질과 점막이 얇아져 때로는 쉽게 상처가 생겨 성교의 통증이 생기므로 섹스의 불쾌감을 호소하는 여성이 많습니다. 이럴 때 남편의 이해와 다정한 관심은 아내의 마음을 부드럽게 안정시켜 줄 수 있습니다.

갱년기에 일어나는 불쾌한 증상은 가족과의 관계에 의해 좋아지기도 하고 나빠지기도 하며, 특히 가장 가까운 존재인 남편과의 관계에 크게 좌우됩니다. 멋쩍더라도 가끔은 칭찬의 말 한 마디, 비싼 선물이 아니더라도 작은 선물, 둘 만의 좋은 시간을 갖는 것 등은 생활을 풍요롭게 하며 아내에게는 물론 남편 자신에게도 필요하다는 것을 이해하기 바랍니다. 이렇게 남편이 자신에게 신경을 써주고 있다는 생각을 하면 아내는 괴로운 증상을 잘 이겨내게 될 것입니다.

남편이 해줄 수 있는 효과적인 경락 마사지

남편은 아내의 왼쪽에 앉아 등뼈 양쪽을 목에서부터 엉덩이 부위까지 엄지를 사용하여 눌러 문지르면서 손가락을 서서히 이동시킵니다. 등뼈의 오른쪽은 오른손 엄지로 시계 방향으로 등뼈의 왼쪽은 왼손 엄지로 시계바늘 반대 방향으로 천천히 눌러 문지릅니다. 이때 힘을 마구잡이 식으로 가하는 것이 아니라 리드미컬하게 행하는 편이 마사지를 받는 사람에게 기분이 좋습니다.

10. 강종권 M.D. (강종권 얼굴 성형, 이비인후과 전문의)

- 콜롬비아 대학 졸업
- Mount Sinai Medical School 졸업
- Buffalo 의과 대학병원 이비인후과 수료
- Emory 의과 대학병원 얼굴 성형외과 전문의 수료
- 현 North Shore/ NYU 의과 대학 Clinical 교수 전문의
- 미국 얼굴 성형외과 전문의
- 수료한 미국얼굴 성형외과학회 정회원
- 미국 이비인후과 전문의
- 미국 이비인후과 학회 정회원
- 미국 외과 학회 승인 전문의

- 주소 : 41-03 Union Street.
  Flushing, NY 11354
- 전화 : 718-939-6050 / 718-281-4399
- Fax : 718-939-6047 / 718-281-4394

◎ 비강염이란

◎ 갑상선 질환에 대하여

◎ 하안검 주름 성형 수술

◎ 보톡스(Botox)주사

비강염이란

비강염이란 무엇인가

간단히 설명하자면 동공으로 연결되는 입구가 막혀서 동공 속의 압력이 높아지며, 그 결과로 코가 막혀지는 느낌과 함께 여러 가지 증상을 나타내는 일종의 염증을 말합니다.

동공이란 무엇인가

우리 머릿속에는 밖의 온도와 습도를 체내에 알맞게 잘 조절하여 폐에 보내주는 역할을 하는 4쌍의 기관이 있는데 이 기관들을 동공이라 부릅니다. 동공은 신생아 때의 콩알만한 크기에서 사춘기 때까지 점점 확대되어 가는데 콧속에서부터 얼굴뼈와 두개골 속에 연결되어 있습니다. 공기주머니라고도 부를 수 있는 그 강들은 코막과 같은 종류의 막으로 만들어 줄쳐져 있으며 연필심같이 작은 잎으로 콧속과 연결되어 있습니다. 보통 코와 동공들은 하루에 1/8 ~ 1/4 겔론 정도의 분비점액들을 생산하는데 이 분비점액들은 콧속으로 들어가 먼지나 박테리아 또 다른 공기오염물질들을 흡수하는 역할을 하게 됩니다. 모든 오염물질을 흡수한 이 점액들은 다시 비강과 연결되어 있는 아주 미세한 수백만의 속눈썹 같은 목뒤조직에 의해 청소되어 위 속으로 넘어가게 됩니다. 혹시나 죽지 않은 박테리아는 위산으로 위 속에서 다시 분해되는 것입니다.

비강염의 원인

(1)감염 (infection)

대부분의 어른들은 호흡질환(상부)과 감기를 1년에 약 3번 정도 걸리는 데 비해 어린아이들은 횟수가 훨씬 많습니다. 박테리아 감염은 감기 끝에 오는 수가 많은데 콧속의 점액(코)이 노랑 혹은 녹색을 띄게 될 때는 이미 박테리아 감염이 됐다고 보면 됩니다. 바이러스나 박테리아에 의한 감염은 콧속의 조직들을 부어 오르게 하며 점액들을 두껍게 만들어 코의 정상적인 배수기능을 느리게 혹은 중단시키기도 합니다.

(2)자극 (irritants)

공기오염, 연기, 그리고 화학제(빨래비누, 살충제)같은 요소들이 동공과 코 사이를 연결하는 작은 통로를 붓게 하거나 막히게 하여 박테리아나 비강염의 원인이 됩니다.

(3)해부적인 문제 (anatomic problems)

선천성 혹은 후천성(사고로)으로 나눌 수 있는 원인은 코의 중심부에 위치한 뼈나 연골이 한쪽으로 치우쳐 있어 정상적인 코의 배수기능을 할 수 없는 경우입니다. 치우친 상태가 심한 경우에는 한 개 혹은 여러 개의 동공들의 통로를 막아버려 코 점액들이 이 방해물 뒤에 쌓이게 되어 결과적으로 염증을 일으키게 됩니다. 이 증상이 심해지면 동공의 막이 점점 커져 비이(polyps)라는 무리를 만들어 동공의 통로를 막히게 하며 이 막히게 된 곳에 정체된 코 점액들은 박테리아 서식의 큰 원인이 됩니다.

(4)알러지 (allergies)

코막힘, 콧물, 재채기, 가려움증, 충혈 등의 증상을 일으키는 것이 알러지다. 만성비강염은 가끔 기관지염과 연결되는 수가 있는데 코막힘을 동반하는 알러지가 폐에 부담을 주어 이 기관지염을 더 악화시킬 수 있습니다.

위 네 가지 이외에도 정신적인 스트레스도 비강염의 원인이 될 수 있습니다.

비강염의 종류

(1)**급성비강염** : 심한 감기 끝에 오는 경우가 많음.

증상-노란 색이나 녹색의 코 분비물/ 붓기와 함께 뺨, 눈, 이마에 압박감을 느낄 때/ 고열(102 F이상)/ 위 어금니의 통증

(2)**만성비강염** : 오래된 감기 끝에 오거나 여러 번 급성비강염을 앓았으나'완전 치유를 하지 않았을 때 생김.

증상-저열(101 F이하)/ 코막힘, 코출혈(코피)/ 두통/ 기침과 목의 만성통증/ 냄새를 맡는 기능의 저하/ 악취(입).

진단과 치료

치료를 시작하기 전에 의사의 충분한 건강진단이 필요합니다.

(1)**급성비강염의 치료방법** : 항생제와 음혈완화제를 사용합니다.

(2)**만성비강염의 치료방법** : 8주 이상의 장시간의 치료가 필요하며 항생제, 완화제, 점액이완제, 구강스테로이드 분무 약을 사용합니다. 특히 알러지를 동반한 환자들에게 더 많은 효과를 얻기 위해 항히스타민제를 사용하는 수가 있습니다.

CAT Scan이란 : 약으로 치유되지 않거나 재발이 계속될 때는 눈에 보이지 않는 콧속의 동공들과 그들을 연결하는 통로들의 구조적인 결

함을 관찰, 평가하기 위하여 하는 조직검사이며 내시경이라는 기구를 사용했을 때 증상이 보이거나 만성비강염의 증상이 심할 때 하는 것입니다.

(3) **동공수술** : 해부학적인 결함이나 약으로 치유되지 않는 경우에는 수술을 고려하게 됩니다. 환자의 증상에 따라 전문의에 의해 가장 알맞은 수술방법을 권유하게 됩니다.

수술방법에는 의사가 직접 보며 윗입술안쪽, 눈썹 뒷부분, 코나 머리 옆부분, 그리고 콧속을 수술하는 방법과 특별한 경우에는 내시경을 통한 수술방법(Functional Endoscopic Sinus Surgery)이 있습니다. 내시경으로 수술부위를 관찰하며 문제부위의 조직이나 혹(Polyps)을 제거하여 동공들과 연결된 작은 관들을 깨끗이 청소하는 수술입니다.

• **수술 전** : 모든 수술과 마찬가지로 비강염 수술도 위험은 항상 있으므로 환자 스스로가 모든 감사와 회복에 소요되는 시간, 수술위험 부담 등에 대한 완전이해가 필요하며 의사의 시술과 더불어 환자 자신의 준비가 성공적인 수술결과에 커다란 영향을 주는 것을 명심해야 할 것입니다.

• **수술 후** : 내시경으로 수술경과를 관찰하게 되며 완치결과는 약 4~8주 혹은 좀더 오래 걸릴 수도 있습니다. 그리고 만성비강염 환자 중에서도 공기 오염이나 알러지에 아주 민감한 사람은 수술 후에도 계속해서 치료와 조심을 해야 합니다.

갑상선 질환에 대하여

갑상선이란 무엇인가?

갑상선이란 신체기능을 주기적으로 조절하는 호르몬을 만드는 내분비선 중의 하나로써 갑상선 호르몬을 생성해 내며 우리 몸에 필요한 기능을 주기적으로 운반해 줍니다. 이러한 갑상선은 목 하부 중앙 위치에 있고 후두(성대) 아래와 쇄골(빗장뼈) 바로 위에 있으며, 모양은 나비 넥타이 같고 두 개의 엽으로 나뉘어 있습니다. 좌엽과 우엽이 연결되어 있는 부분을 협부라고 하며 갑상선이 정상일 때에는 거의 느껴지지 않습니다.

갑상선이 비정상일 때는 언제인가?

갑상선 질환은 수백만 미국인에게 영향을 미치고 있는 매우 흔한 질환 중에 하나입니다. 가장 흔한 질환으로는 갑상선이 커져 과활동성이 되는 경우를 고 갑상선증(Hyperthyroidism) 혹은 그레이브스 병(Grave's Disease)이라고도 합니다. 이때 커져 있는 갑상선을 따로 갑상선종(Goiter)이라고 부릅니다. 또 하나의 흔한 질환은 위의 경우와 반대인 저 활동성인 경우 저 갑상선증이라고 합니다. 마지막으로 갑상선에 혹이나 종양 등이 생기는 경우나 이러한 종양은 양성의 하나인 악성이 될 수도 있고 혹이 커지는 진행 속도도 서서히 또는 빠르게 진행되기도 합니다. 참고로 과거에 머리나 목 등에 방사선 치료를 받은 적이 있는 환자들은 갑상선의 종양이 악성 갑상선으로 발전될 확률이 더욱더 많습니다. 따라

서 모든 갑상선의 종양이나 혹 등은 일반적인 관찰이 필요하며 전문의와
의 신속한 상담이 요구됩니다.

갑상선 질환은 어떻게 진단하는가?

갑상선 질환을 진단하기 위해서는 여러 가지의 방법이 있습니다. 먼
저 환자의 의학적인 병력과 간단한 외진으로 알아볼 수 있습니다. 환자
의 턱을 위로 들어올린 다음 환자에게 침을 삼켜보라고 할 것인데 이렇
게 하는 이유는 비정상인 갑상선 종양을 목에 있는 다른 정상적인 기관
들과 구별하기 위한 것입니다. 또 다른 검사들로는 Needle 흡입 생검,
갑상선 Scan, 초음파 검사, 흉부 방사선 촬영, 그리고 갑상선 기능 혈액
검사 등이 있습니다.

Needle 흡인 천자(Fine Needle Aspiration)란?

갑상선의 혹이나 종양의 진단이 내려지면 대부분의 경우 바로 다음
단계인 Needle 흡인천자를 시행하게 됩니다. 이 검사는 아주 가느다란
바늘로 갑상선의 종양에 접근하여 종양의 조직세포나 혈액을 채취하는
방법으로 안전하며 시술 후 통증이 있을 수 있으나 합볍증은 매우 적습
니다. 만약 출혈을 과다하게 하는 경향이 있다면 이 검사 방법은 적합
하지 않은 것입니다. 이 검사로 전문의는 갑상선 종양의 본질에 관해 좀
더 구체적인 정보를 얻을 수 있으며 갑상선 종양에 대해 좀더 적절한 치
료를 결정할 수 있게 합니다.

갑상선 종양의 치료는?

일단 갑상선 종양으로 판단이 내려졌다면 치료 계획은 환자의 검사결

과와 진료상태를 기초로 하여 결정하게 됩니다. 대부분의 갑상선 종양의 경우 양성이며 약물치료(억제요법)가 가능합니다. 이 치료의 목적은 약물투여 기간 동안에 종양이 스스로 오그라들게 하는 것입니다. 치료기간은 대략적으로 3개월에서 6개월까지라고 볼 수 있습니다. 이 기간 동안에도 흡인천자를 반드시 반복 시행해야 하는데 그 이유는 만약 약물치료 중에도 종양이 계속 커지는지의 여부를 확인하기 위함입니다. 만약 종양의 크기가 계속 자란다면 외과적인 치료가 필요합니다.

갑상선 수술이란?

갑상선 수술이란 혹이나 종양이 있는 갑상선의 일부나 혹은 갑상선 전체를 절제하는 수술을 말합니다. 대부분의 경우 종양이 있는 갑상선의 일부만 절제한 후 정확한 조직검사 후 검사 결과에 따라 수술방법이 정해지기도 합니다.

갑상선 수술 후 나타날 수 있는 부작용에는 출혈, 목소리의 변성, 음식이나 물을 삼킬 때 불편함을 느낄 수 있고(연하 곤란), 혈중 저칼슘 등의 현상이 나타날 수 있습니다. 이러한 부작용 등은 수술 후 2~3주면 자연히 없어지게 됩니다. 수술 후 나타나는 부작용은 수술방법에 따라 차이가 있을 수 있으며 특히, 갑상선 전체를 다 절제한 환자의 경우 수술 후 혈중 저칼슘의 현상이 더 두드러지게 나타납니다.

갑상선 수술 후 가장 중요한 것은 수술 후에도 갑상선 호르몬의 생산을 위해 갑상선 호르몬 약을 계속해서 복용하여야 합니다. 수술 후 혈중 저칼슘 현상이 계속적으로 나타나는 환자에게는 칼슘의 복용이 필요합니다.

하안검 주름 성형 수술

하안검 주름 성형 수술은 의학 용어로 알고 있는 사람들도 많이 있겠지만 여기에 대해 생소하게 느끼는 사람들도 많이 있을 것 같아 하안검 주름 성형 수술에 대해 한 번 더 정확하게 설명을 하려고 합니다.

첫째로 하안검 주름 성형 수술이란 나이가 많아지면서 젊었을 때는 볼 수 없었던 아래 눈꺼풀 밑에 생기는 지방조직을 말합니다. 이 지방조직의 원인은 나이를 먹음으로써 눈 주변의 결합조직이 늘어감에 따라 지방층을 밀어내기 때문에 생기는 것입니다.

그러므로 많은 사람들이 나이보다 더 늙어 보이거나 혹은 눈 주위가 항상 피곤해 보인다는 말을 들을 수 있게 됩니다. 이 불필요한 지방조직을 제거함으로써 좀더 젊고 탄력있는 눈 주위를 갖게 해주는 수술이 바로 하안검 주름 성형 수술입니다.

둘째로 이러한 주름 성형 수술법이 어떻게 변형되어 왔으며 또 발전되어 왔는가를 알 필요가 있습니다.

종전의 수술 방식의 부작용은 무엇이었으며 새로운 수술 방식은 또 무엇이 다른가.

종전의 수술 방식은 아래 눈꺼풀 외부의 피부를 절개함으로써 생기는 외부의 흔적이 제대로 아물지 않을 경우 남은 부작용 혹은 상처 때문에 많은 문제가 생겼습니다. 눈이 처져 보인다거나 눈 모양이 변형되는 경우도 있었습니다. 특히 동양인의 경우에는 상처 자국이 더 선명할 수 있기 때문에 더욱 조심스러운 것입니다.

그러나 새로운 수술 방식(결막전이 하안검 주름 성형 수술)은 눈꺼풀 외부가 아닌 아래 눈꺼풀 안쪽을 절개하는 방법으로써 절개 상태가 전혀 보이지 않으면서 지방 자체를 더 완전히 제거할 수 있는 방식으로 각광을 받고 있습니다.

보톡스(Botox) 주사

나이가 들면서 피부의 노화현상으로 탄력이 줄어들고 얼굴주름이 늘어남을 느낄 수 있습니다. 그 이유의 몇 가지 예를 들면 많은 근육사용, 직사광선 노출 또는 담배와 술 등 여러 가지일 수 있습니다.

자연적으로 생기는 주름 때문에 얼굴 전체가 무겁거나 피곤하고 화가 나 보이는 무거운 인상을 갖게될 수 있어 본인의 나이보다 더 많이 들어 보일 수 있습니다.

인상을 제일 많이 좌우하는 주름으로는 이마의 주름, 미간 사이의 깊은 주름, 눈끝꼬리의 주름을 들 수 있습니다.

주름을 제거하는 방법을 크게 두 가지로 나누어 보면 수술하는 방법과 수술의 방법이 있습니다.

수술방법의 하나로는 내시경을 이용하는 이마 주름수술(Forehead Lift)이 있습니다. 예전처럼 머리 전체를 절개하지 않아도 되기 때문에 회복기간이 많이 짧아졌지만 아직도 수술이기에 직장생활을 하시는 분에게는 부담이 되어 엄두를 내지 못하는 경우가 많습니다. 비수술적인 방법들 중에는 레이저나 케미클필링이 있습니다. 좋은 결과를 얻기 위해서는 전후관리가 중요하고 잘못 관리시 쉽게 재발할 수가 있습니다.

보톡스(Botox) 주사는 요즈음 많이 시행되고 있으며 알려져 있습니다. 이 주사는 보톨리늄 독소(Botulinum A Exotoxin)이며, 보톡스라는 이름으로 보급되고 있습니다. 1982년 미국 FDA에서 허가받은 물질로서 이미 안과에서는 오래 전부터 여러 종류의 안면 치료에 쓰이고 있는 특이한 부작용이 없는 안전한 물질로 알려져 있습니다.

보톡스는 냉동 건조 처리(Freeze Dried) 물질이며 적절한 농도에 맞추어 쓰이게 됩니다.시행방법은 근육에 주사로 투입하여 신경과 근육의 연결부위에서 신경전달 물질 아세티콜린(Acetycholine) 분비를 억제 차단하게 해줌으로써 근육을 움직이지 못하게 하고 힘을 약화시켜 주름을 생기지 않게 하여 펴주게 됩니다. 개인의 근육에 따라 차이가 있지만 주사를 맞은 3~10일 정도 후에는 결과가 나타나기 시작하여 찡그려도 주름이 잘 생기지 않는 것을 느낄 수 있습니다. 약효는 약 3~5개월 정도 유지된다는 것이 단점이지만 이는 매우 안전하다는 뜻과 마찬가지임을 알 수 있습니다. 2~3회 반복 후에는 약 효과가 더 오래 지속되는 확률이 커지고 계속 주사시 주름이 깊어 가는 것을 방지할 수 있기 때문에 젊고 밝은 인상을 조금더 유지할 수 있습니다. 하지만 오래 전부터 지니고 있던 깊고 굵은 주름을 감쪽같이 완전히 없어지게 한다고 생각하면 착오입니다.

이 시술의 장점은 수술보다는 비용이 적게 들고 수술을 두려워하시는 분들에게는 정신적 부담이 적으며 수술 시간이 5~10분 정도 밖에 걸리지 않고 외관상 상처가 거의 없어서 다음날부터 사회생활에 전혀 지장이 없습니다. 이 이유로 많은 남자 분들도 시술을 하고 있습니다.

보톡스의 부작용은 주사를 맞은 주위에 멍이 들거나 부울 수 있고, 눈꺼풀이 단기간 조금 내려올 수도 있다는 것입니다.

시술 전후의 주의 사항을 대충 들면 다음과 같습니다.

수술 1주일 전부터는 비타민 E, 아스피린, 에드빌 종류의 멍을 잘 들게 하는 약들은 사용하지 않는 것이 좋습니다.

수술 후 6시간 동안은 머리를 많이 움직이는 운동, 화장, 미장원에 가는 것을 삼가야 하며, 48시간 이내에는 비행기를 타는 것 또한 삼가야 합니다.

보톡스 주사가 간단하고 쉽다고 아무나 시행할 수 있다고 생각하면 안 되며 좋은 결과를 얻기 위해서는 개인 주름의 정확한 근육 위치와 깊이에 주사하는 것이 중요하기 때문에 전문의와의 상담이 바람직합니다.

11. 황용호 한의사(장춘당 한의원 원장)

- 중국 Norman Bethune 의과대학 졸업
- 북경의학원 제2부속병원 근무(인턴)
- 장춘시립병원근무
  (한약연구원 및 임상주치의로)
- 현재 미국 뉴욕에서 장춘당 한의원 운영
- 월간 건강과 교육 편집 위원

- 주소 : 141-06 32nd Ave.
  Flushing, NY 11354
- 전화 : 718-939-0595

◎ 정확한 보신(補腎)법

◎ 21세기의 건강 주제 "심리양생"

◎ 장수할 수 있는 아홉 가지 체형

◎ 뇌에 해가 되는 열 가지 나쁜 습관

◎ 고혈압 한방요법

◎ 겨울철 음식 중에 예방해야할 세 가지

정확한 보신(補腎)법

사람들은 흔히 보신(補腎)한다고 하지만 대체로 노인이나 남성들의 성기능 저하일 때야만 보신이 필요한 걸로만 알고 있습니다.

신허(腎虛)는 곧 성허(性虛)이고 보신은 곧 보성(補性)으로 생각하고 있기에 보신은 아주 부끄러운 일로 생각하는 것은 아주 잘못된 일입니다.

기실 신허는 인류가 생명활동 중에 쌓인 손상으로서 거의 모든 중, 노년들이 보편적으로 존재하고 있는 증세입니다. 예를 들면 허리와 관절이 시고 쉽게 피로하며, 불면증과 저항력이 저하되며, 성기능도 감퇴합니다.

신허는 남성들만 생기는 것만은 아닙니다. 여성들도 생길 수 있고 노인들만 신허가 발생하는 것이 아니라 중년에도 발생할 수 있습니다.

1) 중년에 보신해야만 정력이 왕성합니다

인생은 40대에 들어서면 마치 태양이 정오(正午)를 넘은 것 같이 충족했던 정력이 서서히 떨어집니다. 40대 후론 정력과 체력이 전과 같지 않을 뿐만 아니라 기억력도 감퇴하고 성기능도 약해지며 백발이 생기고 허리도 휩니다. 40대 중년은 사업에서의 과로로 인한 순환기능 저하로 면역기능이 떨어지고, 건강관리에 대한 의식이 낮고, 장기간의 피로누적으로 인해 신장의 기능은 매우 저조하여 적당한 보양까지도 받아들이지 못하는 상태로 진전됩니다. 그러므로 신허(腎虛)가 쉽게 발생하는 것입니다.

신장은 인체의 모든 정신활동을 지배하기에 신정(腎精)이 충족하면 시력도 좋고 기억력도 강하지만 신정(腎精)이 부족하게되면 뇌가 위축되고 정신이 혼미하여 이명(耳鳴; 귀울림)과 실명(失明), 건망증 등이 생깁니다. 또한 생식계통기능이 정상이라도 중년에 들어서면 신허로 인한 신경과 내분비계 이상으로성호르몬 분비가 감소하여 성기능이 떨어지며, 양위(陽萎; 발기부전)와 조루현상이 나타납니다.

때문에 중년에 보신은 자신과 가족을 위해 절대로 소홀히 해서는 안되며 병후에 약을 먹는 것보다 미리 보신약을 먹고 예방하는 것이 좋습니다.

2) 여성들도 보신을 함으로써 곤경에서 벗어날 수 있습니다

여성들도 남성과 같이 모두 선천의 근본(先天之本; 선천지본)인 신장(腎臟)을 가지고 있습니다. 여성들도 성장, 발육, 노쇠의 각 단계의 생리과정이 모두 신기(腎氣)가 왕성함과 허약함이 밀접히 연관되어 있습니다.

또한 여성들의 특유 생리현상인 월경, 대하(帶下), 잉태(孕胎), 출산(分娩, 분만), 수유(授乳) 등 모두가 신중정기(腎中精氣)와 밀접하게 관련되어 있으며, 여성은 혈(血)을 본(本)으로 기(氣)를 운행하는 것이기에 기혈(氣血)이 월경과 잉태와 발육,

수유의 물질적인 면에서의 기초인 것입니다. 즉 신기(腎氣)가 왕성해야만 여성의 생리현상 기능 모두가 정상으로 될 수 있는 것입니다. 그러므로 여성은 생리상 병리적인 요소의 영향을 받으면 쉽게 신허(腎虛)가 생기는 것입니다.

특히 중년 여성의 신허 비례는 남성보다 더 높습니다. 우리의 전통개념으로는 남성들만이 신허로 보신을 하지만 여성들은 신허의 현실성과

보신의 중요성을 소홀히 하고 있습니다. 흔히 여성들은 허리가 시큰거리거나 팔다리가 아프고 정서불안, 불임증, 폐경, 성냉담 등이 모두 신허에서 오는 것이기에 일단 이러한 증상이 나타나면 곧 신허 치료로 병의 뿌리를 뽑아야 하는 것입니다.

그리고 여성들의 얼굴에 생기는 잡티는 현대의학에서는 내분비 이상으로 생기는 것으로 알고 있습니다만 한의학에서는 신허로도 신경 내분비계 이상이 생기는 것으로 되어 있습니다. 때문에 미모에 손상을 주는 잡티도 사실은 신허와 연관되기에 보신법의 치료를 해야 하는 것입니다.

또한 빈혈은 여성들이 많이 갖고 있는 병입니다. 이것은 여성의 특유한 생리현상인 월경으로 여성들이 정기적으로 소모하는 정혈(精血)인 것입니다. 만약 신중정기(腎中精氣)가 부족되면 신허가 오고, 정혈재생이 어려우면 빈혈이 생기는 것입니다. 그러므로 보신은 정혈(精血)의 근본인 것입니다.

21세기의 건강 주제 "심리양생"

심리양생을 21세기의 건강 주제로 심리학자들은 생각하고 있습니다. 소위 심리 양생이란 바로 양호한 정신상태를 보존하여 정상적인 인체의 기능을 발휘하여 저항력과 건강, 장수의 목표에 도달하는 것입니다.

심리양생이란 어떤 내용들이 포함되어 있는가?
선량(善良) : 선한 마음을 가지고 있으면 타인의 기쁨을 낙으로 삼으며 남의 어려움에 도움주길 즐기며 항상 마음 속에 가볍고 여유감이 있으며, 선량한 사람은 늘 태연자약한 심리상태를 유지하고 있기에 신체의 저항력이 강합니다. 때문에 선량은 심리양생에 없어서는 안될 고급 영양소입니다.

낙관(樂觀) : 낙관은 적극적인 성격으로 인간의 잠재한 능력을 발휘시킬 수 있고 좌절과 어려움을 이겨낼 수 있습니다.

비관(悲觀) : 비관은 소극적인 정서로서 사람들에게 모순만 만들고 어려움 앞에선 아무런 대책이 없으며 이런 심리상태의 소유자는 번뇌와 소심한 정서를 갖게 되므로 건강에 해를 줍니다.

관용(寬容) : 사람들의 사회에서 교제 중 손해를 보거나 오해를 받는 일들을 피할 수 없습니다. 이럴 때일수록 제일 지혜로운 선택은 관용입니다. 관용은 하나의 양호한 심리품격으로서 한 사람의 힘과 도량, 강건한 마음을 나타내는 것입니다.

관용할 줄 모르는 사람은 항상 초조함과 긴장 속에 빠져 있기에 신경이 늘 흥분된 상태에 있고 혈관이 수축돼 혈압이 높아지며 심리적으로 인한 인체의 생리상태가 악성순환에 들어가게 됩니다. 때문에 관용할 수 있는 사람은 마치 자신의 몸에 심리조절기를 안착한 것처럼 모든 분노와 좌절, 미움 등 불량한 정서를 수시로 배출시키기에 항상 평화로운 심리상태를 유지하고 있습니다.

담백(淡白) : 담백은 명예와 이익을 추구하지 않는 고상한 경계이며 인생이 추구할 고층 차원입니다. 담백한 마음을 가지면 인생을 허송세월로 보내지 않을 것이며, 명예를 추구하지 않고 물질적인 욕망이 없으며, 자신이 손해봄을 원망하지 않습니다. 담백한 마음은 모든 건강에 해가 되는 인자가 싹트기 전에 제거할 수 있습니다.

장수할 수 있는 아홉 가지 체형

건강과 장수는 인류의 최종 추구할 목표입니다. 많은 과학자들의 연구와 통계에 의하면 건강과 장수할 아홉 가지 체형이 있으니 소개합니다.

(1) 키가 작은 자

인류는 모두 적당한 키의 신체를 가지고 최대한의 기능을 발휘하고 있습니다. 그러나 표준 키와 비교할 때 작다고 느껴지는 사람 중에 동양인을 예로 든다면 남자의 경우 165~168Cm, 여자의 경우 159~162Cm의 신장의 사람들이 장수한다는 연구 결과가 있습니다.

(2) 약간 통통한 체형

전문가의 연구 결과에 따르면 600만 명을 대상으로 체중과 수명의 관계를 보면 약간 통통한 사람이 체력과 저항력, 항암력 등이 약한 사람보다 강하기에 장수한다는 결과가 있었습니다.

(3) 대머리

남자의 대머리는 대부분 정력이 출중하고 흰머리가 늦게 나며 평균 수명도 80세 이상이라고 합니다. 이유인즉 대머리인 사람은 남성호르몬 분비가 다른 사람에 비해 왕성하기 때문이라고 합니다.

(4) 귀가 긴 사람

대다수의 귀가 긴 사람이 장수하는 원인은 체내의 신기(腎氣)가 왕성함과 관련이 있다고 합니다.

(5) 허리가 약한 사람

허리띠는 길수록 수명이 짧아집니다. 허리가 가는 사람이 70세를 초과할 수 있는 확률이 95%에 해당하고 심장과 혈관질환이 거의 없다는 연구결과가 있습니다.

(6) 첫 태(胎)로 출생한 사람

어머니의 태(胎)로 보았을 때 1~2 태(胎)로 출생한 사람이 90세 고령자 중에 60%이고, 100세의 고령자에서는 70%에 해당합니다.

(7) 녹색환경에서 생활하는 사람

자연의 녹색 또는 화목(花木) 속에서 생활하는 사람은 공기가 혼탁한 도시에서 생활하는 사람보다 수명이 7~8년 더 긴 것으로 밝혀졌다.

(8) 혈액형이 B형인 사람

혈액형이 B형인 사람은 대부분 성격이 온유하기에 장수하는 사람 가운데 83%에 해당한다는 연구 결과가 있었습니다.

뇌에 해가 되는 열 가지 나쁜 습관

(1) 장기적인 과식

뇌의 동맥경화증을 유발하고 뇌의 노쇠현상의 오며 지력(智力)이 감퇴합니다.

(2) 아침 식사를 거르면

정상적인 뇌의 영양공급이 부족하므로 대뇌에 해가 됩니다.

(3) 단 음식을 많이 먹으면

아동들은 지력이 떨어지게 됩니다. 원인은 단 음식을 많이 섭취하면 다른 고단백질과 각종 비타민을 섭취할 기회가 적어지기에 정상적인 발육에 영향을 줍니다.

(4) 흡연

뇌조직을 쉽게 위축하기 때문에 노년이 되면 치매율이 높습니다.

(5) 수면 부족

뇌의 피로를 제거해주는 방법은 오직 수면이나, 장기간 수면이 부족하면 뇌세포가 신속히 쇠퇴해지기에 총명한 사람도 총기를 잃어버립니다.

(6) 말이 적으면

말이 적으면 뇌의 기능과 발육이 저하됩니다.

(7) 공기 오염

뇌는 전신에서 최대로 산소를 소모하는 기관입니다. 때문에 충분한 산소가 공급되어야만 뇌의 정상적인 기능을 발휘할 수 있습니다.

(8) 잘 때 이불을 머리까지 덥고 자면

이불 속의 이산화탄소 농도가 높아지고 산소 농도는 낮아지기 때문에 뇌에 치명적일 수 있습니다.

(9) 사고력이 없는 사람

사고력은 뇌를 단련하는데 가장 좋은 방법입니다. 머리를 쓰기 싫어하면 대뇌가 신속히 퇴화하고 총명한 자도 어리석어 집니다.

(10) 몸에 질환이 있을 때

이때 공부를 하거나 사업을 계속하면 효율도 저하될 뿐 아니라 쉽게 뇌에 손상을 줍니다.

고혈압 한방요법

고혈압은 흔히 있는 병으로써 일단 고혈압으로 형성된 후엔 치유하기 어려운 만성질환입니다.

고혈압은 하나의 증상뿐이지 독립적인 질환은 아닙니다. 이 증상은 각종 질병으로 인해 발생됩니다.즉 내분비에 질환으로 인한 고혈압(갑상선 기증 항진과 종양 등)과 뇌부질환으로 생기는 고혈압(뇌종양과 뇌외상) 그리고 혈관질환으로 생기는 고혈압(주독맥 협소증 등) 또 신장질환으로 생기는 고혈압(신염, 신장동맥 협소증), 이상의 질환으로 생기는 고혈압을 고혈압이라고 합니다.

고혈압에 대한 치료는 주로 증상과 병의 원인을 주로 합니다.

• **원발성(原發性) 고혈압** : 주로 중 · 노년에 많이 생기는 질환으로 고혈압 환자 중 80% 이상을 차지합니다. 현대의학에선 아직 이 원인을 철저히 알지 못하기 때문에 이 병명을 원인 불명한 고혈압이라고 합니다.

고혈압 초기엔 주로 혈압이 상승하는 것 외에 다른 이상한 감촉을 못 느끼기에 모두 혹시나 하기가 쉽습니다. 그러나 일부 다음과 같은 증세가 나타납니다.

1) 두통 부위는 주로 뒷머리에서 태양혈에 뛰는 감촉과 목의 박동감이 느껴집니다. 일부는 머리가 무겁고 압박감이 생기기도 합니다.
2) 머리가 어지럽고 귀에서 소리가 나며 빈혈증과 실명이 생깁니다.
3) 손발이 저리고 근육이 시며 손과 팔에 벌레가 기어가는 느낌이 생깁니다.

4) 한쪽 혹은 양쪽 시력이 희미해집니다.

이상 증세가 나타나면 즉시 전문 의사의 진단을 받아야 합니다.

한의학에선 고혈압이란 병명이 없습니다. 때문에 한의학에선 고혈압증을 두통, 현기증, 중풍, 간양 등으로 보는데 이 증세는 주로 풍, 화, 담 허증으로 시작하여 간과 신의 두 경락의 질병으로 신음부족(腎陰不足)과 간양상한증입니다. 그러기에 고혈압증에 한방치료는 주로 풍(風), 화(火), 담(膽) 허증(虛症)에서부터 손을 써야 합니다.

현대의학에선 정신적인 요소가 고혈압에 큰 영향을 끼치는 것으로 알고 있습니다. 장기간의 긴장한 생활, 지속적인 정신적 압력, 자극과 정서의 파동으로 대뇌피질의 정상적 기능을 상실하게 되며, 전신 소동맥이 수축되어 혈압이 올라가게 됩니다. 때문에 정신적인 요소가 고혈압에 아주 큰 영향을 주게 됩니다.

이외에도 유전과 비만, 부당한 식생활에서도 연관되기에 평상생활에서 긴장을 풀고 음식조절과 적당한 운동이 건강에 아주 유익합니다.

겨울철 음식 중에 예방해야할 세 가지

겨울철엔 우리들의 일상 식생활에서도 열량이 높은 음식들을 찾게 되지요. 이런 고열량의 음식들을 먹게 되면 체내에 많은 정상 수치가 변화됩니다. 즉 요산과 혈지(血脂), 콜레스테롤 수치가 높아지게 됩니다.

많은 사람들은 추운 계절이라 몇 달간은 괜찮으리라 생각하고 음식을 절제하지 않고 지방과 고칼로리 식품들로 폭식함으로써 질병과 비만증의 기회를 만들어 주고 있습니다.

요산은 세포가 신진대사 중에 생성된 노폐물로서 일단 요산이 증가되어 원활하게 체외로 배출되지 않을 경우 요산의 결정체가 점차 체내의 말초관절에 침체되어 요산 수치가 높아지며 통풍증세가 나타납니다.

요산 수치를 적게 하려면 우선 식생활에서 주의해야할 것은 고단백질 식품들, 동물 내장, 고기류, 적당한 량을 초월한 술 등, 폭음폭식을 피해야만 요산 수치를 적게 할 수 있습니다.

또한 콜레스테롤이 높거나 중성지방이 높아도 모두 고혈지증으로 진전되게 됩니다. 초기엔 아무런 증세도 없지만 점차로 동맥경화증, 관장동맥 심장병, 뇌중풍, 주동맥분리 등의 기회가 옵니다.

콜레스테롤은 많은 만성질병의 추진기로서 세월이 흐를수록 건강에 불리한 다음과 같은 질병을 유발합니다.

1) 동맥경화

체내 콜레스테롤의 높은 수치, 또한 중성지방의 이상으로 동맥경화로 변하여 혈액순환이 불순하고 혈액이 응고되며, 혈관이 막혀 국부세포가 사망합니다.

2) 협심증

심장주변의 관장동맥 경화로 심장이 충분한 산소를 섭취 못하여 흉부에 통증과 압박감이 생깁니다.

3) 심근경색

협심증과 더욱 위험한 증세로 주로 관장동맥경화증으로 인한 것입니다.

4) 중풍

콜레스테롤의 과다로 인해서 뇌혈관장애로 생기는 뇌일혈 등이 생깁니다.

당뇨병

콜레스테롤과 혈당과의 관계는 아주 밀접한 관계로 당뇨병 환자는 통상 합병증으로 고콜레스테롤증입니다.

중추성 현기증

경추에 동맥경화증 후로 인한 경부긴장감과 통증, 이명, 구토, 현기증 등입니다.

때문에 우린 혈중 콜레스테롤을 저하시키기 위해 저열량, 저지방 음식과 적당한 운동으로 체중을 조절하여야 하며 야채, 과일 등을 많이 섭취하여야 합니다.

12. 이현수 M.D. (이현수 피부과 원장)

- 미국 피부 전문의 협회 회원
- 미국 피부 전문의
- 미국 피부 병리학 전문의
- Yale 대학
- Stony Brook 의대
- NYU 의대 피부과 Residency
- NYU 의대 피부병리학 Fellowship
- NYU 의대 피부과 임상 교수

- 주소 : 41-61 Kissena Blvd.
  Concourse Level #5A
  Flushing, NY 11355
- 전화 : 718-886-9000
  www.leedermatology.com

◎ 잡티(Solar Lentigo)

◎ 주근깨 1

(Freckles, Ephilids, Lentigenes1)

◎ 주근깨 2

(Freckles, Ephilids, Lentigenes2)

◎ 오타양 반점(Indiopathic

Guttate Hypermelanosis)

◎ 대상 포진(Herpes

Zoster or Shingles)

잡티(Solar Lentigo)

잡티는 기미나 주근깨를 제외한, 얼굴에 나타나는 지저분한 흑자를 일컫는 것입니다. 주근깨보다는 크고 계절에 관계없이 1년 내내 있으며 한번 생기면 없어지지 않는 것이 특징입니다.

원인

잡티는 아무런 보호장치 없이 오랜 시간 반복해서 햇빛에 노출되었을 때 얼굴, 손 등에 갈색 반점 형태로 생깁니다. 이밖에도 건선이나 백반증 등의 피부질환을 치료하기 위해 자외선을 쐬는 환자의 경우 온몸에 잡티가 생길 수 있습니다.

잡티는 특히 백인에게 훨씬 빨리 많이 생기는데, 60세 이상의 백인 가운데 90% 이상이 잡티를 갖고 있습니다.

나이가 들수록 발생빈도가 증가하고 노출 부위에만 생기는 것으로 볼 때, 피부에 축적된 자외선의 양이 잡티와 밀접한 관계가 있는 것으로 보입니다.

우리나라 사람 중에서도 흰 피부를 가진 사람은 자외선에 특히 약하기 때문에 보통 사람들보다 잡티가 빨리 생길 수 있습니다. 여름만 되면 피부를 갈색으로 태우는 사람이 많은데, 지나친 선텐은 피부노화를 촉진하고 기미나 잡티를 유발시킬 수 있음을 유념해야 합니다.

치료

1. 화학박피

화학박피는 인체에 해가 없는 화학약품을 잡티가 있는 부위에 살짝 발라서 그 부위를 벗겨내는 방법입니다. 상태에 따라 다르지만 1~6개월 가량 치료를 받아야 어느 정도 없앨 수 있습니다.

2. 레이저 치료

멜라닌 색소만 선택적으로 파괴하는 특수한 광선을 잡티 부위에 쬐여 갈색 색소를 파괴하는 치료법과 어비움야그 레이저로 잡티 부위를 얇게 벗겨내는 레이저 필링법이 있습니다. 어떤 레이저 수술법이든 좋은 결과를 얻을 수 있습니다.

3. 냉동요법

냉동요법은 극저온의 액체 질소나 드라이 아이스로 잡티부분을 살짝 얼려서 없애는 적절한 치료법으로 잘 제거하면 재발하는 경우가 거의 없습니다.

잡티와 주근깨를 확실하게 구별하는 법

1. 주근깨는 10대 초반에 생기지만, 잡티는 주로 20대 후반이나 30대에 나타납니다.

2. 또 주근깨는 자외선의 양에 따라 색깔이 변하지만, 잡티는 자외선의 양과 상관없이 1년 내내 같은 색을 띱니다.

3. 주근깨는 햇빛에 노출되는 부위인 얼굴, 손에 많이 생기며, 잉크를 뿌려놓은 듯한 진한 갈색 반점입니다. 잡티도 주로 얼굴에 생기지만 주근깨보다 크고 모양은 동그랗거나 타원형 등 일정하지 않은 특징이 있습니다.

주근깨(Freckles, Ephilids, Lentigenes) 1

〈원인〉

얼굴에 생기는 색소성 피부질환 중 10대 초반에 생길 수 있는 것은 '주근깨'가 가장 흔합니다. 주근깨가 생기는 원인 중 가장 중요한 것은 유전적 요인입니다. 대개 3세 이전부터 발생하기 시작하여 사춘기 이후가 되면 본격적으로 나타나는 것이 주근깨의 특징입니다. 대부분의 환자들에게서 부모, 형제 아니면 가까운 친인척 사이에 주근깨가 있는 것을 볼 수 있는데, 이것은 주근깨가 '상염색체 우성' 형태로 유전되기 때문입니다.

일반적으로 주근깨는 흰 피부를 가진 사람, 붉은 색 모발이나 금발머리를 가진 사람, 햇빛에 의해 일광화상을 쉽게 입는 사람 등에서 잘 생깁니다. 따라서 주근깨는 백인에게서는 거의 예외 없이 나타나는데, 영화 속에서 볼 수 있는 금발의 미인들도 실제로 가까이 다가가 살펴보면 얼굴 뿐 아니라 햇빛에 노출되는 목에서 어깨까지 주근깨 투성이인 것을 볼 수 있습니다. 그렇지만 백인들 사이에서는 주근깨가 없는 사람이 오히려 이상할 정도로 흔한 색소성 피부질환이기 때문에 주근깨를 미용적인 면에서 별로 중요하게 생각하지 않습니다.

그러나 우리나라에서는 예로부터 맑고 깨끗한 피부가 아름다움의 한 기준으로 자리잡을 만큼 희고 깨끗한 피부를 중요시 해왔습니다. 따라서 얼굴에 좁쌀처럼 흩어져 있는 주근깨는 젊은 여성들에게 미용상 많은 고민을 안겨줄 수 있습니다. 동양인 중에서도 피부가 유달리 흰 사람들이 있는데, 이런 피부를 가진 사람은 자외선에 예민하게 반응하여 주근깨가 더 쉽게 생길 수 있음을 명심해야 합니다.

이와 같은 주근깨는 이차적으로 햇빛에 의해 더 악화될 수 있습니다. 햇빛 속에는 여러 가지 파장의 빛이 섞여 있는데 그 중에서 특히 290~400nm 파장의 자외선이 피부에 있는 멜라닌 세포를 자극하여 주근깨를 악화시킬 수 있습니다. 자외선은 봄부터 강해지기 시작해서 여름철에 가장 강해지고 겨울철에는 약해집니다. 따라서 주근깨도 여름철에는 색깔이 진해졌다가 겨울이 되면 옅어지는데, 경우에 따라서 완전히 없어질 때도 있습니다.

이와 같이 자외선의 세기에 따라 주근깨의 색깔이 변하는 반면 20대 후반이나 30대에 생기는 '잡티(흑자)'는 햇빛에 의해 그 색깔의 정도가 변하지 않습니다. 잡티는 그 모양이 주근깨와 거의 비슷하지만 이런 차이점으로 구별할 수 있습니다. 주근깨는 크기가 5~6mm 이하로 잉크를 뿌려놓은 듯한 모양의 짙은 갈색의 불규칙한 경계를 띠는 반점이 햇빛에 노출되는 얼굴에 주로 생기지만, 손등이나 앞가슴에서도 발생할 수 있습니다.

〈 치료 〉

주근깨를 없애기 위해 피부과에서는 그 동안 여러 가지 방법을 시도해왔습니다. 그 결과 화학적 탈피술(Chemical Peeling)과 레이저 치료(Lacer Operation)가 널리 알려져 일반적으로 시술되고 있습니다.

화학적 탈피술이란 것은 인체에는 해가 전혀 없는 화학약품들(TCA나 AHA)을 이용해서 주근깨 부위를 살짝 벗겨내어 제거하는 방법입니다. 탈피술은 대상 환자의 피부 두께나 주근깨의 색깔, 부위에 따라 각기 다른 농도의 약물을 선택해야 되고, 이때 사용되는 약물이 정상 피부에는 퍼지지 않도록 하는 조심성이 필요한 아주 까다로운 수술법입니다. 또한 표피 전층을 완전히 벗겨내야 하는 수술이므로 경험 없이 함부로 시술하게 되면 오히려 주근깨보다 더 보기 흉한 흉터를 남길 수 있으므로 반드시 충분히 교육받고 시술 경험이 풍부한 피부과 전문의에게 치료를 의뢰하는 것이 좋습니다.

화학적 탈피술을 시행 받으면 주근깨의 갈색이 순간적으로 하얗게 되고 이때 따끔한 느낌이 듭니다. 통증은 심하지 않으므로 전신마취는 필요 없고 통증을 잘 참지 못할 경우에는 바르는 마취약을 이용해 국소마취를 할 수도 있습니다. 시술 후 3~4시간이 지나면서 원래의 갈색보다 더 진한 고동색의 딱지(가피)가 만들어지고, 이 딱지를 2주 정도 잘 유지하면 새로운 피부가 자라나면서 저절로 딱지는 떨어지고 새로운 피부가 나타나게 됩니다. 이때 새로이 만들어진 피부는 약간 붉은 색을 띠게 되는데, 이때부터 햇빛(특히 자외선)을 조심해야 합니다.

레이저 수술요법은 적절한 기종의 레이저를 선택해서 주근깨 부위의 갈색색소만을 선택적으로 파괴하는 방법과 화학적인 탈피술과 비슷하게 레이저를 이용해 탈피술을 시행하는 레이저 탈피술이 있습니다.

먼저 갈색의 색소만 파괴하는 방법은 532nm의 파장이 발생하는 Nd:YAG 레이저로 멜라닌 색소를 없애는 것입니다. 레이저를 병변 부위에 쏘게 되면 곧바로 색소가 파괴되면서 하얗게 됩니다. 이때 가벼운 통증이 있으므로 보통 수술 1시간 전에 마취약을 바르고 난 후 피부를 통해 마취약이 흡수되어 진통효과가 나타나면 수술을 시작하게 됩니다. 희게 변한 주근깨는 화학적 탈피술 때와 마찬가지로 서너 시간 후에는 집은 고동색의 딱지로 변합니다. 그 이후의 경과는 화학적 탈피술과 동일한 과정을 거치게 됩니다.

레이저 탈피술을 시행하는 경우에는 Erbium: YAG를 이용해서 하게 되는데, 이 레이저는 화학적 탈피술과 비슷한 원리로 피부의 표피층만을 제거할 수 있습니다. 주근깨의 색소는 피부 표피층에만 있으므로 표피층이 완전히 증발해버리고 깨끗한 진피만 노출됩니다. 이때 역시 가벼운 통증이 있을 수 있으므로 바르는 화학적 탈피술을 시술했을 때와 동일한 과정을 겪게 됩니다.

즉, 주근깨를 치료하는 기본 원리는 정상조직에는 상처를 주지 않고 주근깨 부위만을 제거해 내는 것입니다. 그 방법으로 화학적 약품(TCA, AHA)이나 레이저(Nd: YAG, Erbium: YAG) 등을 이용하는 방법상의 차이가 있을 뿐입니다. 어떤 방법을 사용해서 시술하더라도 수술 후에 주의해야할 사항이 많습니다.

주근깨(Freckles, Ephilids, Lentigenes) 2

1. 시술 후에 생기는 딱지를 잘 붙여 두어야 한다

화학적 탈피술이나 레이저 수술 후에도 마찬가지로 딱지는 생깁니다.

이 딱지를 2주일 동안 잘 유지해야 좋은 수술 결과를 얻을 수 있습니다. 2주 사이에 딱지 아래에서 새로운 피부가 만들어지기 때문인데 세수는 할 수 있지만 딱지가 떨어지지 않도록 가볍게 해야 하며, 비누질은 손바닥으로 거품을 낸 뒤 톡톡 두드리듯 하면 됩니다. 세안 후에는 깨끗한 수건으로 두드려서 물기를 걷어내면 딱지는 떨어지지 않습니다. 세

안을 마친 다음 처방 받은 연고나 물약을 가볍게 발라 주는 것이 좋습니다.

2. 딱지가 떨어진 다음에는 자외선 차단에 신경을 써야 한다

딱지가 떨어진 피부는 정상피부에 비해 약간 희고 붉은 색을 띱니다. 새로이 만들어진 피부인데 이때 자외선을 쪼이면 치료한 부위에 과색소침착이 생겨 주근깨와 비슷한 갈색의 색소가 남을 수 있습니다. 이것을 방지하기 위해 자외선 차단제를 반드시 사용해야 하며, 약간 짙은 메이컵을 하는 것이 좋습니다. 자외선 차단제는 SPF(일광 차단지수)가 15 이상 30 이하인 것을 사용하는 것이 좋고, 작용시간이 있으므로(3~5시간) 아침에 바른 다음 점심 때 한 번 정도 덧발라주어야 충분한 자외선 차단 효과를 얻을 수 있습니다. 자외선 차단제뿐만 아니라 약간 짙은 메이컵을 하게 되면 가시광선까지 막을 수 있으므로 딱지 떨어진 후 3개월 정도는 메이컵에도 신경을 쓰는 것이 좋습니다.

3. 피부가 깨끗해진 다음에도 주치의의 처방에 따라 3~4개월 간 약을 잘 발라야 한다

피부가 깨끗해지면 치료가 끝난 것으로 생각하기 쉬운데 주근깨의 경우 재발이 잘 될 수 있습니다. 이것을 방지하기 위해서 밤에만 바르는 연고제가 있습니다. 피부재생제, 착색방지제 등인데 이들 약제는 자외선을 받으면 약 성분이 모두 파괴되므로 반드시 밤에만 발라야 합니다. 즉, 낮에는 자외선 차단제, 밤에는 연고제를 3~4개월 간 발라야 합니다. 밤에 바르는 약들은 피부에 자극이 있을 수 있으므로 처음에는 적은 양으로 시작해서 점차 그 양을 늘려 가는 것이 좋습니다. 또한 연고를 바를 때 마사지하듯이 충분히 문질러 약이 피부 깊숙이 침투하도록 해야 합니다.

주근깨 예방 생활수칙

앞에서 모두 언급된 이야기지만 마지막으로 꼭 강조하고 싶은 것을 정리해 보겠습니다.

첫째, 유전성 질환이고 치료 후에도 재발할 수 있다는 사실을 이해하고 너무 치료에 집착하지 않는 것이 좋습니다. 치료시기는 미용에 각별히 신경이 쓰이는 연령(고교 졸업 이후) 이후로 하는 것이 좋은데 왜냐하면 3~5년이 지나면 서서히 재발하기 때문입니다.

둘째, 주근깨의 악화를 방지하기 위해 자외선 차단제를 생활화하는 것이 좋습니다. 뿐만 아니라 가시광선 영역까지 막을 수 있게 적절하게 화장을 하는 것이 좋습니다.

셋째, 치료 후에도 국소 도포 탈색제와 피부재생연고를 전문의의 지시에 따라 꾸준히 사용하여 재발을 억제하는 것이 좋습니다. 어떤 질병이든 그것이 치료하기 곤란하고 재발이 잘 될 때에는 여러 가지 근거 없는 치료법이나 말도 되지 않는 특효약이 횡행하는 경우가 많습니다. 주근깨의 경우도 예외가 아닌데, 이 글을 읽고 주근깨에 대해 충분히 이해하며 근거 없는 소문에 현혹되지 않을 수 있었으면 하는 바람입니다.

오타양 반점
(Indiopathic Guttate Hypermelanosis)

〈 원인 〉

양쪽 광대 뼈 부위에 갈색 반점이 생기면 대부분 '기미'라고 생각하기 쉬운데, 임신 경험이 전혀 없는 미혼 여성에게 기미가 생기는 경우는 거의 없습니다. 흔히 기미로 잘못 알고 있는 이 반점은 ABNOM이라는 영어 약칭으로 불리는 '오타양 반점'입니다.

오타양 반점은 일종의 회갈색 점으로 기미와는 완전히 다른 질환이며, 우리나라나 일본 여성에게 잘 생기는 것으로 알려져 있습니다. 사춘기 이후부터 생기기 시작해서 점점 그 수가 늘어납니다.

오타양 반점은 관자놀이 부분, 콧구멍 주위, 이마의 양쪽 가장자리 등 얼굴의 여섯 군데에만 한정적으로 나타납니다.

오타양 반점이 생기는 원인은 아직 뚜렷이 밝혀지지 않고 있습니다. 인종에 따라 발생 빈도에 차이가 있어 극동지방의 황인종에서 흔히 발생하고, 사춘기 이후의 여성에게 잘 생기는 것으로 미루어 여성 호르몬의 영향을 받는 것으로 짐작됩니다. 또 기미와 달리 자외선의 영향을 받지 않고 계절에 따라 색깔의 차이가 나지 않습니다.

〈 치료 〉

현미경으로 오타양 반점의 조직을 살펴보면 색소 세포가 있어서는 안되는 진피 상부에 색소 세포가 퍼져 있습니다. 따라서 일반적인 박피술이나 국소도포 탈색제로는 치료 효과를 기대하기 어렵습니다.

최근에 개발되어 사용되고 있는 엔디야그 레이저나 알렉산드라이트 같은 레이저로 진피 안에 퍼져 있는 색소 세포를 선택적으로 파괴하면 흉터를 남기지 않고 미용적으로 만족할 만한 효과를 기대할 수 있습니다. 4주일 간격으로 3~4회 반복 치료합니다.

치료하고 나면 홍반이나 일시적인 과색소 침착이 생길 수 있으나, 3~4 개월 지나면 대부분 저절로 없어지므로 크게 신경 쓰지 않아도 됩니다.

대상 포진(Herpes Zoster or Shingles)

〈 발생원인 〉

대상 포진은 수두를 일으키는 바이러스로서 수두를 앓은 사람의 신경 세포 내에 잠복해 있다가 다시 활동을 시작해 대상 포진을 일으킵니다.

대상 포진은 건강한 누구에게나 나타날 수 있습니다. 그러나 대부분 면역이 억제된 환자나 노인들에서는 대상 포진 발생률이 높습니다. 나이는 포진 후 신경통의 발생과도 밀접한 관계가 있는데 이는 대부분 50세 이상의 환자에게 나타납니다.

〈 증상 〉

대상 포진은 몸의 어느 곳에나 나타날 수 있는데 물집이 군집을 이루거나 띠 모양으로 몸의 한쪽에만 생기는 경우가 많습니다. 사람에 따라서는 물집이 생기기 전, 그 부위에 심한 통증, 가려움증 또는 감각 이상을 느끼기도 하며, 간혹 열이나 두통이 발생하기도 합니다. 물집이나 농포(고름집)는 터져서 부스럼이 된 후 딱지가 앉거나 아니면 그대로 흡수되어 흑갈색의 딱지를 형성했다가 떨어지면 낫게 됩니다. 완전히 치유되는데도 2~3주 정도가 걸리는데, 치유된 후에도 통증이 계속될 수 있습니다.

대상 포진은 전염될 수 있지만 전염되면 대상 포진이 아닌 수두를 앓게 됩니다.수두를 앓은 적이 없는 사람, 신생아나 면역이 억제된 환자(에이즈, 항암치료, 방사선 치료 등)나 노인들에게 전염될 위험성이 높으나 대상 포진은 수두보다는 전염성이 높지는 않습니다.

항암제와 같은 면역을 억제시키는 약을 복용하고 있거나 에이즈에 감염된 환자는 반드시 의사에게 알려야 합니다.

대상 포진은 피부과전문의 진료를 필요로 하며, 보다 정확한 진단과 치료를 위하여 이에 따른 피부세포 검사나 실험이 따를 수도 있습니다.

13. 배명의 한의사(배한의원 원장)

- 경희대 한의과 및 대학원 졸업
- 경희대 한의과 대학 및 한의학 교수
- 한국한의사 국가고시위원 (국립보건원 지명)
- 대한 한의학 석사회 이사
- 뉴욕 주정부 면허소지
  뉴욕 주정부 한의사 시험관
- 미주 한의사
- 한국 한의사
- 미 Acupuncture Institute of America
- Acupuncture Director 및 교수

- 주소 : 36-09 Main Street, #203
        Flushing, NY 11354
- 전화 : 718-461-0338
- e-mail: baeomd@yahoo.com

◎ 육극증(六極症)

◎ 허로증(Chronic Fatigue)

◎ 혈극증(血極症)

◎ 폐로증(肺勞症)

◎ 심로증(心勞症)

◎ 칠상증(七傷症)

육극증(六極症)

육극증이란 허로증이 시일이 경과하면서 아래 여섯 가지 증세가 서서히 나타나는 병변입니다.

1. 근극(筋極).
근육에서 경련이 일어나며 손과 발톱에 통증이 오는 병입니다.

2. 골극(骨極).
치아가 요동하며 팔 다리에 동통이 오고 장시간 서 있지 못합니다.

3. 혈극(血極).
안면에 혈색이 없고 머리털이 많이 탈락하는 병입니다.

4. 육극(肉極).
몸 근육에 벌레 같은 것이 기어다니는 것 같은 감각이 느껴지며 근육이 수척해지고 검은 색상을 띠는 증상이 옵니다.

5. 정극(精極).
원기가 없고 무력하며 안면이나 몸이 윤택하지 못하고 가려우며, 긁으면 피부에 창상이 생기고 서있으면 안정하지 못하게 됩니다.

6. 기극(氣極).
흉협부(胸脇部, Chest Flank)에서 비만감, 즉 가스 같은 것이 가득 차서 답답하며 분노(Angry)를 잘 일으키며 기의 부족으로 숨찬 것 같이 언어에 곤란을 느끼는 이상입니다.

이상의 육극증은 오로증과 같이 심한 동통을 받는 것이 아니기 때문에 치료에 등한시 하다가 시일이 지나면서 육극증의 증상이 표면으로 나타나는 병변으로 시일이 지나면 다음에 칠상증(七傷症)이 발생하게 됩니다.

근극증(筋極症)의 원인과 증상 및 치료

본증은 근에 경련과 수족의 조갑(爪甲, Nail)에 통증을 느끼는 병변입니다. 한의학적으로 간은 오행의 목(木)에 속하는데, 보통 근육(筋肉)이라고 하지만 실제로 근(筋)과 육(肉)은 구별됩니다. 근은 힘줄(Tendon, Ligament)이라고 하며, 육은 살갗(Muscle)을 말하는데 여기에 근은 간과 관련이 있고 또 모두 목(木)에 속하는 것입니다.

원인 : 과로나 무리한 생활에서 허로증이 오고, 허로증이 된 간은 다시 간로증이 되며 회복되지 않은 상태에서 시일이 지나면 근극증으로 이환하게 됩니다.

증상 : 근에서 경련이 자주 발작하며 손, 발톱에 통증이 오고, 손끝이 몹시 예민합니다.

치료 : 이 증상은 침술치료는 별로 권할만한 것이 못됩니다. 특수 보법으로 장기간의 치료를 시도할 수는 있다고 봅니다. 주로 한약의 좋은 화제로 다른 계통에도 이상이 왔는지의 여부를 잘 진찰하여 바른 화제를 선용해야 합니다.

주의 : 간에 무리가 되지 않도록 주의해야 하며, 화를 자주내는 것도 노즉상간(怒則傷肝)이라고 하여 간에 해가 됩니다. 근극증상이 온 경우에는 심한 노동을 삼가고 안정해야 하며 한약을 복용하는 경우에는 보간성약을 가미하여 사용해야 합니다.

허로증(Chronic Fatigue)

이 병은 일반적으로 간주하지 않고 하나의 피로에서 권태감과 무력 (Debility) 전신지절통(Body ache) 등의 증상이 오는 것으로 가볍게 여기는 경우가 많습니다.

한의학적으로는 허로증을 하나의 중요한 병변으로 취급하고 구체적으로 설명하고 있습니다. 허로증을 의역하여 말하면 피로에 의한 허약한 상태로 오는 병을 의미하며 허로증은 총괄적인 명명이고 이것을 분류하면 각 오장육부에 오는 허로가 있고, 이것이 시일이 경과되면 육극증(六極症)이라고 하여 인체의 부분에 이상이 나타나게 되며, 다음은 칠상(七傷)으로 일곱 군데에 오는 병변으로 분류하고 있습니다.

예를 들면 머리털이 많이 탈락하는 것이나 손톱과 발톱이 부러지기 쉽고 모양이 굴곡되고 피부가 거칠어지는 등의 여러 가지 증상이 있으나 이것은 동통을 수반하지 않기 때문에 치료에 관심을 갖지 않는 경우가 많습니다. 다른 예로 남성의 경우에 정청이라고 하여 정액이 말라진 상태 혹은 유정몽설(遺精夢泄)이라고 꿈속에서 사정을 하는 것 등은 다 허로증에 의한 병변이라고 할 수 있습니다.

〈 원인 〉

허생백병(虛生百病)이라는 말이 있듯이 허하면 여러 가지 병이 올 수 있다는 것인데 대개는 허약성에 대해서는 무관심 하는 경우가 많습니다. 여기서 원인을 참작하여 허로증의 예방에 관심을 갖는 것도 중요하다고 봅니다.

허로증이 발생하기 쉬운 환경이나 조건은 우리 주변에 항상 같이 하고 있습니다. 술을 지나치게 마시는 것이나 술에 취하거나 과로한 상태에서 성행위를 갖는 경우, 혹은 신경을 많이 쓰고 과민상태에서 과로를 하는 경우 등 여러 가지가 있습니다.

신기(腎氣)가 약해지면 수생목(水生木)이라고 하여 신장의 기가 부족하여 목(木)에 속하는 간(肝)을 양생하지 못하게 되고 또 신경을 많이 써서 심장의 열이 금(金)에 속하는 폐를 상극하여 결국은 오장육부가 다 허약해지게 됩니다.

〈 증상 〉

오장의 허로증은 눈이 피로하고 시력이 약해지며 심장이 잘 두근거리며 맥 혈액순환이 약해지고 근육이 거칠고 사지가 무력하며 단기(Shortness of breath)라고 하여 호흡이 짧고 코를 많이 골며 소변을 자주보고 정액이 맑아지는 증상이 나타납니다. 여러 가지 증상이 오는데 모두다 통증을 수반하지 않는 것이 특이합니다. 누구나 이러한 증상이 오면 회복에 관심을 갖는 것이 바람직합니다. 최초에는 가벼운 경증으로 생각 하지만 시일이 지나면서 치유가 용이하지 못하며, 과로에 의하여 사망하는 것도 실은 허로의 극치에 와서 오장의 기가 모두 단절되어 생을 잃게 되는 것입니다.

〈 치료 〉

한약치료를 권하면서 과로 무절제한 생활, 과음, 지나친 사정, 혹은 과로한 상태에서의 성행위 등을 삼가하고 진찰을 잘해서 오장육부 육극 칠상 등 어떤 계통에 허로증이 왔는지 알아서 바른 화제를 복용해야 합니다. 한 예로 손톱이 잘 부러지고 굴곡된 이에게 신기와 간기의 허로로 진찰결과가 나와서 여기에 해당하는 화제로 효과를 본적이 있습니다. 최초에는 인체의 작은 한 부분에 무통성의 이상이 온다고 하면 내적으로 해당 장기에 허로가 와있다는 신호로 보고 참고하면 좋은 예방이 될 수 있습니다.

혈극증(血極症)

허로증이 경과가 지나면서 육극증(六極症)으로 이환되는 것으로 심장의 허로와 관계가 있습니다. 본래 심장은 안면과 혈행을 주장하기 때문에 안색이나 혈행에 의하여 영양을 공급받는 부위에 허쇠현상을 초래하게 됩니다.

〈 원인 〉

혈극증은 오로증(五勞症) 중에서 심장의 허로증이 시일이 경과하면서 발생합니다. 심장의 허로증은 과격한 감정변화에 의하여 다시 말하면 신경을 많이 쓰고 화(분노)를 심하게 발하여 신경성으로 오는 경향이 있습니다. 일반에서 신경을 많이 쓰고 지나친 정신고통을 받으면 머리가 쉬고 많이 탈락한다는 말을 들은 적이 있습니다. 대개 부모가 자식으로 인하여 너무 고민을 하여 머리가 쉬고 빠졌다고 하소연하는 말을 가끔 듣게 됩니다. 신경을 지나치게 쓰고 시일이 오래 경과하면 가슴에 화열이 생기고 심장의 허로증이 오고, 또 시일이 지나면 혈극증이 되는 것입니다.

〈증상〉

우선 안면이 창백하고 입안에 창상이 오는데 혹은 구내염(Stomatitis)이 와서 이 창상으로 음식섭취에 대단히 불편을 느끼게 됩니다. 목욕 시에 머리카락이 많이 빠지는 것이 특징입니다.

〈치료〉

한의학적으로는 심열을 청열시키고 보음성의 화제를 투여하는데 입안에서 자주 창상염증이 오는 경우에는 청열제에 구강에 관한 약제를 잘 선용하여 복용토록 합니다.

〈주의〉

대개 허로증은 심한 통증을 수반하지 않기 때문에 치료에 등한히 하는 경우가 얼마든지 있습니다. 머리털이 좀 빠진다고 해서 아픔의 괴로움도 없고 안색이 다소 창백하다고 해도 그런대로 지낼 수가 있다고 보아서 치료에 관심은 멀리 두고 있는 것이 보통입니다.

육극증이나 칠상증이 되면 통증으로 고통이 되는 것도 있고, 고통을 느끼지 못하는 것도 있지만 육극증이나 칠상증이된 후에 치료를 받는 것보다는 초기에 치료하는 것이 중요합니다. 예를 들면 칠상증에 정청(精淸)이나 정소(精少)가 되는 경우가 있는데, 정청은 정액이 맑아져서 수액같이 되는 것이며, 정소는 정액이 매우 적은 것을 의미합니다. 아직 칠상증에 대해서는 후일에 소개하겠으나 이때에 치료를 받으려는 경향이 많습니다.

혈극증이 있는 사람은 치료를 받으면서 매운 음식을 삼가고 신경을 많이 쓰지 말고 화를 일으키는 일이 없도록 주의해야 합니다. 혈극증이 오게 되면 음위증(Impotency)이 오고 소변빈삭(소변을 자주 봄)이 오게 됩니다.

폐로증(肺勞症)

허로증 중에서 오로증(五勞症)은 오장의 허증을 의미하는데, 폐로증은 우선 단기(短氣; Shortness of Breath)라고 하여 호흡이 짧으며 안면에 여드름과 비슷한 구진(Pimples)이 자주 나며 가끔 기침이 나고 늑골(Intercostal Bone) 갈비 밑에 통증이 옵니다.

〈원인〉

과로와 부조리한 생활 중에 전신이 허약해지면서 특별히 음(陰)이 허하여 화열이 상승하는 경우에 발생한다고 되어 있습니다. 여기서 음이라고 하면 하초의 신장(Kidney), 즉 비뇨기계통을 의미합니다. 피로한 상태에서 정력을 소모하면 음 계통은 허해지고 화열이 상승하게 됩니다. 다시 말하면 음 신기가 허하면 위의 화열을 억제하지 못하여 피가 동하게 됩니다. 이것을 음허화동(陰虛火動)이라고 하는데, 폐결핵(Pulmonary Tuberculosis)의 초기의 폐침윤(Amyloid Infiltration of the Lungs)과 같은 증상이 오게 됩니다. 몹시 피로한 상태에서 성적소모는 대단히 유해하며 지나친 과로와 감정의 과격으로 화를 많이 일으키면 정력을 소모하지 않아도 같은 결과가 됩니다.

〈 증상 〉

안면에 종기가 자주 나며 호흡이 짧고 냄새를 잘 맞지 못하며 간혹 기침을 하고 가래가 보이며 헛배가 불러서 숨이 찰 때가 많습니다. 오후에 피로가 심하게 오고 안면이 윤택하지 못하고 창백해지며 피부가 거칠어집니다.

〈 치료 〉

대개는 한약으로 음을 보하며 화열을 청열시키는 치료법을 주로 합니다. 이러한 증상이 있을 때에 잘못 알고 인삼이나 열을 조장하는 약을 복용하면 증상이 악화됩니다. 청열과 보음제를 잘 화제하여 치료해야 합니다.

폐로증은 시일이 지나면 폐결핵이 되기 쉬운 병변이나 폐침윤과 같은 폐결핵 초기증상이 기계적 진단으로 나타나지 않아도 오후 시간에 피로하며, 가끔 기침을 하고 호흡이 짧아지고 안면에 종기가 자주 나면 바로 진찰을 받고 청열 보음의 치료를 받아야 합니다. 현재 보이지 않아도 후일에 폐침윤 혹은 결핵으로 이환될 가능성이 크기 때문에 조기에 예방하는 것이 중요합니다.

폐로증의 치료는 초기에 잘 화제하여 사용했을 때에 피로감이 감소하고 안색이 윤택해지면서 기침이 적어지는데, 한 환자는 이미 폐침윤이 시작되어 결핵 약을 복용하는 중이나 한약의 청열보음제를 복용하면서 오후의 피로감이 적어지고 호흡도 정상으로 되면서 매우 빠른 효험을 갖게된 예가 있습니다.

폐침윤이 되기 전이라도 이러한 자가증상이 있으면 치료해 두는 것이 바람직합니다. 이러한 폐허의 증상은 결핵으로 발전할지 모르고 또 심한 피로와 호흡의 단기 등을 그대로 견디는 것은 매우 우직한 결과를 초래하는 경우가 되므로 유의해야 합니다.

심로증(心勞症)

허로증 중에서 심장에 허로 증상이 오는 것을 심노증이라고 하며 이병은 혈액이 적고 안면이 창백하며 놀라기를 잘 하고, 잘 때에 땀이 많이 나는데 이것을 도한(盜汗)이라고 합니다. 심장 즉, 가슴에 통증이 오기도 하고 남자의 경우에는 몽유(夢遺)가 있는데 혹, 몽유병(Somnambulism)으로 몽중에 걸어 다니는 병이 아니고 몽중에 사정하는 것을 몽설, 혹은 몽유라고도 하는 이 증상이 오기도 합니다. 심하면 입안과 목 속에 종기가 나서 심한 통증을 느끼게 합니다.

〈 원인 〉

육체적인 과로도 관련이 있겠으나 심장의 허로는 심기의 부조 즉, 신경은 많이 쓰고 정서 감정의 극렬한 자극으로 오게 됩니다. 다시 말하면 화를 많이 내고 불안과 경악(놀람)을 자주 일으키며, 욕심이나 욕망에 미치지 못한 욕구불만 등 신경 감정의 과격에 의하여 발생하게 됩니다.

〈 증상 〉

가슴에 통증이 오고 혈행이 부족하여 안면이 창백하고 입안에서 종기가 자주 나며 경악 즉, 놀라기를 잘 하고 정충(Palpitation)으로 가슴이 잘 두근거리는 경우가 자주 일어납니다. 남자는 몽설(Nocturnal

Polution)이라고 하여 꿈에 사정하는 경우가 있습니다. 이러한 증상이 있으면 심신이 심히 약해지고 여러 가지 병변이 오기 쉽습니다.

한국에서 실례로 사병이 몹시 쇠약해지고 안면은 백지 같이 창백하여 알아보니 몽설로 저녁마다 계속되어 결국은 입원까지 하게 된 일이 있었다고 합니다.

〈 치료 〉

진찰을 잘해서 다른 장기의 허로증이 병발 혹은 합병상태의 여부를 알고 치료해야 합니다. 심장이 허한 것으로 보지만 화열이 있는지 여부를 알아서 보제 종류를 화제 하지마는 다른 장기의 병발 여부도 중요합니다. 대개는 보심 청열제를 사용하고 신경을 많이 쓰지 말고 과로하지 않도록 주의해야 합니다.

한 예로 남자의 경우에 심허증이 있으면서 신장까지 심히 허하여 몽설을 자주 했는데 심장을 보(補)해야 하지만 허열이 있어서 청열제와 보신제, 그리고 보음제로서 신기를 보하도록 화제를 잘하여 복용토록 했는데 큰 효과를 볼 수 있었습니다. 그러나 약 3년 후, 다시 미미하지만 그러한 증상이 있어서 다시 한약을 복용한 일이 있습니다.

약을 복용 후에 효과를 확인하고 여유있는 치료를 시행하는 것이 후일을 위하여 안전합니다.

칠상증(七傷症)

허로증이 오래 경과하면 오로증(五勞症) 즉 오장에 허로증이 오고 이 것이 회복되지 않은 상태에서 시일이 지나면 육극증(六極症)이 되며, 이 것이 치유되지 않으면 칠상증으로 이완되는 결과가 됩니다. 칠상증은 일곱 가지 손상을 의미하는데 대개는 비뇨기계통에 허손이 오는 일곱 가지 이상을 칠상증이라고 합니다. 칠상증에 대하여 두가지 학설이 있으나 거의 유사합니다.

(가) 첫째, 음한증(성기의 냉증), 음위증(발기부전), 이급증(소변을 참지 못하는 증상), 정류(정액이 자연유출), 정소(정액감소), 정청(정액희박), 소변삭(소변을 자주 보는 것)이 있습니다.

(나) 둘째, 음한(음낭에 땀이 많은 증상), 정한(정액이 냉한 것), 정청(정액희박), 정소(정액의 감소), 낭하습랑(고환이 가려운 증상), 소변삽삭(소변 시 깔깔하고 자주보는 것), 야몽음인(꿈속에서 음행하는 것)입니다.

이상의 칠상증 분류는 거의 유사하나 꿈속에서 음행하는 것과 음낭이 가려운 것인데, 이것은 음낭에 땀이 많이 나는 사람은 시일이 지나면서 습양증(가려움증)이 오게 되므로 거의 비슷하다고 봅니다.

〈 원인 〉

허로증 즉 지나친 과로와 불규칙한 생활, 성행과다 등 여러 가지 훼손이 회복되지 않고 시일이 경과하여 각 부위에 나타나는 육극증이 오고 여기서도 치유되지 않은 상태에서 칠상증이 오게 됩니다. 본래 허로증에 대해서는 통증이나 고통을 별로 감각하지 못하고 서서히 쇠약해지는 병변이기 때문에 치료나 회복에 대하여 등한시 하게 되면 칠상증까지 가는 결과를 낳을 수 있습니다.

〈 증상 〉

위에 설명한 것과 같이 성기의 냉증, 음위증 즉 조루 발기불능, 그리고 정액의 자연유출, 정액소량, 정액이 많은 것, 음낭의 가려움증 혹은 몽중에 성행위 등의 증상이 나타납니다.

〈 치료 〉

한약과 침술치료를 병용할 수 있는데 한약에 더 치중해야 합니다. 우선 정신적으로 안정하고 스트레스를 최소화하고 식이에 대하여 알맞은 영양을 섭취해야 합니다. 성회복을 위하여 조급한 행동은 정신적으로 더욱 위축감을 조성하게 되어 회복에 지장을 초래합니다. 이것을 순서대로 소개하면, 과로를 피할 것, 스트레스를 받지 않도록 하고 영양섭취를 알맞게 하고 조급하거나 지나친 성행위를 가지지 말 것, 발기불능치료를 받고 조급하게 시도하지 말 것 등 입니다. 이 외에도 여러 가지 주의할 점이 많으나 우선 이것에 대하여 유의하면서 치료에 응하는 것이 좋습니다. 🦥

14. 송준석 D.D.S.(Little Neck 전문의치과 원장)

- 콜롬비아 대학 졸업
- 하버드 대학원 졸업
- 치아이식 / 치주과 전문의
- 월간 건강과 교육 편집 위원

- 주소: 45-07 248th Street, 2nd Floor
   Little Neck, NY 11362 .
- 전화: 718-281-2222

◎ 임플란트의 발견과 효과

◎ 치주염 정기적인 스케일링으로 예방

◎ 스트레스와 치아 건강

◎ 치아 관리 아기 때부터

◎ 치과의 대표적인 질환은 충치다

◎ 충치보다 무서운 풍치

◎ 여성, 임신 그리고 잇몸

임플란트의 발견과 효과

'이가 빠진 자리에 다시 심는 방법은 없을까?' 하는 의문은 1600년대부터 치의학 관련 학자들의 최대관심사였습니다. 원숭이, 개, 양 등의 이빨을 이식할 것을 제안한 찰스 앨런이라는 학자도 있었습니다. 1800년 초에는 금으로 만든 치아 뿌리를 심고 치아의 머리 부분을 만든 획기적인 연구결과가 나왔으나 도재, 상아, 백금, 은, 합금 등의 재료는 모두 실패하고 말았습니다.

임플란트의 핵심은 티타늄이라는 재료와 뼈가 서로 달라붙어 떨어지지 않는 골유착성을 이용한 것입니다. 티타늄이 골유착성을 유발하는 금속이라는 사실은 뼈의 치료과정을 연구하기 위해 토끼의 종아리 뼈에 심은 티타늄 원통이 뼈와 강력하게 결합되어 실험 후 회수할 수 없게 된 과정에서 발견되었습니다.

세계에서 처음으로 티타늄 임플란트 치아를 시술 받은 사람은 선천적으로 치아가 없었던 '요스타라슨'이었습니다. 티타늄의 골유착성을 발견한 브뢰네마크(Branemark) 박사가 그의 턱에 임플란트를 심고 그 위에 고정적 치아를 만드는데 성공했던 것입니다. 34세 때 시술 받은 그는 난생처음 음식을 잘 씹을 수 있게 되었고, 발음도 정확히 할 수 있었습니다.

임플란트의 사전적 의미는 '인공 이뿌리'를 말하지만 치의학상 의미는 '인공 치아를 이뿌리부터 심는 시술'을 말합니다. 잇몸 뼈에 구멍을 뚫은 다음 티타늄으로 만든 인공 이뿌리를 박고 4~5개월 후 뼈와 이뿌리가 붙으면 이뿌리 위에 기둥을 박고 치아처럼 생긴 '보철물'을 연결하는 것입니다.

틀니와 다른 점은 틀니는 이가 빠진 곳 양 옆에 치아를 깎은 뒤 이것을 지지대로 삼아 이를 끼워 넣기 때문에 임플란트에 비해 힘이 약합니다. 임플란트의 씹는 힘이 생니의 80~90%라면 틀니는 생니의 10~20%밖에 안됩니다.

음식을 섭취할 때 씹는 행위는 사람이 살아가는데 있어 기본이자 가장 필수적인 행위임은 두말할 나위가 없습니다. 치과질환은 즐거워야 할 식사를 고통의 연속으로 만듭니다. 씹는 능력이 떨어지면 침의 분비도 줄어 몸 전체 균형에 지장을 초래합니다. 통상적으로 60~70%이면 식사에 별 영향을 주지 않는 수치라고 볼 때 임플란트의 씹는 힘은 매우 높은 효과가 아닐 수 없습니다.

임플란트는 발음의 정확성이 향상되는 효과가 있습니다. 사람이 사람과 의사소통을 하는데 있어 가장 기본적이고도 중요한 것이 말인데 틀니의 경우 입안에서 움직이고 부피감도 느껴져 말하는데 매우 곤란을 겪습니다. 이에 비해 임플란트는 생니처럼 뼈에 시술되기 때문에 이러한 불편함이 전혀 없습니다.

미적 효과에 있어서도 틀니는 사용 시 불편하고 타인에게 혐오감을 주기 쉽지만 임플란트는 똑같은 모양의 이를 사용하기 때문에 미용 면에서나 사용상 매우 깨끗합니다.

임플란트는 건강한 사람이 정상적인 시술을 받고 사후 관리를 잘하면 적어도 10년 이상 쓸 수 있습니다. 그러나 임플란트의 수명은 개인에 따라 편차가 큽니다. 특히 시술할 때의 건강 상태, 식생활 습관, 잇몸과 뼈의 조건, 시술 후의 관리능력에 따라 수명이 달라집니다.

임플란트는 시술 후의 사후관리가 매우 중요합니다. 이뿌리를 박고 일주일 안에 갈비, 오징어 등 단단한 것을 씹으면 쉽게 빠져버리는 경우도 있습니다. 또 시술 기간에 술을 마시거나 담배를 피우면 반 정도가 흔들릴 수 있으므로 치료지침을 반드시 지켜야 합니다.

치주염 정기적인 스케일링으로 예방

'건강한 치아란' 치아와 잇몸에 치석이 붙어있지 않고 염증이 없고 연분홍색이며 탄력이 있는 것을 말합니다. 잇몸에 염증이 있는 것은 심하지 않은 경우 일반인들은 거의 느끼지 못할 수도 있습니다. 그러나 치아나 잇몸에 치석이 붙어 있는 것은 바깥으로 드러납니다.

스케일링의 효과는 이를 아름답게 만들어주기도 하지만 치석을 없애 충치나 잇몸질환 등을 미연에 방지할 수 있다는 점입니다. 음식을 먹고 난 후 치아를 깨끗하게 닦지 않으면 미세한 찌꺼기가 입 속에 남습니다. 이러한 입 속 세균이 치아 표면에 쌓여 무색의 막을 형성하는데 이를 플라그(치태)라고 합니다. 플라그는 칫솔질을 하면 대부분 없어지나 잘못된 칫솔질을 계속할 경우 일정한 곳에 있는 플라그가 떨어져 나가지 않고 계속해서 남아 있게 됩니다.

플라그를 제거하지 않으면 나중엔 침 속의 칼슘 성분을 흡수해 단단한 돌처럼 굳게 됩니다. 이렇게 자라고 나면 치아와 잇몸 사이에 붙어 딱딱해져서 칫솔질만으로는 제거할 수 없습니다. 치석으로 자리잡은 것입니다. 치석은 점점 커지면서 잇몸 밑으로 영역을 넓혀 이 뿌리를 감싸고 있는 잇몸 뼈를 파괴해 치아를 흔들리게 합니다. 이를 그대로 방치하면 치아가 빠지게 되는 것입니다.

치석이 부착되면 초기에는 잇몸이 빨갛게 붓고 피가 자주 나며 탄력이 없어지고 입 속에서 냄새가 나기도 하고 심하면 치아의 뿌리까지 드러나기도 합니다.

이러한 증상으로 대개 40~50대, 심한 경우 30대 중에서도 '이가 시리다'고 호소하는 환자들이 많은데 이가 시리다는 것은 이가 나빠지기 시작하는 첫 증상이라고 할 수 있습니다. 30대 이후 이가 시린 이유는 대부분 치주염 때문이라고 볼 수 있습니다.

풍치

풍치는 한방에서 유래한 말로써 풍증으로 인해 일어나는 치통을 일컫는 말입니다. 성인의 80% 이상이 앓고 있는 풍치를 현대의학에서는 '치주염'이라고 부릅니다.

치주염

치주염이란 치아 주위 조직에 염증이 생기는 증상입니다. 치아 주위에는 잇몸뿐만 아니라 치조골이나 치주인데 등이 있는데, 바로 이 부분에 염증이 생긴 것을 말합니다.

잇몸이 붓고 양치질할 때 피가 나며 잇몸이 말려 올라가는 듯 이 뿌리부분이 노출되는 증상이 가장 일반적인 치주염입니다.

이런 치주염은 나중에 치아를 지탱해주던 치조골이 파괴되고 이가 흔들려서 결국 이를 뽑아야 할 지경에 이릅니다. 이러한 치주염의 속도가 빠른 급성치주염, 임신부들에게 나타나는 임신성 치주염 등이 있습니다.

급성치주염은 활동력이 왕성한 나이에 많이 발병하며 특정 세균이 정상 상태에 비해 폭발적으로 늘어나 구강 조직을 파괴시킵니다. 그러나 조기에 발견하면 강력한 항생제를 사용, 염증 치료를 통해 질병의 속도를 늦추거나 정지시킬 수 있습니다.

모든 치과질환이 마찬가지겠지만 치주염은 구강관리와 정기적인 스케일링을 통해 충분히 예방할 수 있습니다.

스트레스와 치아 건강

"스트레스를 심하게 받으면 이가 아프다"는 연구 결과가 발표된 적이 있습니다. 미국 버펄로 뉴욕주립대학 구강생리학과에서 성인 1천4백 명을 대상으로 이가 아프다는 치주 질환의 관계를 조사한 결과 돈으로 인해 심한 스트레스를 받을 경우 이가 아프다는 것이었습니다.

오랫동안 경제적 어려움에 제대로 대처하지 못해 고생한 사람은 일반인보다 치주 질환에 걸릴 확률이 두 배 가량 높다는 얘기입니다. 하지만 경제적으로 어렵지만 돈 문제에 대해 긍정적인 태도로 의연하고 적극적으로 대처한 경우에는 경제적인 문제로 인해 스트레스를 받지 않는 사람과 큰 차이가 없었다고 합니다.

상습적인 스트레스는 뇌세포를 위축시키고 이에 대응하기 위해 특정 호르몬의 분비량을 증가시킵니다. 이런 호르몬을 스트레스 호르몬이라고 하는데 아드레날린이나 도파민, 코르티솔 등이 대표적입니다. 아드레날린은 혈압을 상승시키고 심장박동을 빠르게 하며 혈액 속 당분의 수치를 높여 당뇨병을 유발하기도 합니다.

이밖에 스트레스와 관계가 있는 질환은 과민성 대장증후군, 대장염 등 소화기 질환, 천식과 호흡증후군 등의 호흡기 질환과 당뇨병, 고지혈증, 갑상선 기능장애 등 내분비계질환, 편두통, 관절염, 신경통, 요통, 두통 등 신경계 및 근골격계질환 등입니다.

스트레스가 오래 지속되면 우울증, 공포증, 공황장애 등의 정신질환으로 연결되기도 합니다.

치아의 경우 지속적으로 스트레스를 받으면,

- 칼슘이 빠져나가 치아가 약해지며,
- 침이 제대로 분비되지 않아 구강 내의 면역력이 떨어지며,
- 감염균에 대한 인체 저항력이 떨어지기 때문에 치주 질환에 걸리기도 쉽습니다.

이밖에도 건강상태에 따라 잇몸이 붓거나 피가 나고 고름이 잡히는 등 증상이 좋아졌다가 나빠지는 사이클을 반복하는 풍치는 지속적인 스트레스를 받으면 다 나았던 병도 재발하기 쉽습니다.

치아는 또한 내부 장기와도 밀접하게 연결되어 있습니다. 때문에 이가 아프면 충치나 잇몸질환 등의 치과질환 뿐만 아니라 내부 장기 이상도 살펴보는 것이 필요합니다.

보통 이와 잇몸에 이상이 생기면 먹는 일만 불편할 것으로 생각하기 쉽지만 전신질병으로 번질 가능성이 크므로 각별한 주의가 필요합니다.

실제로 당뇨병, 심장병, 고혈압 등의 질병은 치아와 밀접한 관련이 있습니다. 당뇨병의 경우 잇몸질환과 입안 칸디다증, 설염(舌炎), 혀의 작열감 등을 유발하거나 악화되기 쉽습니다. 때문에 당뇨병 환자는 일반인들보다 치아 관리에 더욱 주의를 기울여야 합니다. 치과 치료를 받을 경우에는 치료로 인한 스트레스가 인슐린의 요구량을 늘릴 수 있으므

로 혈당 치료도 함께 하는 것이 좋습니다. 잘못하면 스트레스가 심장발작을 유발할 수도 있습니다.

잇몸질환은 심장마비와 같은 심각한 심장 질환의 원인이 될 수 있습니다. 심장은 전신을 돌던 혈액이 머무르는 곳이기 때문에 치아에 생긴 염증이 심장에 문제를 일으키기 쉽습니다.

특히 류머티스성 심장병이나 선천성 심장병 환자는 치료 전에 반드시 항생제 치료를 받아 심내막염 발생을 예방해야 합니다. 고혈압의 경우 치과에서 치료하는 국소마취제로 인해 인체에서 뇌졸중, 심근경색 등을 발생시킬 수 있으므로 고혈압환자는 혈압약으로 정상 혈압을 유지하면서 치료를 받아야 합니다.

치아 관리 아기 때부터

아기는 생후 6개월 무렵 아랫니 두 개가 나오고 9개월 무렵 윗니가 나옵니다. 그런데 아기의 이는 태어난 이후 나기 시작한다고 잘못 알기 쉬운데, 태아는 임신 4개월 무렵부터 젖니가 생기기 시작하고 태어날 때는 치아뿌리가 완성됩니다.

태아의 치아를 생각한다면 임신 중에 우유나 달걀, 해조류, 양배추, 토마토, 시금치 등 칼슘과 비타민이 많이 함유된 음식물을 섭취하는 것이 좋습니다. 이런 음식물은 태아의 치아 뿌리를 튼튼하게 만듭니다.

유아기에 필요한 치아 관리
아기의 치아가 나오면 이때부터 치아 관리를 본격적으로 해주어야 합니다. 생후 6~8개월 무렵에는 이가 처음 나기 시작해 10월이 지나면 위아래로 4개의 이가 생기는데 이때 젖을 먹인 후 거즈나 젖은 수건으로 이를 닦아주는 것이 좋습니다.

또한 돌 무렵에는 치아가 위아래 두 개씩 나고, 두 돌이 되면 20개의 유치가 거의 모두 납니다. 이때부터 충치예방에 신경을 써야 합니다. 우윳병을 물고 자거나 가짜 젖꼭지를 오래 물려두는 것은 삼가야 합니다. 얼굴형이 변경될 수도 있기 때문입니다.

그리고 밥을 먹기 시작하면 아기가 칫솔을 장난감처럼 가지고 놀 수 있도록 길들이는 것이 좋습니다. 서틀게나마 혼자 할 수 있도록 칫솔 사용법을 가르치는 것이 좋습니다. 이때 아기 혼자 하도록 내버려두지 말고 올바른 방법을 가르치며 칫솔질을 함께 하도록 합니다.

소아기에 필요한 치아 관리

아이들의 유치에 충치가 생겼을 경우 얼마 후 영구치로 바뀐다고 생각하여 치료를 하지 않고 방치해 두거나 무조건 빼달라고 하는 부모들이 있습니다. 유치는 물론 때가 되면 영구치로 바뀌게 마련입니다.

하지만 유치는 음식물을 씹는 일 외에도 영구치가 나올 간격을 유지하고 안내해 주는 역할을 합니다. 젖니는 대개 두 이가 맞닿은 면에 충치가 생기게 되는데 인접면이 썩으면 두 이가 서로 달라붙어 차지하는 공간이 훨씬 좁아집니다. 영구치는 이렇게 좁아진 공간을 뚫고 나와야 하기 때문에 대부분 삐뚤어진 상태로 납니다.

그러나 앞니에 충치가 생겼다고 해서 일찌감치 뽑으면 발음하는데 이상이 생기고 혀를 자꾸 내밀거나 소화에 장애가 생길 수도 있습니다. 특히 젖니가 영구치의 안내 역할을 못하기 때문에 영구치의 배열이 흐트러지고 각종 구강 질환에도 노출되기 쉽습니다. 또한 젖니가 한쪽에서 많이 빠지면 다른 쪽으로만 음식을 씹기 때문에 턱뼈나 턱관절 성장에도 악영향을 끼치게 됩니다.

이밖에도 젖니가 부러지거나 충치가 생겨 뽑았을 때도 영구치와 마찬가지로 교정니를 해넣어야 합니다. 왜냐하면 이가 빠진 공간을 옆의 이들이 침범해 영구치가 나올 공간을 막는 것을 미리 방지해야 하기 때문입니다.

젖니가 곧 영구치로 바뀐다는 생각에 관리를 소홀히 하면 영구치에 그대로 영향을 미친다는 사실을 염두에 두고 젖니 때부터 철저히 관리해주어야 합니다.

단, 아이의 젖니가 크거나 벌어져 있는 경우에는 걱정할 필요가 없는데 이것은 지극히 정상적인 일로 나중에 치아가 벌어진 틈으로 영구치가 나오기 때문입니다.

치과의 대표적인 질환은 충치다

충치가 생기면 신경이나 혈관이 있는 치수까지 번져 참을 수 없는 통증을 유발하기도 합니다. 심지어 치아 전체가 녹아버릴 수도 있습니다. 충치가 발생하면 일단 투명했던 치아는 탁해지고 암갈색을 띠게 됩니다. 이러한 충치를 유발하는 음식의 유발 정도를 나타낸 지수를 충치유발지수라 합니다.

우리가 흔히 치아 건강에 도움이 된다고 알고 있는 껌도 설탕이 들어 있기 때문에 안전수치 '10' 이상인 충치유발지수가 '13' 입니다. 인절미와 초콜릿 중 치아 건강에 더 해로운 것은 인절미입니다. 쌀로 만든 인절미가 치아에 달라붙어 잘 떨어지지 않기 때문입니다.

식품별 충치유발지수가 가장 낮은 것은 마가린과 버터로 거의 '0'에 가까운데 이는 충치를 유발할 위험이 없음을 가리킵니다. 충치유발지수가 가장 높은 것은 젤리로 '46'이고 캐러멜은 '3' 비스킷 '27' 도넛 '19' 인절미 '19' 초콜릿 '15' 아이스크림 '11' 등입니다.

설탕의 경우 충치유발지수가 '23'으로 높은 편이지만 음식물 속에 들어가 있는 것은 다른 음식물과 함께 중화되고 침이 자정작용을 해주기 때문에 크게 문제되지 않습니다.

치아에 비교적 안전하다고 볼 수 있는 정도는 충치유발지수가 '10'이하여야 합니다. 과일의 경우 조금 높긴 하지만 다른 음식보다 상대적으로 낮습니다. 야채와 과일은 충치유발지수가 '3~10'으로 낮은 편입니다. 특히 야채의 경우 섬유질을 많이 함유하고 있어 씹으면서 치아를 청소하기도 하며 잇몸을 자극해 치아를 단단하게 하는데 한 몫을 합니다.

그러나 일단 치아에 충치가 발생한 경우 그것을 4단계로 나눠서 볼 수 있습니다.

1단계 ; 법랑질이 썩는다.

여기는 통증이 느껴지는 단계는 아니지만 이때 치료를 시작하는 것이 가장 좋습니다. 자세히 관찰하면 어금니의 씹는 면이나 안쪽 면에 1mm 정도의 까만 점이 보이는데 찬물이나 뜨거운 음식에도 통증이 없기 때문에 본인이 알아차리기에 어려움이 있습니다.

때문에 정기적인 치과 검진을 받아야 발견할 수 있습니다.

2단계 ; 상아질이 썩는다.

찬물이나 뜨거운 음식을 먹을 때 이가 뜨겁고 찬 것을 느낄 수 있습니다. 그러나 아직 치료하기에 늦지 않은 시기입니다. 치아에 구멍이 나기도 하지만 음식을 먹지 않을 때는 아프지 않습니다. 신경치료를 통해 치아를 살릴 수 있습니다.

3단계 ; 신경조직이 손상됩니다.

뜨거운 것에 심한 통증을 느끼며 가끔 피가 나오기도 하며 불쾌한 냄새가 나기도 합니다. 이 경우 신경치료를 거쳐 치아를 살릴 수 있는 확률이 50% 정도밖에 안 됩니다.

4단계 ; 신경이 썩고 고름이 생겨 염증이 뼛속으로 진행됩니다.

뜨거운 것, 찬 것은 물론 가만히 있어도 통증이 심합니다. 잇몸이 붓고 피가 나며 치아가 흔들리기 시작하는데 안타깝게도 이쯤 되면 이미 치료 시기를 놓쳐 치아를 뽑아야 합니다.

충치보다 무서운 풍치

잇몸병의 증상은 '조금만 피곤해도 잇몸이 붓고 아프다', '양치질을 할 때도 잇몸에서 피가 난다', '매일 이를 닦아도 냄새가 난다' 등입니다. 풍치도 처음에는 잇몸의 염증(잇몸병)에서 시작합니다.

잇몸병의 주범은 바로 플라그(치태)라는 세균 덩어리입니다. 구강 내에는 수 십 억 개의 세균이 살고 있습니다. 플라그는 이런 세균들이 덩어리를 이루고 있는 것을 말합니다. 플라그는 모든 치아 표면에 생길 수 있는데 대부분 칫솔질을 통해 없어지지만 치아와 치아 사이 또는 치아와 잇몸 사이에 생긴 플라그를 칫솔질만으로 제거하기는 어렵습니다. 이런 부위에 세균이 증식하여 잇몸병을 일으키는 것입니다.

신체 내의 다른 세균들은 항생물질로 없앨 수 있지만 구강 내에 있는 세균 특히 치아 표면이나 잇몸에 붙어 있는 세균, 즉 플라그는 반드시 치과 치료로만 제거할 수 있습니다.

플라그를 방치해 두면 서서히 석회화 물질인 치석으로 변하는데 이 치석을 제거하지 않으면 잇몸병이 됩니다.이때부터 이 사이에 음식물이 자주 끼고 이가 시리며 입에서 냄새가 나고 잇몸에서 피가 납니다. 잇몸이 빨갛게 부어오르기도 하고 이가 들뜬 느낌이 들며 심지어 이가 흔들리기도 합니다.

처음부터 잇몸이 부실한 사람이 치료를 받지 않고 약만으로 잇몸 질환을 치료할 수 있다고 생각하는 것은 위험한 발상입니다. 올바른 칫솔질과 정기적인 스케일링만이 잇몸병을 예방할 수 있습니다.

스케일링의 효과는 이를 아름답게 만들어주기도 하지만 치석을 없애 충치나 잇몸 질환을 미연에 방지할 수 있다는 것입니다.

음식물을 먹고 난 후 치아를 깨끗하게 닦지 않으면 미세한 찌꺼기가 입 속에 남습니다. 이러한 입 속 세균이 치아 표면에 쌓여 무색의 막을 형성하는데 이를 플라그(치태)라고 합니다. 플라그는 대부분 없어지거나 잘못된 칫솔질을 계속할 경우 일정한 곳에 있는 플라그가 떨어져 나가지 않고 계속해서 남아 있게 됩니다.

플라그를 제거하지 않으면 나중엔 침 속의 칼슘 성분을 흡수해 단단한 돌처럼 굳게 됩니다. 이렇게 자라고 나면 치아와 잇몸 사이에 붙어 딱딱해져서 칫솔질만으로는 제거할 수 없습니다. 치석으로 자리를 잡은 것입니다. 치석은 점점 커지면서 잇몸 밑으로 영역을 넓혀 이뿌리를 감싸고 있는 잇몸 뼈를 파괴해 치아를 흔들리게 합니다. 이를 그대로 방치하면 치아가 빠지게 됩니다.

치석이 부착되면 초기에는 잇몸이 빨갛게 붓고 피가 자주 나며 탄력이 없어지고 입 속에서 냄새가 나고 심하면 치아의 뿌리까지 드러나기도 합니다.

여성, 임신 그리고 잇몸

우리가 인생을 살면서 "옛말 틀린 것 하나 없다"는 말을 종종 듣게 됩니다.

옛 선조들은 정확한 과학적 근거 없이도 오랜 경험으로 말씀을 하셨고, 나중에 이러한 것들이 과학적으로 증명되어 우리를 놀라게 합니다.

하버드 치과 대학원에서 잇몸 질환의 원인이 되는 박테리아에 대한 연구를 하면서 보고 읽은 것 중에 깜짝 놀란 일들이 있습니다. 우리나라 옛말에 "여자가 임신중이나 출산 후에 치아가 나빠진다"라는 말을 들어본적이 있을 것입니다. 이런 것들이 이제는 과학적으로 정확히 증명되어 왜 그런 말을 했었는지 그 원인을 알 수 있게 되었습니다.

실제로 출산 후에 잇몸이 나빠져서 심한 경우 치아를 뽑아내야 하는 경우가 종종 일어나는데 그러나 이는 임신과 칼슘의 상관관계에 의한 것만은 아닙니다.

여러분들은 일반적으로 임신을 하게 되면 태아가 필요로 하는 칼슘이 빠져나가게 되어 치아도 당연히 약해지고 시리게 된다고 생각합니다. 그러나 꼭 그렇지는 않습니다. 임산부가 필요로 하는 칼슘을 채우기 위해 일반적인 뼈 안의 칼슘이 빠져나가는 것과는 달리, 치아를 형성하고 있는 칼슘은 매우 안정적인 형태로 존재하기에 빠져나가지 않습니다. 그러므로 임신 중에 치아 자체가 약해지는 것은 아닙니다.

임신중이나 출산 후 치아가 나빠지는 경우는 잇몸 질환 때문입니다. 성인의 80%이상이 여러 증상의 잇몸 질환을 가지고 있으며 대부분의 성인 환자들이 이를 뽑게 되는 경우는 이것 때문입니다. 그러나 너무 흔한 질환이기 때문에 예방과 치료를 소홀히 하여 나중에 치아를 잃고 틀니를 끼게 되는 경우가 너무 많습니다.

잇몸 질환의 원인은 치아 표면에 붙어있는 플라그로써 한 마디로 세균 덩어리입니다. 우리의 입안에는 수많은 종류의 박테리아가 살고 있지만 이중에서 4~5가지의 박테리아들이 잇몸 질환에 직접적으로 원인을 제공하는 것들이라고 알려져 있습니다.

이중 PI라고 불리는 세포가 임신 전의 여성들 입안에 있을 때, 그 숫자가 미미하여 큰 문제를 일으키지는 않지만 임신 중에는 여성호르몬 변화에 의하여 그 숫자가 폭발적으로 증가하게 되어 잇몸 질환을 일으키는 원인이 되는 것 입니다.

또 최근에는 잇몸 질환과 임신의 상관관계에 대한 연구 논문들이 속속 발표되고 있는데 그중 하나는 잇몸 질환이 심한 임산부가 체중 미달 신생아 (Low Birth Weight)인 아기를 출산할 확률이 높다는 것입니다.

잇몸 건강을 위해서는 플라그나 치석을 제거하는 것이 기본입니다. 스케일링은 이것을 제거하는 가장 기본적인 잇몸 치료입니다. 치아에 단단하게 붙어있는 치석은 칫솔질로는 제거되지 않기 때문에 치과에서 기계를 사용하여 제거하는 것입니다. 스케일링을 통하여 PI 박테리아의 숫자도 현격히 줄일 수 있는데 때문에 임신 중에도 3~4개월에 한 번 치과에 방문하여 간단한 스케일링과 함께 철저한 칫솔질 교육 등 잇몸 건강 상태를 점검하는 것이 현명합니다.

15. Dr. 정우용
(카이로프랙터, 편한세상 통증병원장)

- Columbia 대학졸업
- New York Chiropractic College졸업
- Levittown Chiropractic Health Center 인턴수료
- Certified National Chiropractic Board
- Certified New York State Chiropractic Board

- 주소 : 142-01 37th Ave.
  Flushing, NY 11355
- 전화 : 718-358-6676

◎ 오십견과 어깨통증

◎ 여성과 요통

◎ 목·어깨 결림

◎ 머리가 아파요

오십견과 어깨통증

어깨관절은 수많은 근육과 인대 및 신경으로 구성된 인체의 가장 복잡한 관절중의 하나입니다. 몸 안의 여느 관절과는 달리 어깨는 수많은 크고 작은 동작들을 온갖 방향으로 어깨 주위의 다른 관절들과 조화를 이루며 움직여야 하기 때문입니다. 따라서 어깨의 통증을 일으키는 원인은 이루 헤아릴 수 없을 정도로 많습니다. 그 중 가까운 주위에서 흔히 들을 수 있는 오십견이란 병에 대해 소개하고자 합니다.

오십견의 정식 의학명은 Adhesive Capsulitis이고 어깨의 굳어지는 증상 때문에 흔히 Frozen Shoulder라고 하기도 합니다. 오십견에 걸리는 가장 흔한 연령층은 40세 이상의 중년층이고 남성보다는 여성에게서 많이 나타납니다. 비록 과학적인 뚜렷한 원인은 아직 알려지지 않았지만 당뇨병이나 갑상선 기능 항진증 환자 또는 심장이나 폐가 나쁜 환자들은 오십견에 걸릴 수 있는 확률이 훨씬 높아집니다. 또한 육체 노동자보다는 앉아서 일하는 사무직이나 어깨를 특별히 많이 쓰지 않는 직종에 있는 사람에게서 많이 나타납니다.

흔히 오십견은 세 가지 단계로 나뉘는데, 첫째로 환자는 특별한 사고나 이유 없이 갑작스레 어깨의 심한 통증을 느끼게 됩니다. 통증은 점차 심해져서 밤에 잠을 이루기 힘들 정도로 악화되곤 하는데 이는 어깨의 관절낭(Joint Capsule)에 급성 염증(Acute Inflammatory phase)이 생기며 섬유조직화가 되므로 탄력을 잃고 두꺼워지며 쪼그라들게 되기 때문입니다. 이어서 오훼상완인대(Coracohomeral Ligament)를 비롯한 어깨주위의 여러 조직이 손상되어 팔을 옆으로 들거나 바깥쪽으로 돌리는 동작이 심하게 제한됩니다. 게다가 많은 환자들이 심한 통증 때문에 독한 진통제를 복용하기도 하는데 별다른 도움을 받지 못하고 잠을 설치기가 일쑤입니다. 이 상태가 보통 두 세 달 정도 지속됩니다.

어깨의 급성 염증에 이어 두 번째의 단계로 Stiffening Phase가 시작되는데 이때 어깨 관절낭(Glenohumeral Joint Capsule)이 뻣뻣하게 경직되어지고 쪼그라들며 그 안에 들어있는 맑은 관절 윤활액(Synovium)이 풀처럼 끈끈하고 탁해지는 단계입니다. 보통 4~5 개월 정도 지속되는 두 번째의 단계는 가만히 있을 때는 훨씬 통증이 줄어들지만 팔을 옆으로 들거나 바깥쪽으로 돌리려 할 때 순간적으로 뼈를 도려내는 듯한 심한 통증이 생깁니다.

마지막으로 세 번째 단계는 어깨가 풀리는 Thawing Phase인데 대략 6개월 정도 지속됩니다. 이 기간동안에는 통증이 점차 줄어들고 팔의 움직이는 범위가 향상됩니다. 하지만 대부분의 경우 세 번째 단계가 다 지나도 오십견에 걸리기 전과 같이 원상복귀를 하는 경우는 극히 드뭅니다. 일단 손상된 어깨관절낭은 정상으로 돌아오기가 힘들기도 하지만 흔히 어깨주위의 근육과 인대에 건염(Tendinitis)이나 석회성건염(Calcific Tendinitis)을 동반하기 때문입니다.

오십견을 방치하면 시간이 흐름에 따라 심했던 통증은 어느 정도 가라앉지만 현저히 줄어든 팔의 움직이는 범위는 쉽게 회복되지 않습니다. 적절한 치료는 통증에 시달리는 기간도 단축해줄 뿐만 아니라 어깨의 활동범위도 놀라울 만큼 회복됩니다. 오십견을 치료하는 방법에는 여러 가지가 있지만 대부분의 경우 카이로프랙틱과 물리치료, 그리고 운동요법 등을 통해 많은 환자들이 도움을 받고 있습니다. 치료방법에는 환자가 오십견의 어느 단계에 있느냐에 따라 각기 다르지만 척추교정, 초음파치료, Rhythmic Stabilization, Wall-walking Exercise, Joint Mobilization(관절 수동운동), 코드맨의 운동요법(Codmans Exercise) 그리고 Hot pack과 Cold pack을 이용한 관절낭 스트레치 등을 적절히 이용함으로써 좋은 효과를 얻을 수 있습니다.

특별한 이유 없이 어깨의 통증 생기면 흔히 오십견이려니 하고 지나치는 경우가 많은데 이것은 대단히 위험합니다. 왜냐하면 오십견과 흡사한 어깨의 통증이 심각한 심장마비나 폐암 등의 징후로 흔히 나타나기 때문입니다. 그러므로 어깨의 통증이 이유 없이 생길 때는 속히 전문의와 상담하는 것이 바람직합니다.

여성과 요통

　대부분의 여성들은 생리통 등으로 인한 허리의 통증을 겪어보았기 때문에 요통을 무심코 지나치는 경우가 많습니다. 때문에 초기에 발견하면 간단한 치료로 나을 수 있는데도 불구하고 나중에 큰 병이나 만성요통으로 고생하는 경우가 많이 있습니다.

　골반을 비롯한 허리는 몸의 중심이 되는 몸의 가장 중요한 부위입니다. 엠파이어스테이트 빌딩과 같은 높은 건물이 세워지려면 기반이 튼튼해야 하듯이 몸이 제대로 기능을 발휘하기 위해서는 골반과 허리척주의 균형이 절대로 필요합니다. 골반이 비뚤어지거나 약하면 그 위에 쌓여있는 척추가 휘게 되고 그로 인해 척추신경이 자극을 받아 몸에 여러 가지 이상이 생기게 됩니다.

　23세의 여성이 나의 병원을 찾아 심한 생리통과 허리의 통증을 호소했습니다. 내과와 산부인과 검사에도 특별한 이상이 발견되지 않았다. 엑스레이 검사와 카이로프랙틱 검사 후 골반과 허리척주의 문제를 발견했고, 한 달에 한두 번 정도의 간단한 척추교정을 통해 통증이 현저히 줄었습니다.

　허리의 통증을 일으키는 이유는 여러 가지가 있게 됩니다.
　무거운 것을 자주 들 때, 사무직이나 네일싸롱과 같이 오랜 시간 앉아서 일할 때, 밀거나 당기는 일을 많이 할 때, 반복되는 동작(특히 허리를 굽히고 옆으로 돌리는 동작)을 할 때, 자동차와 같은 진동을 받을 때, 정신적 내지는 사회적인 스트레스를 받을 때 등이 허리의 통증을 일으키는 대표적인 요소입니다.

하지만 여성들의 허리의 통증은 무심코 지나칠 간단한 문제가 아닙니다. 신체 구조상 요도 감염, 방광염, 신장염, 자궁에 생기는 혹, 난소나 나팔관의 질병, 대장의 문제 등 여러 가지의 심각한 문제가 있을 수 있습니다. 심한 경우에는 자궁암이나 방광암인 경우도 있습니다.

그 외에 척추 측만증이란 병 때문에 이유 없이 허리의 통증이 생기는 수도 있습니다. 주로 여성에게 많이 생기는 척추 측만증은 뚜렷한 이유 없이 등뼈가 휘는 병으로써 흔히 10대의 사춘기 청소년이나 20대의 여성에게서 많이 발견됩니다. 처음엔 작은 커브로 시작되지만 나중에는 똑바로 서지 못할 정도로 심하게 휘는 경우도 있습니다. 일단 휘어버린 척추는 교정하기 어렵기 때문에 이 병은 초기에 발견하여 적절히 치료하는 것이 바람직하다고 할 수 있습니다.

또한 많은 여성들이 출산 전후로 심한 허리의 통증을 호소하게 됩니다. 출산 전에는 아기의 무게로 척추와 인대, 근육 등이 무리하게 되므로 생기는 통증이 많습니다. 임신 중에는 출산 시 아기가 태어날 수 있도록 골반이 늘어나게 하는 호르몬이 생기는데 이 때문에 근육과 인대가 약해져서 쉽게 다치는 경우가 많습니다. 특히 출산시의 심한 압력 때문에 많은 근육과 인대 및 신경이 상하게 되고 출산 후에도 무거운 아기를 자주 들어야 하므로 상한 부위가 올바르게 치유되지 않는 경우가 많습니다. 이 또한 만성 요통으로 발전하는 수가 많기 때문에 올바른 치료가 절실합니다.

암도 초기에 발견되면 치유가 가능합니다. 무심코 지나치기 쉬운 허리의 통증 또한 초기에는 간단한 척추교정과 운동처방, 영양처방 등으로 쉽게 고칠 수 있습니다. 특히 여성의 요통은 심각한 병원(病原)의 징후인 경우가 있으므로 전문가와 상담하는 것이 바람직하다고 볼 수 있습니다.

목 · 어깨 결림

흔히 어깨 결림이라 하면 힘든 일을 많이 하거나 나이가 들어야 생기는 증상으로 생각하기 쉽습니다. 하지만 요즘은 여러 가지의 생활변화로 인해 나이나 직업에 관계없이 많은 사람들이 어깨 결림에 시달리고 있습니다. 특히 책상이나 컴퓨터 앞에서 많은 시간을 보내는 학생이나 사무직원은 물론이고 불편한 자세로 장시간을 보내야 하는 네일 싸롱이나 미용업계 종사자들 사이에선 아주 흔하게 볼 수 있는 증상입니다.

어깨 결림은 여러 가지 이유에서 비롯될 수 있지만 가장 큰 이유는 역시 나쁜 자세라고 할수 있습니다. 따라서 올바른 치료를 하기 위해서는 자신의 생활습관 및 자세를 돌아보는 것이 바람직합니다. 특히 한국인은 옛부터 등뼈를 구부리고 좌식 생활(방바닥 생활)을 해왔고 항시 고개를 숙이며 공손히 인사를 하는 게 예의라 여겨왔기 때문에 어깨 결림이 더욱 흔합니다. 평균 10kg이나 되는 무거운 머리를 가느다란 목이 지탱해야하기 때문입니다.

목이나 어깨에는 본래 약점이 많습니다. 갈비뼈나 골반에 고정되어 있는 흉추나 미추에 반해 경추나 요추는 근육과 인대로만 지탱하기 때문에 상대적으로 쉽게 피로해지고 어깨 결림이나 요통을 일으키게 됩니다. 특히 경추는 등뼈 중 가장 많이 움직이며 작은 근육으로 무거운 목을 지탱해야하므로 근육이 쉽게 지치게 됩니다. 특히 나쁜 자세로 인해 목의 정상적인 C자형의 생리적 만곡이 변형되면 목과 어깨주위의 근육은 더더욱 무리하게 되어 만성 긴장을 일으키게 됩니다.

근육의 오랜 긴장이 지속되면 근육 속을 달리는 혈관이 압박을 받아 혈행이 불량해집니다. 이로 인해 근육에 산소와 영양분 공급이 줄고 포도당의 불완전 연소로 인해 유산 (lactic acid)등의 피로물질 등 노폐물이 쌓이게 됩니다. 이러한 근육의 울혈은 뻐근함도 일으키지만 근육의 에너지 부족으로 인한 나른함 내지는 무거움도 일으킵니다.

인간은 통증을 느끼면 반사적으로 몸에 힘을 주어 고통을 참으려고 합니다. 이때 근육은 더욱 긴장을 하게 되고 통증은 더욱 심해지게 됩니다. 이러한 긴장이 장기간 계속되면 산소부족과 노폐물의 자극이 지속되어 근육의 염증을 일으키게 됩니다. 심한 경우 부드럽고 신축성이 좋던 근육이 섬유화되어 조직 자체가 딱딱하게 변하기도 합니다. 이런 증상을 근막염 내지는 결합조직염이라 합니다.

이러한 이유에서 오는 목이나 어깨 결림은 간단한 자세교정과 카이로프랙틱 척추교정 및 운동처방 등을 통해 쉽게 고칠 수 있습니다.

어깨 통증 등은 중년을 넘어선 사람들에게서는 극히 흔한 증상이므로 그냥 지나치기 쉽습니다. 하지만 비슷한 목이나 어깨 결림이 심장마비나 폐암 등의 중대한 병의 징후로 나타나는 경우도 있으므로 전문의와 상의하는 것이 바람직합니다.

머리가 아파요

두통은 남녀노소를 막론하고 가장 방대한 환자 층을 형성하고 있는 병중의 하나입니다. 미국의 국립보건기구인 Centers for Disease Control의 연구보고서에 의하면 남성의 90%와 여성의 95%가 매년 최소한 일회 이상의 두통을 호소하는 것으로 나타났다. 그럼에도 불구하고 만성 두통으로 시달리는 환자의 5~7%만이 전문의의 치료를 받는 것으로 밝혀졌다.

여기서 주목할 점은 두통환자의 대다수가 자가처방으로 약을 복용하는 경향이 있다는 점입니다. 이것은 일년에 미국인들이 소모하는 아스피린의 양만 보아도 쉽게 알 수가 있습니다. 미국에서는 현 연평균 800억 알의 아스피린이 처방전 없이 판매되고 있고, 그 액수는 4백만 달러에 달합니다. 그 이유는 간단합니다. 전체 두통환자의 극소수에 불과하는 뇌종양 등으로 인한 두통을 제외하고는, 두통의 종류도 워낙 많을 뿐만 아니라 두통을 일으키는 요인 또한 방대하기 때문입니다. 그러므로 두통에 대한 바른 이해와 적절한 치료방법이 반드시 필요합니다.

흔히 심한 두통을 가리켜 뇌가 터질 것 같이 아프다고 합니다. 하지만 우선 우리가 알아야 할 점은 뇌 세포 자체에는 고통을 느끼는 신경이 없다는 것입니다. 그러므로 대부분의 머리 통증은 뇌와 척수를 감싸고 있는 뇌막이나 두개골 근처의 신경조직이 압력이나 염증 등의 자극을 받았을 때 일어납니다. 두개골 안쪽의 뇌 세포 자체가 직접 자극을 받아서 생기는 두통은 전체 환자의 1%에 불과합니다.

아직까지 두통의 정확한 원인은 밝혀지지 않았지만 현재까지의 연구결과 두통이 생기는 원인은 크게 세 가지로 나눌 수 있습니다. 첫째, 뇌의 주위에 있는 혈관이 비정상적으로 수축하거나 팽창할 때입니다. 둘째, 머리, 얼굴 내지는 목 주위의 근육이 비정상적으로 긴장할 때 (뭉칠때) 생기는 두통이 있습니다. 셋째로 뇌 주위의 신경조직 자체가 자극을받을 때입니다.

현재까지 알려진 두통의 종류에는 환자의 증상에 따라 대강 30여가지가 있습니다. 흔하게는 뒷골이 뻣뻣해오는 증상에서 구토증, 어지러움, 시력장애 등 다양한 증상이 있고 두통의 위치 또한 뒷머리, 옆머리, 앞머리, 반쪽, 눈 깊숙이 내지는 아구 관절 등으로 각양각색입니다. 흔히 많이 알려진 마이그레인 (Migraine Headache)을 비롯 시력장애나아구 물림의 이상에서 오기도 하고 심한 경우는 뇌막 염증이나 뇌종양이 그 원인인 경우도 있습니다.

두통의 종류도 많지만 두통을 일으키는 원인 또한 무수합니다. 초콜릿이나 포도주 같은 음식물에 의한 알레르기 반응, 피임약이나 혈압 약등의 부작용, 밝은 불빛이나 소음 등 주위환경에 대한 예민한 반응, 몸안의 호르몬의 불균형, 소화기관 장애로 인한 두통, 자율신경의 문제, 뼈와 근육 등 구조상의 문제, 스트레스와 불안감등 정신적인 문제, 잠자는 자세나 식생활의 변화 등 일일이 나열할 수 없을 만큼 다양합니다.

암도 초기에 발견하면 고칠 수 있다고 합니다. 어떤 병이나 마찬가지로 두통도 정확한 원인을 발견하고 올바른 치료를 함으로써 많은 도움을 받을 수 있습니다. 어느 20대 중반의 여성환자가 두통을 호소하며 본인의 병원을 방문했습니다. 13세부터 거의 매일 심한 두통에 시달렸다고 합니다. 하지만 간단한 식사조절과 잠자는 자세교정, 그리고 간단한 척추교정치료를 통해 지금은 거의 두통이 없어졌다고 합니다.

많은 사람이 두통을 가지고 별다른 치료 없이 살아가고 있지만 정확한 원인 분석과 치료를 통해 많은 도움을 받을 수 있습니다. 특히나 어린 청소년이 두통을 호소하거나 갑자기 생긴 두통, 내지는 뒷목이 뻣뻣하게 경직되며 나타나는 심한 두통 등은 위험할 수 있으므로 전문의의 진단이 반드시 필요합니다.

16. David H. Lee M.D.(이훈 안과 원장)

• Mount Sinai 의대 졸업
• Catholic Medical Center of Brooklyn & Queens
  안과 전문의 수료
• 현재 St. Joseph's Hospital 안과 전문의 임상교수
• Flushing Hospital 안과 전문의

• 주소 : 39-01 Main Street, #203
         Flushing, NY 11354
• 전화 : 718-845-6000
• Fax : 718-461-5656

◎ 안구건조증(Dry eye syndrome)

◎ 당뇨성 만성 안질 합병증

◎ 녹내장(Glaucoma)

◎ 백내장 수술(Cataract Surgery)

안구건조증 (Dry eye syndrome)

안구건조증은 안 질환 중에서 가장 흔한 증상이며 눈에 먼지가 들어간 것 같이 불편하고 눈이 빨갛게 되고 눈물이 많이 흐르는 증상입니다.

통계에 의하면 다섯 사람 중 한 사람 꼴로 이 질환으로 고통을 받고 있습니다.(1997년 Eagle Vision-Yankelovich 통계)

어떤 사람이 이 증상에 더 고통을 받는가?

1. 노년기로 가면서 더욱 심하고 65세 이상의 75%

2. 여자가 더 심함. 그 이유 중 임신, 수유, 피임, 월경 및 폐경

3. 질병에서 오는 부작용으로는 류마치스성 관절염, 당뇨병, 갑상선 질환, 천식, 백내장, 녹내장, 낭창

4. 의약품 중 눈물 생성을 억제하는 약물 : 항 우울증 약, 항히스타민제, 감기약, 혈압약, 피임약, 이뇨제, 궤양치료제

5. 콘텍트 렌즈 : 특히 소프트 콘텍트 렌즈는 빨리 눈물을 증발시킴으로 눈이 불편하고 렌즈에 단백질이 저장되고 염증 및 통증을 일으킴

6. 주위 환경 : 담배 연기, 형광등 불빛, 대기오염, 바람, 뜨거운 온방, 냉방, 건조한 기후 등으로 눈물이 빨리 증발되기 때문

7. 컴퓨터 사용자 : 장기 시간으로 화면을 보기 때문

눈물의 기능

눈물은 세 가지 선(gland)에서 나오는 액체로 구성되어 균형을 이루고 있습니다.

1. 지방선(Oil Gland) : 눈물의 증발 방지
2. 물 선(Aqueous Gland) : 98%의 물이 표면 세척
3. 점액선(Mucus Gland) : 눈물의 표면을 안정(Stabilizes the tear Film)

안구건조증의 증상

눈물의 질과 양, 그리고 수분의 양적 불균형으로 생기는 눈의 질병으로 눈이 건조하고 빨갛게 되고, 눈이 까칠거리고, 눈물이 많이 나고, 먼지가 눈에 들어간 것 같은 느낌을 호소합니다.

안구건조증이 콘텍트 렌즈 사용에 미치는 영향

안구건조증은 콘텍트 렌즈 사용자에게 눈의 불편함과 Protein 저축, 염증 및 통증을 일으킵니다.

안구건조증은 완치가 되는가?

완치 방법은 없으며, 증상을 완화 혹은 경감시켜서 눈의 심한 복합증상을 경감할 수 있습니다.

치료 방법

치료기간은 원인에 따라서 단기 혹은 장기로 하며 방법은 인공눈물을 사용하는 것이 가장 효과적입니다. 그러나 너무 장기로 사용하면 눈물

의 생산을 저해하여 눈의 염증과 싸울 수 있는 유익한 눈물을 세척하기 때문에 눈이 더 불편하게 되는 경우도 있습니다.

경우에 따라서는 영구적으로 눈물샘을 인공적으로 막아서 눈물의 세척이 안되게 하여 안구건조증을 치료할 수도 있습니다. 원리는 하수구의 출구만 마개(Plug)로 막는 방법과 같습니다. 시술은 안과전문의가 실시해야 하며 필요하면 마개를 뽑을 수도 있습니다.

당뇨성 만성 안질 합병증

합병증

당뇨성 눈 합병증은 눈 내부의 시력에 영향을 주는 안구 내부의 질병으로 당뇨성 망막증이 있습니다. 이 합병증의 예방치료는 최소한 1년에 한번 안과 전문의의 진찰로써 망막증 유무를 발견하는데 있으며, 일반적으로 인슐린의존성 당뇨병(Type I DM)은 발병 후 5년째부터 진료를 받아야 하고 노인성 당뇨병(Type II DM)은 발병 진단 즉시부터 의사의 진료를 받아야 합니다.

당뇨성 망막증

1. **망막 부위의 상태** : 혈전성 자반, 망막 내부의 출혈, 망막의 혈전 경색 등.
2. **진행성 망막증** : 일반적으로 갑자기 시력을 상실하는 병.

레이저 광선(Retinal Laser Photocoagulation)으로 시력약화 진행을 지연시킬 수 있으며 이와 같은 방법은 재생불능의 손상이 오기 전에 시행하여야 합니다.

초자체(유리체) 절제술(Vitrectomy)도 망막이 분리될 위험이 있는 환자나 혹은 갑자기 생긴 출혈 등으로 위급할 때 사용합니다.

시력장애(Visual Disturbance)

국소 시신경 장애, 녹내장, 백내장, 망막증, 안 근육마비 등으로부터 시력장애가 있게 되며 또한 급성으로 망막 혈전경색, 망막분리, 망막출혈 등으로 한쪽 눈의 시력을 상실하게 됩니다. 그리고 양쪽 다 시력을 상실하는 경우는 뇌일혈(Stroke)인 경우도 있으나 망막증으로도 올 수 있습니다.

포도당(Glucose) 혈중농도의 변화로 인하여 갑자기 눈이 흐리게 보이는 경우가 있으며 대개 4~5주를 지나면 정상으로 돌아옵니다.

복시(Diplopia)는 이중 초점을 말하며 뇌신경 마비로부터 옵니다.

눈의 반점 부유물(Floaters), 흑점(Spots), 거미줄(Webs) 같은 것이 보이면 즉시 안과전문의와 상의하십시오. 당뇨성 안질환자는 정기적인 검진으로 건강한 눈을 보호할 수 있습니다.

녹내장(Glaucoma)

녹내장은 만성 혹은 급성으로 생기는 심각한 눈의 질병으로 완치는 불가능하나 더 이상 나쁘게 진전하여 시력을 상실하는 것을 예방 방지하기 위하여 의사와 환자의 꾸준한 노력을 필요로 하는 눈 질환입니다.

사물을 보는 것은 사물의 형상이 시신경을 통하여 뇌에 전달되어 우리가 보고 느끼는 것입니다. 녹내장은 이 시신경이 손상을 입어서 사물이 뇌에 전달되는 과정을 둔화시키고 심지어는 눈의 시력과 시야를 잃게 됩니다.

그러므로 안과전문의는 눈을 검사하여 녹내장 유무를 진단하고 만일 녹내장 증상이 있으면 어느 정도 시신경(Optic Nerve)에 손상이 왔는지, 시야(Visual Field)에 손상이 어느 정도인지, 안내압 Intraocular Pressure)이 상승되었는지를 진찰하는 것입니다.

녹내장은 또 "시야의 도둑"이라 불립니다. 왜냐하면 그 증상이 전혀 없고 이상한 느낌을 느낄 수도 없으며 증상이 나타날 때면 이미 그 시력은 손상을 입어서 재생할 수 없기 때문입니다. 녹내장을 갖고 있는 사람 가운데 절반이 그 증상이 없으므로 그 사실을 모르고 살고 있습니다.

녹내장을 진단하는데 있어서 안내압 측정이 가장 중요한 역할을 합니다. 안내압은 정상인의 경우 16mm/Hg입니다. 안내압은 개인에 따라서 조금씩은 다르고 또 시간 시간으로도 변화는 있으나 대개 일정합니다. 그러므로 녹내장의 의심이 있으면 여러 번에 걸쳐서 안내압을 측정하고 주변시각(Peripheral Vision)과 눈 안쪽의 시신경의 손상유무를 검진하여 녹내장 진단을 하게됩니다.

녹내장 발병 원인

눈에서는 액체(안방수)가 계속 나와서 눈 안에서 흐르며 눈 세척과 영양분을 공급과 윤활유 역할을 하고 그 액체는 출구에서 나와서 배출구를 통하여 혈관 속으로 들어가 계속 순환하게 됩니다. 즉 다시 말하면 적당량의 액체가 나와서 적당량의 액체가 배출을 해야 되는데 배출에 이상이 생기면 그 액체는 배출이 안되어 눈 안에 축적됨으로 안내압이 상승하여 시신경에 손상을 주게 됩니다. 시신경은 눈 안쪽에 있으며 사물의 형상을 뇌에 전달하는 신경입니다.

상승된 안내압은 시신경 세포에서 필요로 하는 영양공급을 중단시키고 시신경 부분 부분을 서서히 손상시켜서 결국에는 시력을 상실하게 됩니다.

다시 말해 혈액순환이 약해지면 시신경에서 필요로 하는 신선한 혈액 공급과 영양분이 불충분하여 신경세포가 손상을 입게 되는 것입니다. 녹내장은 안내압의 항진을 특징으로 하는 질환으로 망막 유두에 병적인 변화를 일으키고 시야의 협착을 일으키는 병입니다.

녹내장 진단

녹내장을 갖고 있는 사람은 다음과 같은 세 가지 증상이 있는데 그 세 가지 중 두 가지 이상의 증상을 갖고 있으면 녹내장으로 진단합니다.

1. **시신경의 손상**(Optic Nerve Damage)
2. **안내압상승**(Elevated Intraocular Pressure)
3. **시야 손실**(Visual Field Loss)

녹내장의 종류

만성녹내장(Chronic Glaucoma; Open-Angle)

녹내장 질환 중에서 제일 흔한 병으로 안방의 전방 우각 출구는 열려 있으나 배출구가 막혀서 하게 방수의 유출이 서서히 되거나 혹은 전혀 안되어 안내압이 상승하면서 녹내장을 유발하게 되는데 노인에게 흔한 병이지만 젊은층에서도 올 수 있습니다.

급성녹내장(Actue Glaucoma; Angle-Closure)

녹내장 환자 중 10% 미만이며 이 녹내장은 갑자기 안내압이 상승하여 생기는 병이며, 즉시 의사에게 연락해서 수술 혹은 기타 응급조치를 받아야 합니다. 그 증상은 갑자기 눈이 불편하고 심한 두통, 눈의 통증, 구역질, 구토가 있고 눈에서 무지개 같은 것이 보이는 녹내장으로서 원인은 얇은 안방에 좁은 우각이 특징이며 우각을 홍체가 막아서 방수의 유출이 방해가 되기 때문입니다.

질병으로 유발되는 녹내장(Secondary Glaucoma)

녹내장 환자 중 10% 미만이며 특별한 질병으로 인해서 눈 배출구에 이상이 생겨서 오는 것으로 당뇨병, 백혈병, 빈혈, 눈의 상처, 심한 눈의 염증 등에서 오는 녹내장의 안내압은 정상이나 불충분한 혈액순환으로 인하여 생기는 질병입니다.

녹내장의 치료

녹내장은 일반적 약물 레이저수술, 재래식 수술, 기타 여러 가지를 통합한 치료 방법으로 치료를 할 수 있으나 완치는 할 수 없고 증상의 경감 치료를 기대할 수 있습니다.

약물 치료는 안약, 안연고, 먹는 약, 제리(Gel) 등 여러 가지가 있는데 이들은 눈의 방수의 생산을 줄이거나 방수의 배출 기능을 촉진시키는 약물이며, 같은 약이라 하더라도 개개인에 따라서 맞는 사람이 있고 맞지 않는 사람이 있습니다. 눈을 치료하는 약품뿐만 아니라 다른 약품도 개개인에 따라서 부작용을 일으키는 사람이 있습니다. 그러므로 의사와 환자간에 긴밀한 협조로 제일 좋은 약을 선정하여 환자는 약의 복용 시간, 복용방법, 사용 시 주의사항을 준수하여야 하며 만일 부작용이 있으면 즉시 의사에게 통보하여 다른 약으로 대치하여야 하고 용법은 의사의 지시에 따라야 합니다.

약물 사용 시 주의사항

1. 여러 가지 약을 동시에 쓸 때는 쓰는 방법과 순서를 의사에게 물어볼 것.
2. 약은 항상 잘 보이는 곳에 보관하고 여행할 때는 약을 플라스틱 용기에 넣어서 보관할 것.
3. 안약은 눈 안쪽으로 약병 끝이 눈에 닿지 않게 하여 약을 눈에 떨어뜨리고 눈 안쪽을 인지로 가볍게 1분 정도 눌러줄 것. 그리하면 안약이 코 점막을 통하여 전신으로 흡수되는 것을 방지할 수 있음.
4. 안약 병 끝이 눈에 접촉됐으면 깨끗한 물로 씻을 것.
5. 안약은 지속적으로 투여할 것.
6. 약이 떨어졌으면 의사와 약사에게 연락하여 즉시 보충할 것.
7. 의약품을 보관하는 데 냉장이 필요한지 물어볼 것.

레이저 수술(Laser Surgery)

녹내장을 효과적으로 치유하고 좋은 시력을 유지하기 위해서는 때로 레이저 수술이 필요합니다. 레이저 수술은 정확하고, 큰 손상을 주지 않으며 염증이 생길 우려가 없고 회복기간이 단축되기 때문에 녹내장 치료에 절대 필요합니다. 레이저 수술이 끝났다고 완치된 것은 아니며 환자의 증상과 병력에 따라서 재수술을 필요로 하는 경우도 있습니다. 수술 후에도 약은 계속 사용해야 하고 정기적인 정기검진이 필요합니다. 안약이나 수술 후에 안내압이 정상이라 할지라도 시력을 상실하는 수가 있으므로 매일 약을 쓰는 것을 명심하고 평생 사용해야 하므로 가족과 친지와 주의 사람들의 격려가 필요합니다.

백내장 수술(Cataract Surgery)

백내장은 눈의 수정체(Lens)가 두꺼워지고 흐리게 되는 현상을 말합니다. 눈의 수정체는 우리가 보고 느끼는 것을 눈 뒤에 있는 망막(Retain)에 선명하게 전달하게 되는 것으로, 수정체가 흐리게 되면 선명한 사물의 형상을 깨끗하게 전달할 수 없게 됩니다. 수정체가 두꺼워지고 흐리게 되면 광선이 쉽게 통과할 수 없게 됨으로 눈은 흐리고 초점이 맞지 않는 이치입니다.

백내장은 나이가 들면서 서서히 발생하지만 다음과 같은 조건에서도 발생할 수 있습니다.

1. 눈의 상처 2. 특별한 질병 3. 의약 4. 유전

백내장은 어떻게 치료할 수 있나?

초기에는 안경을 사용함으로써 다소 호전될 수는 있으나 그 외에 특별한 치료방법은 없습니다.

약물, 안약, 안경으로도 치료할 수 없고, 또한 레이저 수술로도 불가능하여 치료방법은 외과적인 수술 방법 외에는 없습니다. 두껍고 혼탁된 수정체(Lens)를 떼어내고 영구적인 인공수정체를 넣고 봉합하여 대치시키는 것입니다.

수술전에 어떤 준비가 필요한가?

수술 전 예비 신체검사가 필요합니다. 예비신체검사 하는 날 아침식사를 하지 말고 우유나 커피도 마셔서는 안됩니다.

수술하는 날 주의점

1. 아침 식사를 하지 말 것
2. 의사는 필요하면 안약과 먹는 약으로 진정제를 투약 한정시킴
3. 국소 마취로 아픔과 불편함을 느낄 수 없고 의식이 있는 상태에서 수술을 끝냄
4. 수술 후 회복실에서 잠시 기다려 회복한 후 퇴원 가능
5. 운전은 할 수 없음

수술 후 주의사항

1. 의사의 지시대로 안약을 사용할 것
2. 눈을 비비지 말고 압력을 주지 말 것
3. 만일 통증이 있으면 진통제(타이레놀)를 사용할 것

4. 심한 운동은 하지 말 것

5. 근무 가능여부를 문의할 것

6. 색안경이나 안대는 의사의 지시대로 사용할 것

수술은 어떻게 하는가?

전자현미경으로 눈에 작은 상처를 만들어서 못 쓰게된 수정체를 흡입기(Suction)로 떼어내고 인공수정체를 대체하고 봉합합니다. 아픔과 불편함이 없는 간단한 수술입니다.

레이저 광선을 언제 사용하나?

반드시 그렇지는 않지만 백내장 수술 후 5~6개월 혹은 1년 후에 눈 후방의 피막(posterior Capsule)이 흐리게 되는 수가 있는데 만일 그렇게 되면 레이저광선으로 수정체의 중앙 부분을 쪼여서 뚫어줌으로써 시력을 회복시켜 줍니다.

백내장 수술이 시력을 회복시킬 수 있나?

대답은 '예스'입니다. 95% 이상 호전시킬 수 있으며 5%만이 부작용을 일으켜 합병증이 오는 경우가 있습니다.

합병증(Complication)

1. 염증, 출혈, 부어오름, 망막이 떨어짐

2. 만일 수술 후 다음과 같은 증상이 있으면 즉시 의사에게 연락 할 것

a) 눈의 통증이 일반 진통제로 진정이 안 될 때

b) 시력을 잃었을 때

c) 구역질, 구토, 두통, 심한 기침

d) 사고로 눈을 다쳤을 때

그리고 수술 후에는 정기적으로 검진을 받아 눈의 건강을 지키는 것을 잊지 말아야 합니다.

17. 문희준 (중국 전통 한의 지압원 원장)

• 장춘 중의 대학 교수
• 중국 중의 학회 이사
• Xing Lin Chinese Medical College

• 주소 : 35-20 149th Street
  Flushing, NY 11354
• 전화 : 718-460-4252

◎ 발 지압과 건강 1 : 서론

◎ 발 지압과 건강 2 : 당뇨병

◎ 발 지압과 건강 3 : 두통

◎ 발 지압과 치료 4 : 변비

◎ 발 지압과 치료 5

1) 위통 2) 위궤양

발 지압과 건강 1

중국 5천년 전통의 고대의학 치료의 발 반사요법은 21세기 세계가 주목한 자연건강법입니다. 중국의 의학 고서적 '황제내경'과 '안마 십권'에도 기재되었으며 춘추전국시대 '화타'라고 부르는 의사의 저작 '족심도'에 의해 후세에 큰 영향력과 발전이 있었습니다. 당나라시대 752년 일본유학생(太田久作)은 화타의 '족심도'를 일본에 전파했고, 1275년부터 이태리, 독일, 스위스 등의 나라에 전파되었습니다. 특히 20세기 미국의 의학박사 Dr. William F.에 의해 더욱 구체화되었고 미국의학에도 활발히 사용되고 있습니다. 발 반사구는 현재 75개의 반사점이 있으며 발바닥 자극의 신경 자극 전도속도는 매초에 120회입니다.

그럼 발바닥을 자극하면 무엇 때문에 병이 치료되는 것일까요?

그것은 순환원리에 의한 것입니다. 우리들의 발바닥에 손을 대보면 딱딱한 부분과 응어리진 부분이 있음을 알 수 있습니다. 우리들의 신체에는 혈관이 종횡무진으로 뻗어 있습니다. 혈관을 크게 나누면 동맥, 정맥 및 모세혈관의 세 가지가 있습니다. 동맥은 영양과 산소를 나르고 정맥은 노폐물과 이산화탄소를 나릅니다. 그리고 모세혈관은 동맥이 운반해 온 것을 신체의 구석구석의 세포로 건네주고 노폐물과 이산화탄소를 정맥으로 나릅니다.

체내의 혈관이 인체에 나쁜 물질의 침전에 의하여 막혔을 경우 세포와 각 기관, 각 부위의 정상적인 기능에도 장애를 미치게 합니다. 평소에 발의 반사구에 손을 대보면 이 침전물의 존재를 확인할 수 있는데 이것들은 어떻게 발생한 것일까요? 기관이나 부위가 만일 불건전하고 병이 난 경우 그 순환기능이 반드시 불량현상을 일으키고 그리고 침전물이 각 반사구가 속하고 있는 말초신경 및 지구 인력의 작용에 의하여 특히 그 반사구에 모이기 쉬워집니다. 그것이 반사구에 침전물이 고이는 원인이며 그 곳과 대응하는 기관과 부위의 기능이 나빠지거나 또는 이미 병에 걸려 있음을 알 수 있고, 그때 발의 반사구를 적절히 비벼주거나 자극을 가해주거나 하면 혈액순환이 좋아지고 모세혈관을 통하여 침전물이 제거되고 마지막으로 혈액을 여과시키는 신장 등의 배설기관에 의하여 체외로 배출합니다. 그리고 산소와 영양을 나르는 혈액의 흐름을 원활하게 유지하여 각 기관의 작용을 정상으로 촉진하는 것입니다.

이 건강법이 유해물질을 체외로 배출하는 기능을 강화한다는 효력을 지니고 있다면 이것이야말로 가장 기본적이면서 중요한 사항이라고 하겠습니다.

그 이유는,

1) 배설기관에 병이 나면 그 기능을 잃거나 기능장애를 일으킵니다. 또는 배설기관 자체의 기능이 쇠약해짐에 따라 신진대사로 나오는 노폐물과 유독물이 체외로 배출할 수 없게 되어 인체에 좋지 않은 영향을 미치게 합니다.

2) 배설기관의 작용이 나쁘면 그것에 관련된 병이 발생합니다. 결국 첫째로 배설기관의 기능을 강화하는 것이 이 건강법의 가장 중요한 과제인 것입니다. 예로부터 발은 제2의 심장이라고 불려지고 있습니다. 그것은 심장으로부터 송출되어 발끝까지 내려온 혈액을 심장으로 다시 되돌리는 역할을 발바닥이 하고 있기 때문입니다. 우리들이 자신의 발을 사용하여 걷는 것은 발바닥까지 내려온 혈액을 심장으로 되돌려 보

내는 셈이며 혈액순환을 촉진시키는 셈이 되는 것입니다.

우리들이 발의 반사구를 비벼 자극할 때 발견되는 알갱이 모양의 물질은 침전물의 집합체인지도 모릅니다. 병과 이상함의 정도가 무거우냐 가벼우냐 등 그 증상의 차이에 따라 발의 반사구에 일어나는 변화도 달라지는 것입니다. 알갱이의 모양 또는 응어리의 차이거나 그것들의 단단함과 부드러움 또는 대소에 따라서도 다릅니다. 그리고 발바닥의 반사구에 적당한 자극을 주거나 비벼주거나 함으로써 신경의 반사운동을 통하여 직접 관련되는 기관과 부위에 자극을 주는 셈이 되며 정상적인 기능을 회복시킬 수 있는 것입니다.

발 지압과 건강 2

발 지압 치료는 발의 반사구를 이용한 자연물리치료요법입니다. 약의 힘을 빌리지 않고 단지 발의 반사구를 자극하여 병을 고칠 수 있는 방법입니다. 발은 혈액순환에 있어서는 가장 중요한 곳이므로 신체의 이상이 재빨리 나타나기 쉽다는 점과 부작용이 전혀 없고 누구나 할 수 있으며 효과가 빠른 이치에 맞는 치료법입니다. 즉 자극으로 인해 그 작용이 혈액과 신경을 거쳐 기관과 내분비선 또는 근육에 작용을 일으킵니다.

한의학적인 경락이론에서 보면 인체의 발은 여섯 개의 경맥이 흐릅니다. 그것은 족양명 위경맥, 족태음 비경맥, 족태양 방광경, 족소음 신경맥, 족소양 담경맥, 족궐음 간경맥입니다. 인체의 12경맥의 총 혈위수는 618개 중에서 여섯 경맥의 혈위수는 436개이며 발, 다리 부분의 혈위수만 하여도 전체 몸의 상당한 경혈을 자극하기 때문에 질병에 대해 절대적인 치료효과를 얻을 수 있게 됩니다.

발 지압은 발가락 끝에서 시작하여 발의 전체, 다리, 무릎 위로부터 넓적다리까지입니다. 발 지압을 하기 전에 족탕법도 병행하면 더욱 효과적입니다. 온수는 40℃~43℃에서 15분 정도 먼저 한 후, 냉수로 14℃~15℃에서 1분 이하로 합니다. 매차에 발 지압을 할 때 수요시간은 30분이 적당하며 질병에 따라 최고 1시간까지 연장할 수 있습니다.

일반적으로 다른 기구를 사용하지 않고 손으로 할 때 각 반사구의 민감한 부위는 5~15차 지압하며 일반 부위는 3차 정도 하면 됩니다.발 지압을 시술할 때 반드시 정확한 지압점을 시술해야 하며 상처가 나지 않도록 정확한 시술방법을 사용해야만 질병 치료의 효과를 얻을 수 있습니다. 시술할 때 발 부위의 어느 반사점에서 민감한 아픈 반응이 있으면 바로 그 부위와 대응되는 신체 부위의 기능에 문제가 있는 것이며, 그 반사점에 아픈 진통을 참을 수 있는 한계 내에서 압력을 주어 지압하면 됩니다.

제일 좋은 지압 시간은 식사 1시간 전후 이 발지압 전 따뜻한 물 한 컵 정도 마시고 지압이 끝난 후 30분 내에 300g~500g의 따끈한 물을 마시면 혈액순환과 노폐물 배출에 도움이 됩니다(신장병이 있는 분은 150g이하).

처음에 시작할 때 한 주간은 매일 시술하고 두 번째 주는 3번, 세 번째 주는 2번, 상황을 보아서 차츰 줄여도 됩니다. 지압법을 실시하여 효과를 보고 싶다면 질병에 따라 부동한 시간과 무엇보다 인내심이 필요합니다. 신체에서 이상한 증상이 느껴지면 그런 증상이 느껴진 기간보다 더 오랫동안 지압을 해야만 좋은 결과를 얻을 수 있습니다.

치료기간 중에 주의할 점

1) 발 부위에 상처가 있는 분은 대응되는 반사점을 지압합니다.

2) 관절염, 풍습성 좌골신경통이 있는 분은 특별히 통증이 더 할 수 있는데 그것은 좋은 현상입니다.

3) 엄중한 심장병, 당뇨병, 신장병이 있는 분은 30분 이하로 하고 끝나면 충분한 휴식을 취한 후 이동합니다.

발지압을 금지해야 할 분

1) 법적으로 전염병을 가지고 있는 분

2) 뇌졸중이나 피를 토하는 병이 있는 분

3) 악성 종기로 각종 기관의 기능이 저하된 분

4) 임신 중이거나 월경 시 코피가 나는 분

5) 발, 다리에 외과 수술을 받은 분

6) 급성 심장병, 간염, 신장병이 있는 분

발 지압을 할 때 신장, 수뇨관, 방광 지압점은 기본 지압점으로 하고 처음 시작할 때와 마지막에도 한 번 더 시술합니다. 그것은 순환계통을 통한 노폐물을 체외에 빨리 배출하기 위한 것으로써 아주 중요한 역할을 합니다.

발 지압을 하면 아래 병증에 대해 절대적으로 특별한 효과가 있습니다. **고혈압**, 당뇨병, 요통, 불면, 두통, 월경불순, 간염, 간경화, 심장병, 위장병, 피부병, 중풍, 신장결석, 전립선염, 불임증, 천식, 방광염, 장기피로, 눈과 코의 각종 질병 등입니다.

발지압치료 : 당뇨병

당뇨병은 평생의 병입니다. 완치는 대단히 어려우며 이 병에 걸리면 우선 올바로 이해하고 병과 요령있게 사귀어 나가는 것이 현재로서는 최선의 방법입니다. 당뇨병과의 사귀는 방법이 서투른 경우 간장이 침해당하여 붓거나, 고혈압, 단백뇨를 발병하거나 시력이 떨어지는 경우가 흔히 있고 당뇨병 경과 중에 폐렴, 감기, 신우염에 걸렸다거나 술의 과음으로 당뇨병 혼수에 빠지는 경우도 적지 않습니다. 당뇨병 치료는 끈기가 필요하며 발 지압으로 병을 억제하여 줌으로써 충분히 건강한 인생을 즐길 수 있는 것입니다.

〈지압 순서〉

① 신장, 수뇨관, 방광 ② 위 ③ 췌장 ④ 십이지장 ⑤ 복강신경총 ⑥ 간장 ⑦ 담낭 ⑧ 신장 수뇨관, 방광 순위별로 지압 시술하면 됩니다.

발지압과 건강 3

하루에 10분간의 발자극으로도 당신이 소망하는 건강을 얻을 수 있습니다. 우리들이 평소에 별 관심도 없이 무의식중에 사용하고 있는 발은 단지 몸을 나르고 있는 것이 아니라 사실은 걷거나 달림으로써 발에 전달되는 적당한 자극이 혈액순환에 큰 영향을 주게 되는 것입니다.

혈액 순환에 의하여 신체 기능을 유지하고 있는 인간에게 있어서 혈액의 흐름을 좋게 하는 것이 건강을 유지하는 일과 직결되는 것입니다. 혈액이 혈관에 의해서 몸의 구석구석까지 영양분을 보내주는 동시에 노폐물과 악성물질을 체외로 배출합니다.

심장으로부터 보내지는 혈액은 비교적 원활하게 흘러가지만 문제는 보내어진 혈액이 다시 심장으로 되돌려 보내는 데에도 그대로의 상태로는 상당한 부담이 됩니다.

평소에 생활 속에서 혈액순환을 돕는 작용이 실은 발에 주는 자극, 걷는 그 자체인 것입니다. 걸음으로써 발바닥과 발의 근육이 자극되어 혈액순환을 돕는 것이지요.

그러나 현대는 생활의 편리성이 높아졌기 때문에 발을 사용하는 기회가 나날이 적어지고 있습니다. 가까운 곳에 가는 데도 차를 이용하고 계단을 오르내리는 것도 엘리베이터를 이용합니다. 그리고 어린 시절부터 구두나 양말로 발을 감싸기 때문에 발바닥 자극을 생각하면 좋지 않은 것이 더 많습니다.

발바닥 건강법은 누구나 간단히 행할 수 있습니다. 장소도 필요 없고 기계나 도구도 사용하지 않고 비비거나 두드리면 되는 것입니다. 그 날 그 날의 건강 상태가 발바닥에 나타나게 되므로 매일의 건강상태도 관리할 수 있고, 무엇보다 병의 예방으로 제일 적합하다고 할 수 있습니다.

발지압 치료 : 두통

두통은 여러 가지 병중의 한 증상으로 흔히 있는 병입니다. 오장육부와 관련된 내과의 병이 가장 많고 그 다음 오관의 병으로 눈, 코, 귀, 이, 입, 턱의 병과 뇌신경의 병, 부인병 중에도 두통을 수반합니다. 두통은 크게 세가지로 나눌 수 있습니다.

1. 머리 전체가 무겁고 아프다

두통은 피로나 수면 부족으로 일어나기도 합니다. 머리가 전체적으로 무겁고 아픈 경우에는 양쪽 발가락을 강하게 비벼주고 아울러 자율신경도 자극합니다. 지압 시간은 각 지압점에서 1분 정도로 하고 15차 정도 자극합니다.

지압 순서는 ① 신장, 수뇨관, 방광 ② 머리 전체(발바닥 전체) ③ 자율 신경 ④ 신장, 수뇨관, 방광입니다.

발 지압을 할 때 신장, 수뇨관, 방광 지압점은 기본적인 시술로 반드시 지압 전과 후에도 자극하여 주어야 합니다. 지압시간은 3분에서 5분 정도로 하고 자극 차수는 매 지압점에서 15차 정도로 합니다.

2. 측 두부가 아프다

다른 병적 원인 없이 두부의 측면에 느끼는 통증은 신경 피로나 발에 맞지 않는 구두로 발가락이 변형하고 있을 때 일어나기 쉽습니다. 발가락 자극은 엄지발가락의 인지 쪽 삼차 신경을 강하게 비벼주고 발가락 전체나 어깨 관절 부위도 지압하면 됩니다. 매 부위 지압 시간은 1분 정도로 하고 15차 정도 자극합니다.

지압 순서는 ① 신장, 수뇨관, 방광 ② 머리 전체 ③ 삼차 신경 ④ 어깨 관절 ⑤ 신장, 수뇨관, 방광입니다.

3. 의사의 진단 결과 두통이 일어날 만한 몸의 이상도 없는데

후두부에 통증을 느끼는 것은 두부 이외의 곳, 목이나 등의 근육 결림 과 뼈의 변형에 의한 것이 많습니다. 이 경우는 엄지발가락을 중점으로 양쪽 발가락 끝에서부터 밑동부분일대, 양쪽 발의 발 옴폭의 바깥 쪽 일 대를 비벼줍니다.

지압순서는 ① 신장, 수뇨관, 방광 ② 머리 전체 ③ 흉추, 요추 ④ 뒤꿈치 내외입니다.

매 부위 지압 시간은 1분 정도로 하고 15차 정도 자극하면 됩니다.

발 지압과 치료 4

발 지압 치료 : 변비

사람들은 보통 변비는 변통이 안될 뿐이라고 대수롭지 않게 생각하기 쉽습니다. 변비는 뱃속의 변, 즉 몸에 불필요한 배설물이 고여 있는 현상으로 그 독소로 여러 가지 다른 질환을 발병하는 경우가 많습니다. 예를 들면 변비로 거친 살갗, 부스럼, 여드름, 두통, 복부 통증, 어깨 결림 등을 호소하는 사람이 많고 또 치질의 원인이 되기도 합니다.

일상생활에서 사람들은 설사약으로 변비를 치료합니다. 설사약은 확실히 효과가 있으나 이것은 일시적인 것으로써 약의 분량은 차차 많아지고 보다 강한 약에 의존하게 되므로 근본적인 해결을 얻을 수 없게 됩니다. 그뿐만 아니라 약을 장기적으로 복용하면 인체의 자연적인 면역이 약하게 되며 위와 장 부위에 나쁜 영향을 끼칠 수도 있습니다.

약을 복용하지 않으면 배변이 안되는 변비로 고생하고 고민하고 있는 사람은 그림과 같이 발바닥 자극을 끈기 있게 계속해 준다면 빠른 시일 내 반드시 효과를 볼 수 있습니다.

또 규칙적으로 하루 세끼의 식사를 반드시 하는 것도 중요합니다. 변비가 있다고 하여 뱃속에 아무 것도 넣지 않는다면 몸을 지탱할 수 없습니다. 평소에 섬유질이 많은 식품을 잘 섭취하여 수면에도 배려하고 적당한 운동을 하는 것을 권장합니다.

발 지압을 할 때 신장, 수뇨관, 방광 지압점은 기본적인 시술로 반드시 발 지압 전과 후에도 자극하여 주어야 합니다.

지압 시간은 3분에서 5분 정도로 하고 자극 차수는 매 지압점에서 15차 정도로 정성껏 자극하여 주면 됩니다.

변비 치료에서 발 지압을 이용한 발바닥 지압 부위와 순서는 ① 신장, 수뇨관, 방광 ② 위 ③ 십이지장 ④ 췌장 ⑤ 대장 ⑥ 소장 ⑦ 직장 ⑧ 간장 ⑨ 직장 ⑩ 신장, 수뇨관, 방광으로 하면 됩니다.

발 지압과 치료 5

발지압 치료 : 위통

위통에는 여러 가지 원인이 많지만 주로 만성위염으로 인한 통증과 위궤양에서 오는 통증이 가장 많습니다. 발지압을 꾸준히 실시하면 아주 좋은 효과를 얻을 수 있습니다.

만성위염으로 인한 위통

위에 통증을 느끼는 것으로 가장 많은 것은 위염입니다. 특히 만성위염은 대단히 많은 것으로써 증상이 나타나는 사람과 그렇지 않은 사람도 있습니다. 원인은 위선조직이 파손되어 회복이 잘 안되고 감소 또는 소실되어 여러 가지 증상을 일으키게 됩니다.

증상으로는 식욕부진, 위의 팽창감, 누르면 약간의 통증이 오기도 하며, 명치 언저리가 쓰리고 속이 체한 듯 위가 거북하기도 하며, 식후나 공복시에 통증이 오는 경우가 있습니다. 증상이 가볍다고 방심하면 이것이 때로는 위궤양과 위암 등을 발생시키는 경우도 있습니다.

위통 치료에서 발 지압을 이용한 발바닥 지압부위와 순서는 ① 신장,

수뇨관, 방광 ② 위 ③ 췌장 ④ 십이지장 ⑤ 양발의 장딴지 전체(직장 부위) 혈액순환의 촉진을 위해 양발의 발목 전체를 잘 문질러주면 더욱 좋습니다.

발 지압을 할 때 신장, 수뇨관, 방광 지압점은 기본적인 시술로 반드시 발 지압 전과 후에도 자극하여 주어야 합니다. 지압 시간은 3분에서 5분 정도로 하고 자극 차수는 매 지압점에서 15차 정도 정성껏 자극하여 주면 됩니다.

위궤양

위궤양은 위액이 음식물을 소화할 뿐 아니라 자신의 위벽 일부를 소화하여 버리고 결과적으로 위에 구멍을 뚫어 버리고 마는 것입니다.

위궤양 원인에 대해서는 많은 학설이 있으나 극도의 신경 피로와 식사불규칙, 영양의 공급불규칙 등이 주요 원인으로 되어 있는 것 같습니다. 위궤양은 대단히 많은 병으로 위통과 구역질, 위출혈 등이 있을 때에는 우선 전문의의 진단을 받는 것이 중요합니다.

술, 담배 등 자극이 강한 것은 피해야 하며 식생활을 규칙적으로 하고 수면을 충분히 취해야 합니다.

위궤양 치료에서 발 지압을 이용한 발바닥 지압 부위와 순서는 ① 신장, 수뇨관, 방광 ② 위 ③ 복강신경총 ④ 부신 ⑤ 내, 외 임파선(양발의 복사뼈 주위)입니다.

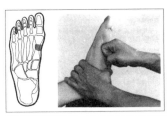

위

지압 시간 : 1분 정도
지압 효과 : 위통, 소화불량, 위하수, 급성 위염,
복부통증, 위산과다, 복부가 부어 오르고 가슴이
답답할 때

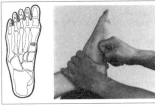

췌장

지압시간 : 2분 정도
지압효과 : 당뇨병, 신진대사불량, 췌장의
각종 질병

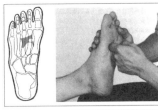

복강신경총

지압시간 : 2분 정도
지압효과 : 신경성 위, 장부 냉증

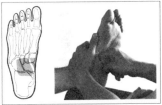

소장

지압시간 : 2분 정도
지압효과 : 복부 통증, 피로증, 급성 장염,
위장에 가스가 차 있을 때

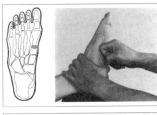

십이지장

지압시간 : 2분 정도
지압효과 : 소화불량, 십이지, 장궤양, 복부통증

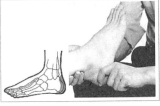

양발의 장딴지 전체

지압시간 : 2분 정도
지압효과 : 월경불순, 복부통증,
월경시 긴장감 해소

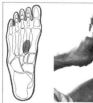
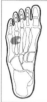

신장

지압 시간 : 1분 정도

지압 효과 : 신기능저하, 동맥경화, 정맥조절, 풍습증, 관절염, 습진, 신결석, 뇨독증, 부종

간장

지압 시간 : 1분 정도

지압 효과 : 간경화, 간기능 저하, 간염, 간이 크다. 피로증, 간기능 저하로 오는 영양 부족, 간병

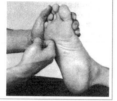

자율 신경

지압 시간 : 1분 정도

지압 효과 : 신경성으로 오는 위병, 장부의 냉증

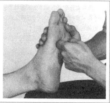

직장

지압 시간 : 1분 정도

지압 효과 : 변비, 직장염

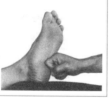

수뇨관

지압 시간 : 1분 정도

지압 효과 : 수뇨관 결석, 염증, 풍습증, 관절염, 고혈압, 동맥경화, 배뇨계통 불순으로 인한 신장기능장애

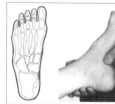

방광

지압 시간 : 1분 정도

지압 효과 : 신장결석, 수뇨관 결석, 방광염, 요도염, 고혈압, 동맥경화

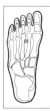 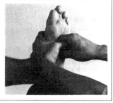

부신
지압시간 : 1분 정도
지압효과 : 심장 박동 불규칙, 관절염, 각종 염증, 훈증, 천식, 풍습증, 급성 · 만성의 부신 불규칙증

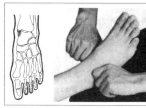

내 임파선
지압시간 : 1분 정도
지압효과 : 각종 염증, 암, 몸의 발열, 다리부종, 발목부종, 종기, 항병체결핍

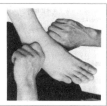 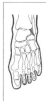

외 임파선
지압시간 : 1분 정도
지압효과 : 각종 염증, 각종 암, 몸의 발열, 종기, 항병체결핍, 유행성 귀 염증

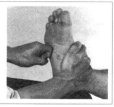 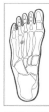

담낭
지압시간 : 1분 정도
지압효과 : 간경화, 간기능 저하, 간염, 간이 크다. 피로증, 간기능 저하로 오는 영양 부족, 간병

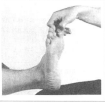 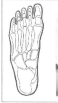

삼차 신경
지압 시간 : 1분 정도
지압 효과 : 간두통 등 머리에 고통이 있을 때

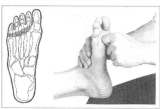

어깨관절
지압 시간 : 1분 정도
지압 효과 : 두통, 어깨 등의 고통이 있을 때

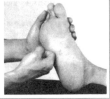

대장(승결장)

대장(항결장)

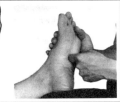

대장(횡결장)

대장(승결장, 횡결장, 항결장)
지압 시간 : 3분 정도
지압 효과 : 변비, 복부 통증

● ● ● ● ● ● ● ● ● ● ●

18. 정소영 (사회복지사)

- 연세대 경제학과 졸업
- 워싱턴대학원 사회사업과 졸업
- Children Hospital and Regional Medical
  Center, Pediatrics Pulmonary Center
- Social Worker
- Wonderland Developmental Center
- Social Worker
- 현재 Gracie Square Hospital
- Social Worker

- 주소 : 420 East 76th Street
  New York, NY 10021
- 전화 : 212-434-5540 / 212-434-5397
- Fax : 212-434-5578

◎ 정신질환(Mental Illness)

교육프로그램을 시작하면서

◎ 정신치료는 남 얘기?

◎ 강박장애(Obsessive

Compulsive Disorder)

◎ 병원치료와 입원치료의 장단점

◎ 조울증(Bipolar Disorder-

Manic Depression)

정신질환(Mental Illness) 교육프로그램을 시작하면서

정신질환이란

정신질환이란 개인이 정상적으로 일상생활을 유지하는데 필요한 생각, 감정, 추론, 연상작용 등에 있어 심한 장애를 가져오는 상태를 총칭하는 것으로 나이, 성별, 직업, 인종 등에 관계없이 누구에게나 올 수 있습니다. 주요 정신질환에는 우울증, 조울증, 치매, 정신분열, 불안증 등이 있고, 그 요인으로는 출생 시의 문제, 뇌의 화학작용의 불균형, 기타 생물학, 환경, 사회 또는 문화적 요인들이 있다고 보고되고 있습니다.

문제는 일찍 발견하고 치료하면 정상의 상태로 되돌리거나 진행을 방지하는 등 많은 효과를 거둘 수 있음에도 불구하고 우리들이 정신질환에 대해 너무 무지하고 한인사회의 편견 등으로 인해 문제가 있어도 숨기려 만들고 그러다 보니 더 악화되고 급기야는 큰 문제를 만들고야 마는 사례를 주위에서 보게 됩니다.

본인에게 갑작스런 기분의 변화가 올 때, 식욕과 수면의 변화가 올 때, 일상생활의 사소한 일에 해결능력이 악화될 때, 불안감, 우울감, 냉담증 등이 일주일 이상 지속될 때, 죽고 싶은 생각과 다른 사람을 해치는 생각을 계속하게 될 때, 급작스런 성격의 변화가 올 때, 알코올이나 마약의 사용 등으로 자신의 행동의 조절능력이 상실하거나 학업성적이 갑자기 떨어지는 등 일상생활 패턴에 큰 변화를 경험할 때는 정신건강에 문제가 있을 가능성이 있으니 전문가와 상의를 하는 것이 좋습니다.

위와 같은 변화를 경험할 때 조기 발견하여 도움을 받는다면 정상의 기능을 찾는데 상당한 효과를 거둘 수 있습니다. 최근의 뉴욕 한인을 대상으로 한 한 연구에 의하면 정신질환자 자신과 가족이 정신질환에 대해 교육받고 이해하고 함께 치료에 협조할 경우 정신질환자가 제기능을 찾는데 좋은 결과를 가져올 수 있다는 보고도 있습니다.

우리 한인들 중에는 정신적인 문제로 상담이 필요한 경우 종교인이나 주변 친지 등에 의존하는 경우가 종종 있는데 물론 치료를 위해 부분적으로 도움이 되겠지만 전문적이고 효율적인 치료를 위해서는 약을 사용하거나 입원이 필요할 경우도 있고, 여러 분야의 전문가로 구성된 정신건강 전문 치료팀에게 도움을 받는 것이 매우 중요합니다.

정신질환에 대한 한인사회의 편견(Stigma)에 관하여

우리는 뉴스를 통해 지하철에서 정신이상자에게 사람이 떠밀려 죽었다던든가, 우리 한인청소년들이 술이나 마약을 하며 탈선을 한다던가, 노인들이 이민 후 가정 및 사회생활에 잘 적응하지 못해 자살을 했다던가 하는 등의 소식을 가끔 접하고 있습니다. 신문이나 방송 등을 통해 그런 소식을 접하면서 그들을 과격하거나 사회에 해를 끼치는 존재로서 나와는 상관없는 사람들이라고 외면해 온 것도 사실입니다. 그래서 그들의 대다수가 과격하지도 않으며 사회에 해를 끼치는 존재가 아닌 사실 사회의 피해자로서 본인과 그 가족들이 함께 고통받고 있고 우리들도 직접 또는 간접적으로 연결이 된다는 사실을 생각해 볼 기회는 적었던 것 같습니다.

미국인의 상당수의 사람들이 바쁘고 복잡한 생활 속에서 스트레스를 받고 정신적인 어려움을 호소하며 전문인의 도움을 받고 있는 현실에 비추어볼 때 우리는 이민자로서 언어와 문화 등의 차이에서 오는 부가 된 어려움을 겪고 있기에 더욱 많은 이들이 정신적인 문제로 고통받고 있을 것이라 생각됩니다. 그러나 그 중 많은 사람들이 자신에게 어떤 어려움이 있는지, 어떻게 도움을 구해야 할지 방법을 알지 못하는 경우가 많은 것 같습니다.

많은 경우 본인과 가족, 그리고 전문가가 함께 노력하면 상당부분 해결이나 개선이 가능한데도 무지로 인해 또는 마치 미친 사람만이 그런 도움이 필요하다며 회피하는 한인들 사이에 만연된 생각이 학교나 가정, 직장에서 정상적인 기능을 할 수 있도록 도움을 받는데 방해요소가 되기도 합니다.

혹 여러분 중, 여러분 가정 또는 이웃에 정신적인 문제로 정상생활을 수행하는데 어려움을 겪는 분이 있다면 한국말로 서비스를 받을 수 있는 병원이나 지역사회정신건강센터를 방문하여 도움을 구하시기 바랍니다. 여러분이 도움을 받는 모든 과정이 비밀이 보장되고 치료에 필요한 비용도 일반보험이나 메디케어, 메디케이드 등에 커버가 되고 설사 보험이 없다하더라도 치료를 받을 수 있는 여러 가지 방법이 있으니 문의하시기 바랍니다.

정신치료는 남 얘기?

친구나 아는 사람이 '정신치료'를 받는다면 우리는 그 사람이 소위 말하는 '정신 나간 사람' 혹은 심한 정신병을 앓고 있는 사람인양 이상하게 생각하는 경우가 종종 있습니다. 하지만 정신치료란 꼭 심한 정신병을 가지고 있거나 앞서 말한 정신이 온전하지 못한 사람만이 가지고 있는 것은 결코 아닙니다.

정신치료는 정신적으로 고달프거나 힘든 증상을 줄이고 정상적으로 학교에서, 집에서, 또는 직장에서의 기능을 되찾을 수 있도록 도와주며 또한 자신과 가족이 당면하고 있는 특정한 문제를 최대한으로 효율적으로 대처할 수 있는 능력을 습득할 수 있도록 도와주는 과정입니다. 보통 정신치료를 받는 사람들의 가장 흔한 문제는 우울증, 인간관계 문제, 술이나 마약, 학업성적, 신체건강 악화 등 입니다.

정신치료는 정신과 의사, 임상사회사업가, 심리학자가 주로 하며, 정신치료과정을 통해서 정신치료를 받는 환자가 자신의 문제를 더 깊게 잘 인식하며 이해할 수 있도록 도와주고 현재와 미래에 당면하는 또 다른 문제들을 개인치료, 그룹치료, 가족치료 등을 통해 달성됩니다. 치료사와 환자와의 관계는 특별한 관계로서 서로가 신뢰하며, 존중하고 환자의 정보를 최대한 보호해 줍니다.(Confidentiality)

정신치료는 보통 크게 두 가지로 나누어지는데 거기에는 단기치료와 장기치료가 있습니다. 단기치료는 보통 3달(12주) 정도로써 환자의 문제를 치료자와 환자가 한 팀이 되어서 해결안을 강구합니다. 장기치료는 그보다 더 오래되고 지속적인 관계를 요구하는 치료로써 특정 문제 해결 방안마련 뿐만 아니라 자신의 병이나 문제에 대한 인식이 더 깊어 지도록 도와주며, 성격의 변화, 또한 정신합병증(comorbidity) 증세로 발전되지 않게 예방할 수 있는 차원까지 하는데 그 목적이 있습니다. 많은 정신상담소나 병원에서 메디케이드(medicaid)나 메디케어 (medicare)를 받고 있으며, 아무런 보험이 없는 경우에는 sliding scale 이라고 수익 정도에 따라 치료비가 달라질 수 있습니다.

그러면 어떠한 증상이 올 때 정신치료가 필요한지 알아보기로 합니다.

1. 갑작스런 기분(mood)의 변화가 올 때

2. 일상생활의 사소한 일들의 해결능력이 약화될 때

3. 급작스런 불안증(anxiety)이 일주일 이상 지속될 때

4. 우울증과 냉담증이 1주일 이상 지속될 때

5. 갑작스런 식욕과 수면에 변화가 올 때

6. 죽고싶다는 생각과 다른 사람을 해치고 싶다는 생각이 계속적으로 올 때

7. 급작스런 성격의 변화가 올 때

8. 알코올이나 마약의 사용이 계속되며 자신의 행동의 조절 능력이 상실된다는 것이 감지될 때

9. 학업성적이 갑자기 떨어질 때

이러한 증상이 1주일~2주일 이상 된다면 전문가와의 상담이 반드시 필요합니다.

강박장애(Obsessive Compulsive Disorder)

질문 : 저는 30대 여성입니다. 몇 년 전부터 하루에 수십 번씩 손 씻는 버릇이 생겼습니다. 손을 잠시라도 씻지 않으면 제 손이 박테리아에 감염된다는 생각이 자꾸 듭니다. 어떤 때는 손을 안 씻으려고 노력하지만 그럴 때마다 불안감은 더 커지고 미칠 것 같다는 생각이 드는데 이러한 현상은 무엇입니까?

답변 : 지금 본인께서는 "강박장애"라는 정신질환의 일종의 증상을 가지고 계십니다. 강박장애란 불안장애의 일종으로 청소년기나 성인기에 그 증세가 보통 나타나기 시작하는데, 지금 현재 4백만의 미국인이 이 병을 앓고 있습니다.

강박장애로 진단이 되기 위해서는 우선 강박적인 사고나 행동이 계속되며, 강박적인 행동을 하루에 한 시간 이상씩하며, 이러한 현상이 적어도 2주간 유지되어야 합니다. 가장 흔한 강박적 사고는 본인과 같은 오염에 반복적 사고, 순서대로 물건을 정리하고 싶은 욕구, 또는 공격적이거나 두려운 충동 등이라고 할 수 있습니다. 이러한 강박장애를 가진 분들은 하루에 손을 수 십 번씩 씻는다거나 하루에 몇 시간씩 청소를 한다거나, 문이 꼭 잠기어졌나, 가스 불이 제대로 꺼졌는지 하는 강박적인 행동을 합니다. 어떤 사람은 숫자를 100에서 200까지 세고 또 세고 하는 행동 또한 보입니다. 강박적인 사고는 관념, 충동으로 자신이 저지할 수 없이 침입적이며 심각한 불안과 고통이 계속됩니다.

이러한 강박장애를 가지신 분들은 자신의 사고나 행동이 지나치게 불합리하다고 생각하며, 강박적인 행동을 하지 않으려고 나름대로 고치려고 노력도 합니다. 하지만 이러한 노력은 개인들의 불만을 더 고조시키며 이러한 행동을 그만두기는 거의 불가능합니다. 이러한 현상 때문에 개인들은 가정에서, 학교에서 또한 직장에서 정상적인 행동을 하기가 힘들어지며, 결국에는 사회생활을 유지하기가 불가능해져서 집에만 틀어박혀 있는 현상까지 발견할 수 있습니다.

강박장애의 치료책으로는 여러 가지가 나와 있지만 가장 성공적인 것으로는 행동치료와 약물치료를 겸비하는 것입니다. 행동치료는 치료자가 환자를 불안과 강박증세가 일어나는 환경에 일부러 노출시킵니다. 그러면서 치료자는 환자가 강박적인 행동을 줄이고 강박적인 행동과 싸울 수 있도록, 또한 강박적인 행동을 하지 않아도 살 수 있다는 것을 단기적 혹은 장기적 치료를 통해 가르칩니다. 가족 치료는 환자가 정규적으로 개인치료를 받을 수 있도록 정서적, 사회적인 지지를 해주는데 그 의미가 있습니다.

병원치료와 입원치료의 장단점

　미국 내 자유경쟁사회 속에서의 의료제도는 시장경제의 영향을 크게 받고 있습니다. 2차 대전 후에 늘어난 모든 사업체가 그 고용인들에게 무료건강 보험을 제공해야 한다는 법률로 인하여 미국의 의학은 황금시기를 누려왔습니다. 그러던 것이 1980년대에 와서 변화하기 시작하여 1990년대에 들어서면서 HMO(건강 유지 조직체)를 만들어 매년 10%이상 오르는 의료비용을 막아보자고 정부가 앞장선 것입니다. 그 이유는 의료지출이 중앙정부의 지출 중 국방과 원조, 사회보장 등을 빼고 셋째로 큰 지출이 되는 것으로 나타났기 때문이었습니다.

　한편 세계의 대부분의 문명국가들이 건강의료 보장을 국가가 관할하는 단일(국가)보험제도를 실시하고 있지만, 미국은 개별회사의 보험제도 특히 고용주를 통한 집단보험을 회사의 고용인들에게 주는 것을 장려하여 세금혜택을 주는 등 사회보험제도를 발전시켜왔기 때문에 국가보험이라는 큰 부담을 덜어왔던 것입니다. 이와 동시에 루즈벨트 대통령 집권 시기에 시작된 사회보장제도와 은퇴자와 불구자를 위한 국가보험이 날이 갈수록 늘어가고 그 비율이 매년 상승하다 보니 사립보험제도가 파산하게 되었습니다.

　다시 말해서 이 두 제도의 병행에 착오가 생기기 시작하여 현재의 의료제도의 대혼란이 오게 된 것입니다. 간단하게 말하면 은퇴한 노인계층들이 늘어가고 또 정신병이나 신체상의 질환으로 불구자가 된 인구가 늘어나고 있기 때문에 사회주의 성향을 가진 국가보험이 필요하게 되는데 국가에서는 의료단체를 희생하면서라도 의료비의 지출을 줄이려고 중간사격인 'HMO 보험유지기관'을 제도화하여 의료비 상승을 막고 있는 형편입니다.

미국의 인구의 15%인 340만 명이 건강보험이 없다는 통계가 나오고 있습니다. 이것은 주로 중산층 특히 하류와 중류계급의 노동인구들이 무보험자라는 말이 됩니다. 소기업이나 소자본 소매상들이 이에 해당되며 대부분의 한국인 소기업자들도 여기에 포함된다고 보겠습니다. 반면 상류계급이나 상류직장인은 개인보험이 없고 또 중류의 단체보험자들을 제쳐놓더라도 많은 저소득 시민이 정부의 혜택을 받고 있습니다. 하류계급이나 수입이 낮은 사람들 중 SSI나 Food Stamp를 받는 시민들은 정부의 보험, Medicare나 Medicaid의 혜택을 받게 되니까 여러 병원들이 경쟁을 해가면서 하류층 환자를 끌고 있는 이유가 여기에 있습니다.

한국이나 타민족으로 미국에 이민 온 사람들에게 정부가 의료혜택을 주지 않고 영주권이 있어도 사회보장금으로 유지되는 사회보장이나 건강보험, Medicare를 신청 않겠다는 각서를 받고서야 이민을 허락하는 이유도 바로 정부의 부담을 견제하려는 의도에서 나온 것입니다. 개인회사인 'HMO(건강유지기관)'는 정부에서 하청을 받아 극빈자, 저 소득자, 은퇴자들에게 오는 건강보험을 도매로 맡아서 의료자에게 경쟁적으로 입찰하여 이득을 보고 있습니다. 따라서 이로 인하여 병원의 입원기간을 단축하거나 치료비를 줄이려는 시도가 성행하고 있습니다.

옛날에는 상상조차 못하던 것을 지금은 개인회사들이 하고 있고 정부는 무관심한 태도로 나오기 때문에 손해는 의료기관이나 의료인에게 내리게 되어 의사 과잉 실업자가 늘어가고 있는 형편입니다.

특히 정신병이나 정서적 장애의 경우 의료자와 환자가 공동으로 피해 대상이 되었습니다. 그 이유는 정신병은 병이 발생하는 데는 오랜 시일이 걸릴 뿐 아니라 치유하는데도 시간이 요구되며 치유에는 다른 신체의 병과 달리 약으로만 되는 것이 아니고 정신적인 보호와 치료가 있어야 하는데 그렇게 하려면 시간과 비용이 많이 들기 때문에 보험이던 개인부담이던 관계없이 다른 병보다 경제적인 부담이 가중되는 결과를 초래하기 때문입니다.

종래에는 장기 정신병의 비용을 주 정부에서 부담하도록 제도화하여 큰 주립 정신병원을 여러 곳에 설립하고 운영하여 온 것이 1970년대에 들어서면서 변화되기 시작했습니다.

그러면 우리 교포들은 어떻게 하여 최저의 비용으로 최대의 효과를 보는 치료방법을 찾을 수 있을까요? 이때에 알아야 할 공식은 '위험성과 혜택지수'를 잘 파악해야 한다는 것입니다.

치료를 통하여 최대한의 효과를 얻는다 해도 위험도가 높아진다면, 가령 예를 들어 정신병을 치료는 했지만 환자가 자살이나 타살을 했다면 위험성이 무시되었다고 간주되어 효과가 0으로 돌아간다는 것을 뜻합니다. 구체적인 예를 들면 주요 우울증을 치료하는데 통원치료를 하느냐 입원치료를 하느냐 하는 결정을 내리는데 위험도를 점검하고 효율성을 감안해야 하고, 고통지수, 즉 환자와 가족, 주위사람들이 겪어야 하는 고통의 비중도 고려에 넣어야 한다는 것입니다. 이런 때에는 통원치료를 하다가도 입원하는 방법이 최선이 될 수 있을 것입니다. 예를 들면 그레이스 스퀘어 병원 아시안의 병동이 열리면서 치료한 사례를 보면 거의 2년 동안 두문불출한 대학생이 3주만에 잘 치료되어 나갔고, 우울증으로 잠 못 자는 분, 여러 신체증상으로 수십 명의 의사를 찾아다니며 고생하는 분들, 큰소리 지르는 할머니도 병의 원인을 찾고 병을 고쳐 가지고 나가는 것을 볼 때에 입원 치료의 가치를 새삼 절실히 느끼게 됩니다.

진단이 확실하지 않고 치료가 잘 안되어 여러 의사에게 찾아가 여러 가지 약과 치료방법을 쓰는 것보다 입원하여 24시간 관할 점검하여 좋은 효과를 볼 수 있습니다. 물론 좋은 병원과 의사의 선택이 또한 중요하겠습니다.

입원치료의 단점이라면 말이 잘 통하지 않는다든지, 갑갑하다든지, 비용이 많이 든다는 점 등인데 이런 것을 지양하여 특수계통의 치료방법으로 아시안을 위한 정신병원 등이 생겼고 비용에 있어서도 요즈음은 잘 타협할 수 있고 개인의 자비를 부담하는 경우 분납이라든지, 가정수입 정도에 따라 감해 주는 경우가 많습니다. 적극 절충하여 병이 더 중해지기 전에 빨리 단기에 치료하는 지혜를 갖으시기 바랍니다.

다음 통원치료의 장점은 일을 다니면서 치료를 받을 수 있다든지 직장의 윗사람이라든지 가족이 모르게 치료를 할 수 있는 편리가 있겠고, 병이 급성이 아니고 어느 정도 통제를 할 수 있는 상태라면 악화를 방지하는데 통원치료가 적합합니다. 물론 좋은 의사나 상담자를 찾아야 하겠습니다. 예를 들어 약을 써서 치료할 수 있는 것을 상담으로만 치료하고 있으면 곤란하겠지요. 통원치료의 큰 단점은 위험과 혜택 치수의 경우 위험지수를 잘 파악하기 어렵고 잘못하면 큰 실수를 가져올 수 있다는 것입니다.

조울증(Bipolar Disorder-Manic Depression)

기분 또는 정동장애의 한 유형인 조울증에 대해 살펴보도록 하겠습니다.

조울증은 간단히 말해 조울과 우울증이 번갈아 오는 것입니다. 즉 흥분된 기분과 침울한 기분 및 감정이 주기적으로 반복되는 정신질환입니다. 조증에 걸리게 되면 생활에 에너지와 열정이 증가하고 잠을 적게 자도 피로감을 느끼지 못하며, 과대망상증 및 극한 자신감, 판단능력이 저하되어 쇼핑을 무절제하게 한다든가, 빠르고, 크고, 정리되지 않는 말을 하면서 공격적으로 되기도 했다가 다시 정상상태 또는 심한 우울증 상태로 빠지는 등 감정의 변화를 주기적으로 경험합니다. 위에 열거한 세가지 이상의 증상이 1주일 이상 지속된다면 조울증을 경험하고 있을 확률이 많습니다.

미국인의 3백만 명 또는 2% 이상이 이 질환을 경험하고 있고, 이 정신질환은 언제든지 일어날 수 있지만 절반 정도의 케이스는 20대 중반을 전후해 시작되고 남녀 모두에게 비슷하게 일어나며 유전적인 영향이 있다고 보고되고 있습니다. 왜냐하면 80~90% 가량의 조울증 환자들의 일가친척들이 비슷한 경험을 하고 있다는 통계가 있습니다. 인체의 호르몬의 이상과 뇌 세포간의 교류의 불균형이 조울증의 원인으로 보고되고 있습니다.

조울증의 치료방법으로는 약물요법, 정신치료, 원조그룹활동 등이 활용되는데 그대로 방치될 경우 본인의 생활과 가족 및 주변사람들과의 관계에 지속적인 문제로 작용할 수 있으므로 꼭 전문가와 상의하고 온

가족이 협조하여 치료방법을 함께 찾아나가는 것이 바람직합니다.

　때로는 입원하여 집중적으로 전문치료팀의 도움을 받는 것이 효과적일 수 있습니다. 다행히 조울증은 상당부분 치료가 가능하고 우리 주변에 전문가들로 구성된 치료팀을 이용할 수 있으므로 본인이나 주변에 이 정신질환으로 어려움을 겪는 분이 있다면 도움을 받으시길 바랍니다.

19. 최기봉 한의사 <small>(하나민족의원 원장)</small>

- 백두산쑥뜸연구소 소장
- 경기대학교 경영학과 졸업
- 로얄 한의과 대학 졸업
- 동인 한의과 대학 졸업
- 뉴욕 한방원 경영
- 하나민족의원 경영
- 백두산쑥뜸연구소 소장

- 주소 : 140-50 34th Ave
  Flushing, NY 11354
- 전화 : 718-460-2425 / 646-220-8647
- www.pektusan.com

◎ 민간 의학에 대하여 1

◎ 민간 의학에 대하여 2

◎ 호흡기 질환과 치료법

◎ 호흡기 질환과 늑막염

◎ 소화기 질환과 치료법 1: ① 위궤양

② 위 아토니 ③ 위하수 ④위산과다

◎ 소화기 질환과 치료법 2:

① 간염 ② 간경변증 ③ 담석증

◎ 고혈압증과 저혈압증

민간 의학에 대하여 1

세계의 모든 역사 국가들이 민족고유의 전통적으로 내려오는 치료방법들 즉 각자 나라의 기후조건과 환경 먹을거리, 문화적 습관 등을 그곳에서 살아가는 모든 사람들에게 가장 효과적으로 병을 치료할 수 있고 예방하는 방법을 오랜 기간 연구 계승 발전시켜온 것을 향토의학, 전통의학 또는 민간의학이라고 말합니다.

우리 한민족 역시 5천년의 오랜 역사를 가지고 전통적으로 내려온 여러 가지 치료 예방법들이 많이 있습니다. 그 중에서도 지금까지 많은 사람들이 사용하고 좋은 효과를 보여주고 있는 약쑥으로 뜸을 뜨는 방법과 약쑥의 치료효과에 대하여 설명하고자 합니다.

1) 좋은 약쑥

먼저 쑥뜸의 치료에 있어서 좋은 효과를 보기 위해서는 양질의 약쑥이 필요합니다. 양질의 약쑥이란 한여름 6월과 7월 사이에 공해가 없고 산 지역에서 자란 약쑥만을 채취하여 한여름 잘 말려 3년 이상 보관 숙성시켜 약쑥이 가지고 있는 정유성분이 쑥에 잘 배어 색깔이 황회색으로 변한 쑥을 가장 좋은 약쑥이라고 말할 수 있습니다.

옛 고전에도 7년 묵은 병에는 3년 이상 묵은 뜸쑥을 구해서 써야 한다고 말하는데, 이것은 3년 이상 된 쑥은 약의 효과는 물론 뜸을 뜰 때 열이 잘 통하고 빨리 타므로 뜨거운 느낌이 덜하기 때문이며, 새로 말린 쑥은 열이 세고 오래 타므로 더 뜨겁게 느껴지고 뜸을 뜨는 사람의 고통이 심해지기 때문에 양질의 약쑥을 구해 사용하여야만 질병의 치료와 예방에 좋은 치료효과를 볼 수가 있습니다.

우리나라에서 좋은 쑥의 산지는 백두산과 강화도 마니산 지역의 약쑥을 들 수 있고 특히 백두산 쑥은 그 향기와 약효가 매우 우수한 세계적인 약쑥이라고 말할 수 있습니다.

2) 뜸을 뜨는 방법

뜸을 뜨는 방법에는 직접 살에 뜸을 뜨는 직접 뜸으로 피부에 상처를 내서 치료하는 방법과 뜨거울 때 상처가 나지 않게 꺼버리는 방법이 있으며, 간접 뜸은 피부 위에 소금, 마늘, 생강, 진흙 등을 올려 놓고 그 위에 쑥을 올려 뜸을 뜨는 방법이 있으며, 그 외에 피부가 데지 않도록 만든 기구들을 사용하는 방법이 있습니다.

각기의 방법들은 모두 장단점을 갖고 있으며 치료하는 방법은 각자의 병의 상태에 따라서 잘 선택하여 본인들의 체질에 맞는 방법을 택하는 것이 좋으며, 쑥뜸으로 치료를 하려고 하는 사람들은 먼저 쑥뜸 전문인과 상담한 후에 바람직한 치료방법을 찾아야 할 것입니다.

3) 쑥뜸의 의학적 원리

동양의학에서는 병이 들어 몸이 아픈 원인을 우리 몸 안에 내재된 음과 양의 기운이 바른 조화를 이루지 못하여 어느 한쪽의 기운이 많거나 적을 때 기와 혈이 원활하게 활동하지 못하는데 그 원인을 두고 기와 혈이 잘 통하면 모든 병이 낫는다고 생각해 왔습니다.

그래서 동양에서는 침을 이용하여 경락을 따라 움직이는 기를 조절하는 치료방법이 발달되었으며, 우리나라에서는 약쑥을 태워 쑥뜸의 뜨거운 열기를 경혈을 통해 경락을 자극하여 기혈의 움직임을 활발하게 하여 우리 몸 속에 자연 치유력을 높여 질병에 대한 저항력을 길러 모든 병을 치료하고 예방하는 자연치료요법인 쑥뜸을 개발하게 된 것입니다.

민간 의학에 대하여 2

쑥뜸의 효과와 질병치료 : 심장협심증

흉골 하부 때로는 심장부에 일어나는 동통, 발작을 주 증상으로 하는 증세를 총칭하며 심장협심증이라고 하며 그 원인으로는 심장근육에 영양을 공급하는 혈관인 관상동맥에 기질적인 병변을 일으키거나 혹은 기능적인 경련을 말하며 관상동맥의 혈관 내강이 좁아져서 심장근 사이로 가는 혈액이 충분히 통과되지 못함으로써 심장근의 영양 및 산소 공급부족으로 일어나는 것을 말합니다.

동맥경화증 같은 기질적 질환에 의하여 나타나는 것을 '진성협심증'이라고 하며, 경련과 같은 기능적 병변에 의하여 일어나는 것을 '가상협심증' 또는 '신경성 협심증'이라고 말합니다.

협심증 발작증세에 따라서 '소협심증'과 '대협심증'으로 분류되며 '운동협심증'과 '안정협심증'으로 분류하기도 합니다.

운동협심증이란 운동, 흥분, 식사 후에 나타나게 되며 즉시 안정을 찾게되면 없어지는 것으로 소협심증이라고 말합니다.

안정협심증은 관상동맥의 부전이 높아지게 되면서 몸을 갑자기 움직이거나 심한 꿈을 꾸게 되는 경우에도 발작이 일어나는 것을 말합니다.

대협심증은 관상동맥이 갑자기 막히는 경우 그 부위에서 괴사가 나타나게 되는 것을 급성 심근 경쇄증이라고 말합니다. 이 증상은 심장부에 압박감이 일어난다든지 왼쪽 어깨나 팔 쪽으로 이상감이 오고 가벼운 불안감이나 전신에 힘이 없어지는 증상 등이 협심증 발작 이전에 나타나는 경우도 있으며 갑자기 심장부 혹은 흉골 중앙부나 하부 쪽으로 심한 통증이 일어나기도 합니다. 이 통증의 양상은 예리한 칼로 가슴을 후비는 듯 금방이라도 숨이 끊어질 것 같은 고통으로 심장부에서 왼쪽 어깨, 팔, 손으로 전달되며 짧게는 1~2분 길게는 10~20분까지 이어지게 되며 이러한 발작이 수 시간 또는 수 일간 계속 진행되면 심근경쇄증으로 볼 수가 있습니다.

신경성 협심증의 경우에는 자각증상은 진성협심증과 비슷한 심장부 통증을 나타내지만 심장질환이나 심전도에는 아무 이상을 발견할 수가 없으나 피로, 흥분, 정신적 타격 등에 그 원인을 들 수가 있으며, 발작은 수 분에서 수 시간 계속되지만 쇼크 증상을 수반하는 일은 없습니다.

쑥뜸치료

발작 증세가 나타난 경우에는 환자를 절대 안정시키고 즉시 소택혈에 뜸을 뜬 후, 증세가 가라 앉게 되면 신문혈과 하나혈에 뜸을 뜹니다.

소택혈 : 새끼손가락 손톱 바깥 쪽 뒤 모서리에서 1푼 떨어진 곳에 쌀 알 만한 쑥봉으로 한번에 3장씩 뜸을 뜹니다.

신문혈 : 손목관절 안쪽 가로로 간 금의 새끼손가락 쪽 끝의 우묵하게 들어간 곳에 쌀알 만한 쑥봉으로 한번에 3장씩 뜸을 뜹니다.

하나혈 : 두 젖꼭지 사이에 중간 점 단중혈에서 0.5치 올라간 곳에 쌀 알 만한 쑥봉으로 한번에 1장씩 2~3일 간격을 두고 뜸을 뜹니다.(급소 이므로 매우 주의를 요함)

민간 치료

1. 불로초 : 15~20g을 잘게 썰어 물에 달여 하루 2~3번에 나누어 식사 후에 먹는다. 불로초는 진정작용과 심장혈관계통의 기능을 높이는 작용이 있다.

2. 단삼 : 20~30g을 잘게 썰어 물에 달여 하루 2~3번에 나누어 끼니 뒤에 먹는다. 심장동맥이 작은 핏줄들을 넓히며 피를 잘 돌게 하여 협심증 발작을 막아 준다.

3. 은행나뭇잎 : 보드랍게 가루를 내어 한 번에 3~4g씩 하루 3번 끼니 뒤에 먹는다. 또는 20~30g을 물에 달여 하루 3번에 나누어 식사 뒤에 먹어도 된다. 은행잎은 협심증 발작이 일어나지 않게 하며 콜레스테롤을 낮추는 작용을 한다.

4. 인삼 : 머리 부분과 잔뿌리를 다듬어 버리고 보드랍게 가루를 내어 한번에 3~4g씩 하루 3번 식사 뒤에 먹는다. 심장동맥의 혈액순환을 늘려 심근의 수축력을 세게 한다.

호흡기 질환과 치료법

　대표적인 호흡기 질환에는 감기, 해수, 호흡곤란, 기관지 천식, 기관지염, 폐기종, 늑막염 등이 있습니다. 그 가운데 감기는 모든 호흡기 질환에 영향을 미치므로 감기의 예방과 치료에 중점을 두어 설명하고자 합니다.

　서양의학에서는 감기의 요인을 주위 환경의 온도의 변화에 따라 코점막의 혈관신경의 실조를 초래하여 바이러스나 박테리아의 감염을 쉽게 하여 발병되는 것으로 보고 있습니다.

　증상은 대개 재채기, 미열발생, 콧물, 머리 아픔, 어지러움 등이 수반되며, 그 다음 증상으로는 체온의 급상승, 눈의 충혈, 소화기 장애 등이나 팔다리의 통증을 가져오게 된다고 말하고 있습니다.

　동양의학에서는 감기를 풍사라고 부르며, 상풍과 상한으로 분류하여 치료를 하며, 상풍과 상한이 감기라고 하는 공통된 증상을 나타내지만 상풍과 상한은 본질적으로도 차이점이 있습니다.

　감기 초기에 있어서는 상풍성인 것은 찬바람을 느끼게 되며, 상한성인 것은 오들오들 떨리는 것을 느끼게 됩니다. 그 다음 감기 중기에 들어서게 되면 상풍이나 상한 모두 발열, 머리 아픔 등의 증상은 비록 같으나 상풍성인 경우 표허의 증상으로써 땀이 나며 맥이 빨라지며, 상한성인 경우 표실의 증상으로써 땀이 나지 않고, 맥이 길어지며 몸이 상풍성에 비해 무겁게 느껴지는 감이 있습니다.

　감기 말기에 있어서는 상풍의 경우 상한에 비해 자연적으로 치료가 되는 경우가 많지만 상한의 경우 치료시기를 높이게 되면 인체 내부에 깊숙이 남아 음병으로 진행, 마지막으로 궐음병으로 무거운 상태에 빠지게 되는 경우가 있습니다.

이와 같이 감기는 같은 감기라 할지라도 체질의 허실에 따라서 복잡한 증상을 보여주기 때문에 감기는 예방의 차원에서 대중적인 치료방침을 세우는 것이 매우 중요하며, 특히 감기에 자주 걸리는 사람들은 감기예방법을 배워서 항상 조심하게 되면 어느 정도는 감기를 예방할 수가 있게 됩니다.

1. 매일 아침과 저녁에 찬물로 세수하고 더운물로 발을 씻어야 합니다
2. 아침과 저녁에 이를 닦는 습관을 몸에 익힙니다
3. 방안에 공기를 환기시킵니다
4. 적당한 운동들 체조나 걷기 운동을 꾸준히 합니다
5. 두 손바닥을 맞대고 비벼 손바닥이 화끈 달아오르게 합니다
6. 복식호흡을 합니다

민간요법

감기 초기에는 갈근탕에 생강을 6g 정도 넣어 마시고 자리에 누워 쉬게 되면 몸에 땀이 나게 되면서 감기증상이 사라지게 됩니다.

열이 나도 감기에는 파를 뿌리 채 그대로 썰어 약간의 술과 함께 마시면 그 효과가 매우 큽니다. 기침이 심하게 나는 감기에는 약쑥을 3~5g 정도로 쑥차를 만들어 매일 장복하게 되면 기침을 멎게 합니다.

꿀 400g에 마늘 100쪽을 담궈서 약 2주간 묵힌 다음, 아침에 일어나 매일 한 숟가락씩 먹게 되면 감기에 걸리지 않습니다.

쑥뜸 치료법

우리 몸 정중앙에 흐르는 하늘 음선에 중완, 민족, 기해혈에 하루에 한 번씩 10~15회 정도 뜸을 뜹니다.

우리 몸 뒤 중앙에 흐르는 하늘 양선에 대추, 풍부, 신주, 백회혈에 하루걸러 한 번씩 5~10회 정도 뜸을 뜹니다.

호흡기 질환과 늑막염

기관지 천식

천식이라고 하는 것은 공기가 폐로 들어오고 나가는 것이 순조롭지 못하게 되므로 발작적으로 갑자기 나타나는 호흡곤란증세를 말합니다. 일반적으로 천식이라고 하면 기관지 천식을 말하지만 그 외에도 심장성천식과 요독성 천식이 있습니다. 그러나 같은 천식이지만 증상에 많은 차이점이 있으므로 세심한 관찰을 필요로 합니다.

천식의 원인은 여러 가지가 있지만 대체로 기질적 유전에 의한 요소가 많으며, 유전성 기질에 비해 외인성 천식과 내인성 천식으로 나눌 수 있습니다.

1) 외인성 천식

기본적 원인은 알레르기, 즉 과민물질에 위한 주위 환경때문이며, 과민물질의 접촉은 대개 호흡이나 음식물 섭취 등이 원인이 됩니다. 또한 먼지를 호흡하여 나타나는 천식을 진애 천식이라고 말합니다.

그 유발인자는 꽃가루, 털 종류, 가죽계통, 표박저, 향신료, 염료 등이며, 그 종류는 매우 많다고 볼 수 있습니다. 음식물 섭취에 의한 천식은 식어천식이라고 말하며 콩나물, 우유, 달걀, 어물, 과일 등 다양한 종류로 대개 어린아이들에게 많이 나타나는 경향이 있습니다.

2) 내인성천식

알레르기 증상이 체내에 있는 것으로 외부적인 환경과 음식물과는 아무런 관계가 없으며, 원인으로는 감기, 한랭, 폐기종이나 만성기관지염 등이 있는 사람이 감기에 걸리게 되면 거의 대부분 천식을 일으키게 됩니다. 내인성 천식의 증상은 갑자기 나타나는 발작과 더불어 호흡곤란으로 시작하며 심한 호흡곤란으로 식은땀을 흘리면서 순간적인 호흡곤란을 나타냅니다.

발작은 주로 밤중에 잘 일어나며 지속시간은 수 분에서 수 시간 나타나게 되는데 일반적으로 외인성 천식은 갑자기 시작하면서 지속시간은 짧고 발작 원인이 되는 것을 치료하면 금방 멈추게 됩니다. 그러나 내인성 천식은 시작과 끝이 불분명하고 발작시간이 길며 또한 과로나 먼지, 연기 등이 발작 증상을 더 악화시키고 기침과 열 등을 수반하며 소량의 가래를 배출하기도 합니다.

늑막염

늑막에 염증이 있는 것을 늑막염이라고 말하며 건성과 습성으로 나누며 이외 화농성 늑막염이 있습니다.

늑막염의 대부분은 결핵성으로 일차적으로 폐 또는 다른 장기에 결핵균의 감염으로 시작하여 2차적으로 염증으로 나타나는 경우가 많습니다.

1) 건성 늑막염

결핵성인 것이 대부분이며 증상은 대부분 염증이 있는 부위의 통증으로 시작하며 해수, 가래, 오한, 발열 등을 나타내면서 통증은 칼로 찌르는 것처럼 쑤시고 아프며 기침이나 심호흡 또는 체위변화에 의하여 더욱 심해지며, 통증부위는 제5~6 늑간 뼈에서부터 견갑골 밑부분으로 나타납니다.경우에 따라서 통증이 허리와 가슴뼈 밑부분으로 나타나며 급성일 경우 대개 2주내지 3주 정도 통증이 지속됩니다.

2) 습성 늑막염

늑막에 액체가 고이는 것을 말하며 결핵성인 경우 건성 늑막염과 처음부터 습성으로 발병하는 두 가지가 있습니다. 늑막에 고이는 액체는 황색 또는 황록색으로 투명하거나 약간 혼탁하며, 증상은 건성과 같이 갑자기 시작되지만 시일이 지나면서 액체가 고이면 염증이 있는 부위 늑막 쪽에 통증이 감소합니다. 그러나 액체가 많이 고이게 되면 호흡곤란이 일어나게 되며 간혹 체온이 40도까지 올라가는 경우도 있으며, 기침이나 한열, 오한, 마비 등의 증상을 수반하기도 합니다.

민간 치료법

검정콩을 맑은 물에 2시간정도 끓인 후 그 물에 설탕을 약간 넣고 약한 불에 3~4시간 더 끓인 후 이 물을 장기간 복용합니다.

약쑥을 깨끗이 씻어 소주에 담궈 뚜껑을 잘 밀봉하여 1개월 가량 지난 후 매일 하루 2~3번 정도 마십니다. 더운물은 천식예방에 효과가 뛰어나며 항상 잠자기 전 마시게 되면 천식발작을 예방할 수 있습니다.

쑥뜸 치료법

하늘음선(임맥)의 도, 하나, 중완, 민족, 단전혈과 하늘 양선(독맥)의 대추, 신주, 영대, 지양혈에 하루 한 번씩 1개월 가량 뜸을 뜹니다. 반드시 좋은 효과를 볼 수 있습니다.

소화기 질환과 치료법 1

1. 위궤양

위점막의 손상이 점막 밑에 조직까지 발전된 것을 대개 궤양이라고 말하는데 궤양의 대부분은 원형이나 계란형의 모습으로 나타나며 통상 원형궤양이라고 말합니다.

크기는 대략 작게는 5~25mm, 큰 것은 40~50mm 정도이며 길이는 대체로 10~20mm로 볼 수 있으나 이보다 더 깊은 것은 장막에까지 도달하는데 이것을 위천공이라고 말합니다.

위궤양의 주요 증상은 쓰리고 극심한 통증으로 증상이 나타나는 시간은 식후 1시간 이내와 2시간 이후에 일어나며, 심하면 토혈, 하혈을 하게 되고 증상이 진행되면 위천공을 유발시켜 생명에 위험을 줄 수 있습니다.

2. 위 아토니

다른 말로는 위무력증, 위근쇠약증이라고 합니다. 위벽에 있는 근육의 긴장력이 약해져 위 운동이 감퇴된 것을 말합니다. 원인은 음식을 너무 많이 먹거나 약제의 남용 또는 만성 위염 이후에 나타나는 경우도 있습니다. 증상은 위부팽만감, 식후 압박감, 식욕부진 등을 수반합니다.

3. 위하수

위무력증에 의하여 위의 근육이 이완 쇠약하여 위의 위치가 정상적인 부위에서 밑으로 처진 것을 말하며, 증상으로는 식욕부진, 트림, 두통 등 일반적인 증상이 있으며 때로는 가슴에 매달려 있는 느낌을 주는 증상을 나타나게 됩니다.

4. 위산과다

위의 산도가 정상보다 많은 것을 말합니다. 최대의 원인은 정신적 과로, 신경쇠약, 히스테리, 음주, 흡연 등에 의해 많이 나타나며 증상은 공복 시에 불쾌감, 중압감 가슴 쓰림, 통증이 있으며 연령적으로는 20~40대의 남성들에게 많이 나타납니다.

민간 치료법

위장질환의 첫 번째 치료법은 올바른 음식물의 섭취와 방법을 몸에 익혀 잘못된 식생활의 방법을 환자 자신이 강한 의지로써 바꿔나가는 것이 중요합니다.

⑴ 공해가 없는 약쑥을 5~10g 정도를 물 한 되 정도에 넣어서 끓인 후 물이 2/3 정도 남을 때, 약쑥물을 식힌 후 하루에 세 번 정도 미지근한 농도로 데워서 약 한 달 정도 마시면 웬만한 위장병은 반드시 좋아집니다.

⑵ 산 꿀을 공복 시에는 어른 수저로 하나씩 하루 3~4번씩 1개월 정도 장복하게 되면 위장기능이 호전됩니다.

⑶ 고려 인삼을 가루내어 차 수저 하나씩 하루 2~3번 씩 1개월 정도
  미지근한 물과 함께 공복 시에 먹습니다.

뜸 치료법

우리 몸 정중앙에 흐르는 하늘음선(임맥)은 위장 질환에 치료효과가
뛰어나고 중완, 상완, 하완, 민족(배꼽 위), 단전 혈 등을 주관하고 있습
니다. 이 경혈 등에 믿음을 가지고 쑥뜸을 1개월 이상 하게 되면 반드시
좋은 효과를 보게 됩니다.

소화기 질환과 치료법 2

1. 간염

간염은 크게 두가지로 분류합니다. 유행성간염과 혈청성간염으로 분
류하며 흔히 A형 바이러스간염, B형 바이러스간염이라고도 말합니다.

A) 유행성간염(A형 바이러스간염) : 타인과의 신체접촉에 의해서 감
염되거나 음식물의 오염에 의해서 감염되며, 인체 내 잠복기는 약 2주
에서 3주 정도이며, 연령적으로는 40세 미만의 젊은 사람들에게, 공동
생활을 하거나 단체, 학교 등에서 집단적으로 발생하는 경향이 많습니
다.

B) 혈청성간염(B형 바이러스간염) : 간염바이러스를 가지고 있는 사
람의 혈액을 수혈 받거나 또는 혈청주사를 함으로써 그 안에 들어 있는
바이러스에 감염되어 발생되는 것으로 잠복기는 대략 2개월에서 4개월
가량입니다. 대체로 40세 이후 중 · 장년층에서 많이 발생되며, 증상은

A형과 비슷합니다. 두통, 식욕부진, 권태, 피로, 변비, 어지러움 등을 수
반하며 때로는 담석증과 같은 극심한 통증이 위장부에서 일어나기도
하고, 감기 증상과 비슷한 오한, 발열, 전신의 통증으로 나타나기도 합
니다.

또한 이러한 진행 중에 간장이 위치한 부위 약간 부어 있어 그 곳을 누
르면 강한 통증을 느끼게 되는데 그러나 이 시기 초기에 치료를 받게 되
면 약 1개월에서 2개월 후에 일반적으로 매우 좋아지게 되나, 치료가 늦
어질 경우 때로는 만성간염으로 진행될 수도 있습니다.

2. 간경변증

일반적으로 습관성 음주, 폭음 등에 의해 발생하며 여성보다 남성들
이 2배 이상 많이 나타나는 질병입니다. 간경변을 일으키는 요인은 술
이외에도 크게 네 가지로 분류할 수 있습니다.

1) **영양성 원인** : 알코올 중독과 영양결핍 등에 의해서 많이 발생하며,
   알코올 자체가 지방간을 만들면서 간경변을 일으킵니다.

2) **감염성 원인** : 기생충이나 매독균, 바이러스 등에 감염되어 발병됩
   니다.

3) **중독성 원인** : 술이나 화학제품, 인, 비소 등에 중독이 되어 나타나
   게 됩니다.

4) **순환성 원인** : 심장기능의 약화가 오래 지속되면서 울혈성 간경변
   을 발생시킵니다.

대개 간경변증의 초기 증상은 두통, 기억력 감퇴, 불쾌감 등이 있으며,
말기에는 혼수상태, 경련 등의 증상이 나타나게 됩니다.

3. 담석증

담낭 또는 담도에 결석이 생겨 일어나는 질환으로 연령적으로는 40세 이후에 여성보다는 남성에게서 많이 발생합니다. 대체적으로 담즙의 울체, 담도의 염증, 운동부족, 신진대사의 이상, 담즙의 배설장해, 담낭관이나 당낭근의 경련 등이 시작되며, 세균감염에 의한 담도염이나 담낭염도 그 원인이 됩니다.

담석증의 통증은 매우 견디기 어려울 정도로 심하며, 복부상부에서 시작하여 우측 어깨, 팔까지 전달되어 위경련 증상과도 비슷하게 느낄 수 있습니다. 통증의 발작은 야간에 잘 나타나고 수 분내지 수 시간 지속되기도 합니다.

민간 치료법

간장병 치료의 기본은 간장의 자극을 줄 수 있는 약물이나 약제 등을 멀리하고 자극성 있는 음식물, 특히 맵고 짠 음식은 먹지 말아야 하며, 식물성 고단백질을 많이 섭취하고 비타민 B1, B2가 많이 들어 있는 공해 없는 인진쑥을 차로 만들어 장시간 식음하면 매우 좋은 효과를 볼 수 있습니다.

미나리는 만성간염, 간경변, 담낭, 담도 등 전반에 걸쳐 매우 좋은 치료제로 미나리를 삶아 우러나온 물을 식후 세 번 복용하면 간장기능을 회복시키는데 좋은 효과를 볼 수 있습니다. 웅담을 가루 내어(0.5g 정도) 매일 식후 두 번 먹어도 좋습니다.

쑥뜸 치료법

하나, 기문, 삼음교, 기해, 간장부위의 아시혈(압통점)에 하루 1회 1개월 가량 직구를 뜨게 되면 어지간한 간장질환은 치료가 됩니다. 특히 담석증인 경우 일월, 협척혈(척추 좌우)에 뜸을 뜨거나 간유, 담유, 삼초유, 신유, 기해유혈에 쑥뜸을 떠야 합니다.

고혈압증과 저혈압증

고혈압증

일반적으로 혈액이 혈관 벽에 미치는 압력을 혈압이라고 말합니다. 심장이 수축할 때 가장 높고 확장이 될 때 가장 낮으며, 이때 최고점과 최저점의 차이를 놓고 혈압이 수치가 높거나 낮다고 말하고 있습니다.

혈압은 대개 자연적으로 나이를 먹어 가면 점진적으로 높아지게 되며 일반적으로 정상혈압을 말할 때의 표준은 최고혈압이 120mm, 최저치를 70mm로 말하며 노인의 경우 최고 140에서 80을 정상적이라고 말합니다.

고혈압을 신성과 비신성으로 구분되며 신성의 경우 만성신장염 또는 위축신장에서 나타나며 비신성의 경우는 여러 경로의 질병성에 의하여 나타나지만 특히 가장 중요한 것은 원인불명의 본태성 고혈압입니다.

본태성 고혈압은 유전적 요인으로 볼 수 있는 것으로 연령적으로는 40대 이후에 많이 발생하며 특히 50대에 가장 많이 나타납니다. 대개는 자각증상이 없는 경우도 있으나 많은 경우 두통, 불면증, 이명, 불안, 건망증, 피로, 심계항진, 심장부 압박감, 호흡곤란, 가슴이 답답한 증상, 어깨아픔, 변비, 코피, 다리 저림감, 협심증, 부정맥, 심장성 천식, 다리부종, 야뇨증 등이 생길 수 있으며 이에 대한 치료는 발병원인이 완전히 밝혀지지 않은 조건에서 혈압을 조절하여 병적증상을 없애는 예방법과 평소운동을 통하여 체중을 줄이는 방법이 가장 효과적인 방법입니다.

저혈압증

최저혈압이 평균 70 아래인 경우에는 저혈압이라고 말하게 됩니다. 대개 혈압의 평균수치가 높거나 낮으면 질병으로 보는데 고혈압과 마찬가지로 신장성과 미신장성으로 구분하며 신장성인 경우 신장계통에 이상으로 볼 수 있으며, 비신장성인 경우에는 선천적으로 유전적인 인자를 가지고 나타날 때 발생하는 경우가 많습니다.

고혈압과 마찬가지로 저혈압 증세도 상당부분 원인이 밝혀지지 않은 상태에서 치료를 하여야 하는 어려움이 있으며 약물 치료는 그 한계와 부작용이 우려되므로 혈압이 높거나 낮아서 건강이 좋지 않으면 첫 번째가 먹는 음식에 가장 주의를 필요로 하며 특히 소금의 섭취량과 혈압의 관계는 밀접한 영향을 주게 되므로 자극성 있는 음식이나 짠 음식은 될 수록 적게 먹는 것이 좋습니다.

다음은 운동요법으로 평소에 몸무게는 줄이도록 하고, 하루에 20~30분 정도 걷는 것이 좋으며 체력이 좋은 사람은 뛰는 것도 바람직합니다.

민간치료요법

- **익모초** : 하루 20~30g씩 물에 달여 세 번에 나누어 끼니 뒤에 먹습니다. 소변을 원활하게 하며 혈압을 내려 줍니다.
- **두충** : 두충나무껍질을 잘게 썬 것 15~20g을 물에 달여 하루 세 번에 나누어 끼니 뒤에 먹습니다. 껍질을 약간 불에 볶은 것이 약효가 두 배 가량 셉니다.

- **다시마** : 보드랍게 가루 내어 한번에 3g씩 하루 세 번 먹습니다. 고혈압의 예방 목적에 사용하면 좋습니다.

뜸치료

- **족삼리혈** : 무릎을 90도 굽혔을 때 무릎 관절로부터 3치 내려가서 정강이 뼈 앞쪽으로부터 바깥쪽으로 약간 우묵하게 들어간 곳에 매해 봄마다 뜸을 1개월 가량 뜹니다.
- **대추혈** : 등뼈 제일 첫마디로 목을 굽혔을 때 튀어나오는 윗부분을 한번에 세 번 10일간 뜹니다.
- **도토혈** : 대추혈 다음 마디에 있는 혈이며 대추혈과 같이 뜹니다.
- **백회혈** : 머리 중앙선 앞 머리카락이 난 곳에서 5치 올라간 곳에 우묵하게 드러난 지점을 간접 구를 올려놓고 매일 1~2회 뜸을 뜹니다.

20. 김륭웅 박사 공학박사(전문 번역가)

- 1941년 경남 마산 출생
- 육군 사관 학교 졸업
- 펜실바니아 주립대학 연구원
- 뉴저지 공대 공학박사
- 뉴저지 공대 객원교수
- 미국 컴퓨터 공학회 유체공학분과위원장
- 미국 킬랍 설계사 중역
- American Whose who in Engineering & Science
- 월간 건강과 교육 편집 고문

- 주소 : 36-40 Bowne Street #3D
      Flushing, NY 11354
- 전화 : 718-762-4120

◎ Alcohol May Fight Alzheimer's

(적당한 음주는 알츠하이머 병에 좋을 수도 있다)

◎ 대체의약품 소개 1

(위를 진정시키는 대체의약품들)

◎ 대체의약품 소개 2

(결장암 예방에 좋은 Folate)

◎ 대체의약품 소개 3

(치료효과가 있는 비타민)

◎ 당뇨병 수술 요법(인슐린으로부터 해방)

◎ 종합비타민의 기적

Alcohol May Fight Alzheimer's
적당한 음주는 알츠하이머병에 좋을 수도 있다

(The Associated Press)

London -- A new study indicates that daily moderate consumption of alcohol, which has already been shown to help prevent heart disease and strokes, also may ward off Alzheimer's disease and other types of dementia.

The study, published this week in The Lancet medical journal, also found that it doesn't seem to matter what people drink -- the effect is the same.

The finding adds to a growing body of evidence for the health benefits of moderate drinking.

Experts say moderation -- between one and three drinks a day -- is the key.

The adverse effect of excess alcohol is beyond question. Besides destroying the fiver, several studies have shown that excessive drinking can be toxic to the brain. Alcoholics can end up with a shrunken brain, which is linked to dementia. There is even a medical condition called alcoholic dementia.

"For people who drink moderately, this is another indication that they are not doing any harm. And for those who don't, they might want to rethink that position." said Meir Stampfer, professor of nutrition and epidemiology at Harvard School of Public Health, who was not involved in the study.

Scientists at Erasmus University in Rottordam, the Netherlands, conducted a six-year study of 5,395 people age 55 and over who did not have sign of dementia.

They were asked whether they ever drank alcohol. Those who said yes were quizzed on how often they drank and details on their consumption of specific drinks such as wine, beer, spirits and fortified wine such as sherry and port.

The men mostly drank beer and liquor, while women preferred wine and fortified wine.

The researchers also checked whether participants' drinking habits had changed over the preceding five years or whether they had engaged in binge drinking — — more than six drinks in one day.

Everyone was categorized according to how much they drank. Four or more glasses of alcohol per day was considered heavy drinking.

By the end of the study in 1999, 197 of the participants had developed Alzheimer's or another form of dementia. Those who fared best were people who drank between one and three drinks a day. They had a 42 percent lower risk of developing dementia than the nondrinkers.

Those who weren't daily drinkers but had more than one drink per week had a 25 percent lower risk and those who drank less than a glass a week were 18 percent less likely than nondrinkers to develop dementia.

Recalculating all the figures for each type of alcohol separately, and comparing wine to other types of alcohol separately, and comparing wine to other types of alcohol, yielded the same results. (Newsday, Friday, January 25, 2002)

적당한 음주는 알츠하이머병에 좋을 수도 있다 (연합통신 : 런던)

적당한 술을 마시는 것이 심장병 및 심장마비 예방에 좋다는 것은 이미 알려져 있다. 새로운 연구에 의하면 매일 적당한 알코올 섭취는 알츠하이머병이나 다른 종류의 치매 예방에 좋을 수 있다고 한다.

이번 주에 발간된 란셋 메디칼 저널에 의하면 이는 술의 종류와는 무관하다고 한다. 술과 치매 예방에 관한 새 발견은 적당한 음주가 건강에 좋다는 기존의 여러 가지 증거에 또 다른 것을 추가하는 것이다. 전문가들은 하루 1~3잔의 적당한 음주가 좋다고 한다.

과도 음주가 몸에 나쁜 것은 이론의 여지가 없다. 과도한 음주가 간의 손상을 가져오는 것 외에 뇌에도 독이 될 수 있다는 여러 보고서가 있다. 알코올 중독자는 종국적으로 뇌가 축소되고 이것이 치매와 관련이 있다.

"알코올로 인한 치매"라는 병이 있는 것도 바로 이 때문이다. 이번 연구에 참가하지는 않았지만 하바드대 공중의학연구소의 영양 및 전염병 교수인 마이어 스템퍼에 의하면 적당한 음주를 하는 사람들에게는 이것이 건강에 해로움을 가져다 주지 않는다는 것을 새로운 연구에게 밝히고 있으며 단순히 건강 때문에 술을 마시지 않는 사람들은 다시 생각해 볼 필요가 있다고 한다.

네덜란드의 로테르담에 있는 에라무스 대학의 과학자들은 치매의 징후가 없는 55세 이상 5,395명의 성인을 대상으로 6년 간 연구를 했다.

대상자들은 그들이 한번이라도 술을 마신 적이 있는지, 만약 그렇다면 음주의 횟수와 술의 종류, 예를 들면 포도주, 맥주, 독한 증류주, 쉐리, 포트 같은 포도주에 다른 술을 섞어 알코올 도수를 높인 술 등에 대해 자세한 설문을 받았다.

대상자 중 남자는 주로 맥주나 증류주를, 여자는 포도주나 도수를 높인 포도주를 마셨다. 또한 과학자들은 연구대상자들에게 연구 시작 전 5년 간 음주 습관이 바뀌었는지 혹은 하루에 6잔 이상 마신 적이 있는지도 물었다. 대상자들은 음주량에 의해 분류가 되었고 하루 4잔 이상 마시는 사람들은 과음자로 평가되었다.

연구가 끝난 1999년에는 대상자중 197명이 알츠하이머나 다른 종류의 치매가 생겼다. 하루 1~3잔의 술을 마신 사람의 치매 발생률이 제일 적었다. 이 사람들은 술을 마시지 않는 사람에 비해 치매 발생률이 42% 낮았고 매일 술을 마시지 않지만 일주일에 한잔 이상 마시는 사람은 25%, 일주일에 한잔 이하로 마시는 사람은 18%가 낮았다.

이번 연구는 술의 종류와는 무관한 것으로 밝혀졌다.

(뉴스데이, 2002년 1월 25일 금요일)

대체의약품 소개 1
(위를 진정시키는 대체의약품들)

GNC(General Nutrition Center)는 자연에서 나는 원료를 이용한 대표적인 대체의약품 판매점으로 미 전국에 약 5,000개의 점포가 있습니다. 이번 호에는 GNC에서 발행하는 건강 잡지 "Let's Life"의 3월호 기사를 발췌했습니다. 지면 관계상 번역문만 게재합니다.

위를 진정시키는 대체의약품들

위의 쓰림, 가스, 토함, 식중독 등에 쓰이는 대표적인 자연요법은 다음과 같습니다. 자연요법이므로 부작용이 없고 가격 또한 싸다.

1. Ginger Root(생강)

수 세기동안 세계 각처에서 각종 위장장애에 쓰여왔다. 생강은 특히 구토, 메스꺼움, 복통, 가스, 설사에 유효하다. 또한 생강은 위장의 Flu Bug 및 식중독 치료에도 좋다. 생강은 미국에서 차멀미의 민간요법으로 쓰인다. 스시에 생강을 곁들이는 것도 바로 이 때문이다.

용법 : 증상이 있을 때 생강차 1컵을 매 시간 복용한다. 500mg 캡슐을 매 1-2시간마다, 생강시럽 30방울을 매 1~2시간마다 복용한다.

2. Liquorices Root(감초)

중국에서는 5천년간 위장장애 치료약으로 써왔다. 매 시간 차로 끓여 마시거나 캡슐(DGL이라고 표시됨) 200~300mg을 하루 세 번 복용한다. 원래 감초는 장기복용 시 혈압을 높일 수 있으나 첫째, GL은 혈압상승 성분을 제거하였다.

속 쓰림, 뒤틀림, 위산과다, 위산 억류 등 광범위한 증상에 효과가 있다.

3. Peppermint(박하)

용법 : 차로 끓여 마시거나 Peppermint Oil 캡슐을 필요시마다 복용한다.

4. Nux Vomica

Asiatic Tree의 씨로 만든 것입니다. 구토, 식중독, 속 쓰림, 위장장애, 독감으로 인한 위장장애에도 좋다.

5. Arsenicum Album

위장장애, 특히 독감으로 인한 위장에 좋다. 설사를 동반한 구토에 특효약이기도 한다.

6. Ipecacuanha

구토에 특효약이다.

7. Phosphorous

메스꺼움, 구토, 속 쓰림에 좋다.

(용법) : 30개의 알약을 매 15분마다 복용한다.

위의 약들은 GNC에 가면 살 수 있고 Label에 자세한 용법이 적혀 있습니다. 필자도(특히 DGL) 위의 약들을 필요시마다 쓰고 있으며 많은 효과를 보고 있다.

대체의약품 소개 2
(결장암 예방에 좋은 Folate)

미국에서 수백 만의 독자를 가진 월간 건강지 "Prevention"의 2002년 8월호에 "획기적인 의학 발전"이란 제하로 편집된 기사를 소개합니다.

집안에 결장암 내력이 있는 사람은 하루 400 마이크로 그램(mcg)의 Folate(Juice, Spinach, Supplement)를 섭취함으로써 결장암의 위험을 50% 이상 줄일 수 있다. 400mcg의 Floate 일일 섭취 권장량이기도 하다.

하버드대학 연구진들이 88,000명 여성들의 음식 섭취습관을 조사한 결과 가족 중 결장암(결장암은 집안의 내력과 관련이 많은 암으로 조사되었음)이 있는 사람의 경우 하루 400mcg의 Folate 음식이나 정제를 섭취함으로써 결장암의 위험을 이런 내력이 없는 사람과 같은 수준으로 낮출 수 있었다고 조사되었다. 가족의 내력이 없는 경우는 결장암의 위험이 19%나 낮아졌다.(Cancer Epidemiology, Biomarkers and Prevention, 2002년 3월호) 연구진의 한사람인 Charles Stewart Fuchs, MD는 종합비타민과 함께 400mcg의 Folate를 매일 섭취하기를 권하고 있다.

Folate Cuts This Colon Risk Cancer

(Juice, Spinach, Supplement)

If you have a family history of colon cancer, getting 400 micrograms(mcg) of folate a day(the recommended daily amount) may cut your risk by more than 50%.

When Harvard University researchers examined the eating habits of 88,000 women, they found that those with a family history who got that amount — from foods or supplement — brought their risk down to normal levels. And women with no family history who got folate dropped risk an extra 19%(Cancer Epidemiology, Biomarkers, and Prevention, Mar 2002). Researcher Charles Stewart Fuchs, MD, recommends a multi with folate in order to get enough every day.

대체 의약품 소개 3
(치료효과가 있는 비타민)

다음은 리더스 다이제스트 2003년 6월호에 게재된 기사인데 원문이 길므로 원문을 요약한 번역문만 게재합니다.

치료효과가 있는 비타민 – 당신은 충분히 섭취하고 있나요?

윌손 릴리 씨는 자기의 어린 아들이 왜 아픈지 알지 못했다. 아이가 한 살이 되었을 때 릴리 씨는 자기 아들에게 무언가 건강상의 문제가 있음을 알았다.

"아이의 머리는 자라는데 몸은 아주 작았어요."하고 릴리 씨는 말했습니다. 보스턴의 메디칼 센터에서는 릴리 씨의 아들이 구루병(곱사등)에 걸렸는데, 그 이유는 비타민 D 부족이라고 진단하였다.

지난 1세기 동안 보스턴, 뉴욕, 런던의 슬럼가에 사는 아이들도 구루병에 걸려 있음이 밝혀졌다. 이유는 비타민 D 부족이었다.

이 구루병은 1920년대 이후는 거의 사라졌는데 그 이유는 의사들이 햇볕을 받으면 구루병이 없어진다고 캠페인을 벌였고, 또 농부들이 우유에 비타민 D를 첨가했기 때문이다. 그런데 최근에는 구루병이 다시 생기기 시작했다.

보스턴 의대의 마이클 홀릭 박사는 지난 30년 간 구루병과 비타민 D의 관계를 연구했는데 최근의 구루병이 비타민 D의 부족 때문이라고 확신하고 있다. 뿐만 아니라 과학자들은 비타민 D 부족증이 암, 고혈압,

당뇨병 및 골다공증도 유발한다고 믿고 있다.

홀릭 박사에 의하면 "비타민 D가 인간의 건강 전체에 결정적인 작용을 한다는 증거가 속속 나오고 있다"고 말한다. 그것은 매우 중요한 발견이다. 과거엔 비타민 D가 단지 뼈를 튼튼하게만 해준다고 생각되었는데 뼈 뿐만 아니라 인간의 몸 전체에 영향을 준다는 증거가 나오기 때문이다.

다른 비타민과는 달리 비타민 D는 음식물 속에 많이 들어 있지 않다. 기껏해야 비타민 D가 함유된 우유, 고등어나 연어 같은 찬 바닷물 속에서 자라는 생선 등이다. 비타민 D가 대부분 태양 빛을 몸에 쪼이므로 생성된다. 햇볕을 쪼이면 피부에 있는 비타민 D와 연관된 호르몬이 태양 빛의 자외선을 흡수하여 간과 신장으로 이동, 산소와 수소를 흡수하여 Calcitrol을 만든다. 이것이 몸 전체에 유익한 작용을 한다.

하루에 태양 빛을 몇 분간만 쪼이면 하루에 필요한 비타민 D가 생깁니다. 대기오염, 실내 생활, 피부보호 크림 등이 자외선을 차단 비타민 D의 생성을 막는다.

암

1980년대 형제 전염병 학자인 프랭크, 세드릭 갈랜드가 구름이 많은 동북쪽에 사는 사람들이 남쪽 따스한 지방 사람들보다 결장암이 2배나 높다는 것을 발견했다. 그 후 가주 샌디에고 대학에서 연구 중이던 이 두 학자는 비타민 D가 결장암과 직접적인 관련이 있는 많은 증거들을 찾아내었다. 뿐만 아니라 과학자들은 전립선암, 유방암, 난소암 등도 비타민 D와 관계가 있음을 알아냈다.

국립 암 연구소에서는 24개 주 사망자의 원인을 분석한 결과 햇볕을 많이 받는 주의 주민들이 그렇지 않은 곳의 거주자보다 위에 열거한 암 발생률이 10~27% 낮다는 것을 발견하였다.

웨이크 포레스트 의대의 슈와르츠 박사는 앞에서 말한 Calcitrol이 결장 내 암세포 증식을 막는 것을 알아냈다.

당뇨병

겨울에는 해가 하루 몇 시간밖에 뜨지 않는 핀란드는 세계에서 제일 많은 제1형 당뇨병 환자를 가지고 있다. 스칸디나비아의 과학자들이 10,000명의 어린이들을 조사한 결과 비타민 D를 적정량 섭취한 아이들이 그렇지 않은 아이들보다 성장해서 제1형 당뇨병을 일으킬 확률이 80%나 낮다는 것을 알아냈다.

고혈압

적도로부터 멀리 떨어진 나라에 사는 주민들의 평균혈압이 그렇지 않은 곳의 사람들보다 혈압이 높다는 것이 오랫동안 알려져 왔다. 홀릭 박사는 18명의 지원자에게 자외선을 6주간 쬐인 결과 비타민 D의 체내 함유량이 배로 늘어났고, 그들의 고혈압이 많이 내려갔으며 어떤 사람은 정상으로 되었음을 발견했다.

골다공증

홀릭 박사는 학회에서 자신의 딸이 애완동물로 기르고 있는 이구아나를 예로 들었는데, 자외선을 정기적으로 쬐어주지 않으면 이구아나의 뼈가 부스러지는 것을 보여주었으며, 사람도 이구아나와 똑같다고 말한다. 비타민 D가 부족하면 parathuroid 호르몬이 뼈 속의 칼슘을 빼앗아 가서 골다공증이 생긴다. 연로한 분들에게 골다공증이 많이 생기는 것은 햇볕을 적게 쪼이기 때문이다.

비타민 D의 하루 적정량
1) **50세 이하** : 200 IU
2) **50−69세** : 400 IU
3) **70세 이상** : 600 IU

제일 좋은 방법은 썬 크림을 바르지 않고 하루 10~20분간 햇빛을 쪼이는 것이다.

당뇨병 수술 요법(인슐린으로부터 해방)

이 글은 2002년 4월 10일자 "The Wall Street Journal"의 기사를 번역한 것입니다. 지면 관계상 기사 전문은 생략하고 번역문만 기재합니다.

지난 10년 간 악성 당뇨병에 대한 치료법 가운데 가장 획기적인 방법이 개발되었다.

과학자들이 췌장 세포를 이용한 당뇨병 치료방법을 개발한 지 2년 후, 세계적으로 80명의 장기 당뇨병 환자들이 새 치료법의 혜택을 받았다. 그 중 70% 이상의 환자들은 인슐린 없이 살아가고 있다. 46세의 그래픽 예술가인 '데이비드 라르선' 씨는 지난 달 췌장 세포 이식을 받은 지 2주 후 인슐린 없이 지내고 있다. 라르선 씨는 "지금 상태는 너무나 좋아서 그저 놀라울 따름"이라고 얘기하고 있다.

미국 내에서만 백만 명의 제1형 당뇨병 환자가 있다. 이는 가장 무서운 형태의 당뇨병으로서 어릴적 신체의 면역 체계가 췌장을 공격해 췌장 세포를 파괴함으로서 생긴다. 또, 천 6백만 명의 미국인들이 제2형 당뇨병으로 고생하고 있는데 이는 중년기의 비만, 운동부족으로 췌장에서 만들어지는 인슐린을 신체가 적절히 이용하지 못하므로 생기는 것이다. 당뇨병은 심장병, 신장병, 실명 및 신경 세포를 파괴하는 각종 합병증을 가져온다.

라르선 씨를 치료한 미네소타 대학의 '버나드 헤링' 박사는 새 치료법을 이용한 당뇨병 치료와 그 방법의 효과와 안전성에 대한 연구를 계속하는 이 방면의 세계적인 학자이다. 2년 전 카나다 알버타의 영국 과학자들은 7명의 환자에게 새 치료법으로 시술하였다. 모두 다 가장 무서운 제1형 당뇨병 환자를 대상으로 한 것이었다.

새 치료법이 획기적이긴 해도 아직 위험 요소도 있다. 이는 새 치료법으로 인한 신체 거부반응을 줄이기 위해 환자들은 평생동안 약을 복용해야 한다는 것이다. 이 약들은 신체의 면역체계와 각종 질병, 암 같은 병들에 대한 저항력을 약화시킨다.

그러나 새 치료법을 받은 환자들이 2년이 지난 후 생명을 위협하는 질병이나 암은 나타나지 않았다. 그 이유는 거부반응 때문인데 그렇다고 하더라도 아직은 새 치료법이 암 같은 다른 질병을 일으키지 않는다고 단정하기는 어렵다.

새 치료법의 큰 위험은 20~30년 후에도 암 같은 질병을 일으키지 않을 것인지 또 새 치료법이 시간이 지나면서 효과를 잃게 되는 것이 아닌지 하는 것인데 새 치료법의 치료를 받은 환자의 30%는 2년 후 효과가 없어진 것이 밝혀졌기 때문이다.

현재 미국, 유럽, 카나다 등의 10개 메디칼 센터에서 40명의 환자에게 새 치료법을 시술하고 있다. 이 환자들이 앞으로 2~3년 동안 어떻게 되고 있나 하는 것이 새 치료법의 성공 여부를 어느 정도 말해줄 것이다. 문제는 췌장세포 이식을 위한 췌장이 년간 500개 정도밖에 없어서 많은 환자들이 혜택을 못 받는다는 것이다. 수술비용도 $150,000.00~$175,000.00로 드는 것이 큰 문제이다. 수술비용이 많이 드는 이유는 시험적인 방법이므로 보험 혜택을 받지 못하기 때문이다.

새 치료법은 즉시 효과를 볼 수 있는데 첫 이식을 받은 순간부터 인슐린 필요량이 50~60%로 줄어든다. 두 번째 이식 후엔 인슐린이 필요 없다.

이식수술은 환자를 마취시킨 후 갈비뼈 및 간문맥으로 췌장 세포를 주사하는 것이다. 38세의 우주선 운영 메니저인 '켄 텐부시' 씨는 약 45분이 소요되는 췌장 세포 주사 후 한 시간 반 지나 "기분이 너무나 좋다"고 실토했다. 7개월 반 전 두 번째 췌장 새포 주사 후 덴부시 씨는 인슐린 없이 살아가고 있다.

이 새 치료법의 평가는 시간이 좀 더 있어야 나올 것입니다. 면역 체계를 약화시킴으로써 오는 암 같은 질병의 발생이 아직 확실히 판명되지 않고 있다.

췌장 세포 이식에 대한 정보는 www.immunetalerance.org 또는 www.jdf.org에서 얻을 수 있다.

종합비타민의 기적

이 글은 GNC(General Nutrition Center)에서 발행하는 건강잡지 "Let's Live" 2002년 5월호에 실린 기사를 발췌한 것입니다. 기사 기고는 Let's Live의 편집인 베스 살몬(Beth Salmon) 씨가 하였습니다.

Tom 초등학교는 평범한 학교이나 매우 놀랄만한 일이 일어나고 있다. 이 학교 선생님들은 씹어먹는 종합비타민을 학생들에게 나누어주고 있다. 왜냐하면 오클라호마 주 하워스에 있는 이 학교는 보통 이하의 학교로 간주되었기 때문이다. 학교 당국은 2002년도 학기에 비타민이 학업부진아 또는 문제아에게 학업성적을 향상시킨다는 기존의 연구결과를 증명하기 위해서 "Vitamin Relief USA"를 도입하기로 결정했기 때문이다. 그리고 학교 당국의 판단은 옳은 것이었다. 실례로 학교 선생님들이 깜짝 놀랄 일이 일어났는데 그것은 종합비타민을 섭취한 아이들이 주의력집중 시간이 길어지고 학업성적이 빨리 올라갔으며 출석률이 좋아졌기 때문이다.

이런 결과들은 이 프로그램에 참가했던 미국의 다른 학교에서 얻은 결과와 같다. "Vitamin Relief Program"을 주관하는 "Healthy Foundation"에 의하면 위에 말한 학교에서의 성적 향상뿐만 아니라 아이들의 에너지 및 식욕증가 또 아이들의 자존심도 향상되는 것으로 조사되었다.

우리 어머니들은 채소를 먹고 종합비타민을 섭취하는 것이 좋다는 것을 늘 알고 있었다. 이번의 조사결과는 그것이 맞다는 것을 보여 주었다. 최근 미의회는 이번 연구결과를 토대로 미전국 수 천 명의 학생들에 대한 조사를 위해 50만불을 Healthy Foundation에 연구기금으로 지원하였다. 이번 연구는 학업성적뿐 아니라 제대로 영양을 섭취 못하는 모든 가정의 자녀들에게도 적용이 된다. 이 편집자는 Healthy Foundation에서 실행하는 이 중요한 일이 널리 알려졌으면 좋겠다고 말하였다.

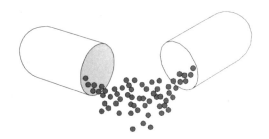

건강 200세

초판 1쇄 인쇄   2003년 12월 29일
초판 1쇄 발행   2004년 1월 5일

지은이   김상규
발행인   지만호
발행처   (주)매일건강신문사 출판부

등록번호   제2-269
등록일자   1980년 3월 29일

서울시 영등포구 당산동6가 121-73 영등빌딩 B동 2층
전화   02-2671-9001
팩스   02-2672-2636
Homepage / www.hanbang114.co.kr
E-mail / webmaster@hanbang114.co.kr

ISBN 89-90718-05-8
정가 10,000원